W9-BTB-779

LE PASSÉ EMPIÉTÉ

DU MÊME AUTEUR

Aux Editions Julliard :

ECOUTEZ LA MER, 1962.
LA MULE DE CORBILLARD, 1964.
LA SOURICIÈRE, 1966.
CET ÉTÉ-LÀ, 1967.

Aux Editions Grasset :

LA CLEF SUR LA PORTE, 1972.
LES MOTS POUR LE DIRE, 1975.
AUTREMENT DIT, 1977.
UNE VIE POUR DEUX, 1979.
AU PAYS DE MES RACINES, suivi de AU PAYS DE MOUSSIA, 1980.

MARIE CARDINAL

LE PASSÉ EMPIÉTÉ

roman

BERNARD GRASSET
PARIS

à Benoît

PREMIÈRE PARTIE

La maison est haute et grande, elle se dresse au sommet d'une colline abrupte qui dévale jusqu'à la Manche. On me l'a prêtée.

Impression d'être en faute tandis que je ferraille dans les serrures. On m'avait dit : « La grande clef ouvre la cuisine, la petite ouvre la porte de devant, la plate c'est celle des compteurs... » Une fois là, je ne sais plus laquelle est vraiment la grande et si la plate est celle-ci ou celle-là, d'autant que d'autres clefs pendent au trousseau, ouvrant des dépendances, la cave, le placard à linge, le garage...

Je me sens en infraction, mon cœur bat, c'est idiot ; la villa appartient à mon frère, je porte le même nom que lui, si quelqu'un me demande ce que je fais là je n'ai qu'à montrer mes papiers... et d'ailleurs il n'y aura personne, absolument personne pour se mêler de mes affaires puisque cette maison est la dernière du village qui est déserté dès la fin de l'été ; je le sais bien.

Je n'ai rien à craindre mais le cœur me cogne quand même.

Une fois entrée j'ouvre les volets, je déballe mes affaires : des vêtements, quelques provisions. Je branche le réfrigérateur, le circuit d'eau chaude. Cette mise en marche s'opère parfaitement, aucune catastrophe ne survient.

J'entends les oiseaux dans le jardin et, au loin, le ressac. Mais mon cœur bat toujours. Il me semble que son martèlement rapide et fort va s'arrêter et qu'alors, épouvantablement, je m'évanouirai dans la paix et la solitude environnante, que je me dissoudrai dans l'air léger, doré, où s'élève la villa.

La bâtisse, construite dans le style balnéaire du pays de Caux, est faite de briques et de silex. Le toit pentu est soutenu par des colombages. Elle date de la fin du siècle dernier, elle est solide et d'une modernité désuète. Elle évoque des alignements de cabines de bain, des familles à salabres et à chapeaux de paille, des baigneuses emmitouflées, des baigneurs bombant le torse dans les bretelles de leur maillot... des vacances anciennes, des falaises — Etretat n'est pas loin —, des hortensias, des casinos à marquises ouvragées, Proust et Mme de Cambremer...

A l'intérieur, le gros œuvre a été refait, l'électricité et la plomberie sont neuves, le chauffage central est installé, les cheminées sont ramonées. La cuisine et la salle de bains sont modernes.

Pour le reste, tout est à entreprendre. A part de bons lits, il n'y a guère de meubles et sur les murs subsistent des lambeaux de papier à fleurettes et à arabesques témoins d'un cossu démodé, d'une esthétique d'avant-guerre, quelque chose de mon enfance, un relent de mon passé, des échos de la voix de ma mère : « Horribles, horribles ! » Ces papiers peints sont horribles, c'est vrai, mais il n'en reste que des morceaux, il est évident qu'un jour proche ils disparaîtront complètement et que la maison sera repeinte à neuf.

Je suis satisfaite de cette vacuité, de ce manque

d'ameublement et d'ornementation, ça me donne la liberté d'inventer un espace à mon goût. La maison est dans un état qui me convient : disponible, vide encore des désirs de ses propriétaires.

La cave est pleine de bûches, j'allumerai un feu et je m'assiérai devant, par terre, pour regarder les flammes et entendre le bois qui brûle.

C'est l'automne, un automne normand magnifique.

J'ai voulu de toutes mes forces être ici, seule. Pas de téléphone, pas de voisins, la gare la plus proche est à vingt kilomètres, mais la mer est à deux pas, verte, brassant son écume, entrechoquant ses galets. Je ne la vois pas, les pins du jardin me la cachent, pourtant je sais qu'elle est là ; outre que par moments j'entends son puissant remue-ménage, elle imprègne l'air.

Les flammes, la mer, je ne désire pas d'autre compagnie, mais mon cœur s'agite toujours, inquiet, aux aguets, réticent, moins décidé que moi à demeurer dans ce lieu. Il entretient une alarme secrète, il me fait peur.

Je mets la bouilloire à chauffer pour le thé. J'allume le feu, je m'assieds en face de lui. Tout est bien.

Alors, je commence à pleurer, à pleurer à n'en plus finir. C'est bon, mon cœur s'apaise. Je me demande si je ne suis pas venue ici uniquement pour ça, pour pleurer comme une enfant, tant que je le peux, avec des sanglots profonds qui détendent le ventre, le dos, les épaules. Pleurer, pleurer encore, me vautrer dans ces larmes, les laisser glisser le long de mon cou, dégouliner sur mes mains, goutter sur le plancher, et regarder la flambée à travers elles. Il y a combien d'années que je n'ai pas pleuré comme ça ? Je ne sais plus. Depuis mon enfance peut-être. Il y a longtemps, très longtemps.

Je prépare le thé en pleurant. Je le bois en pleurant. Il

est exactement à mon goût. Je note au passage, en pleurant, la saveur crue d'une eau moins trafiquée que celle de Paris. Je m'étends sur le plancher, je regarde le plafond lézardé et par la porte-fenêtre, en pleurant, je contemple un grand pin au tronc rouge éclairé par le soleil couchant. Il me faut ça, retrouver la durée interminable de l'enfance, un chagrin qui ira jusqu'à son épuisement, sans que j'aie à le cacher, le calmer, le masquer, un chagrin qui prendra son temps pour aller jusqu'à la source des larmes, elle est profonde ! La laisser sourdre, intarissable, sœur de la mer qui doit grossir à l'approche de la nuit.

Larmes douces, larmes berceaux, larmes berceuses, larmes nourrices, larmes compagnes. Troupe complice, protectrice... « Je vais me reposer, je vais me reposer, je vais enfin me reposer. » Je me chantonne ça à moi-même et ce rabâchage, comme une sorte de comptine, m'apaise. Il y a tant de temps que je suis tourmentée, tant de jours que je veux me terrer, disparaître, foutre le camp.

Depuis deux ans ma belle vie s'est transformée en enfer !

Mes deux enfants presque morts, estropiés ! Mes deux enfants, qui ne sont plus des enfants, qui ont vingt-quatre et vingt-deux ans, qui sont une femme et un homme. Ecrabouillés sous un dix tonnes dans les chromes de leur moto neuve ! La moto que je leur ai offerte !

Le bruit devant la maison ! Juste là, devant la porte cochère. Un bruit d'accident urbain, pas plus effrayant qu'un autre, moins affolant même que les sirènes des SAMU ou de la police. Mais un bruit qui, je ne sais pourquoi, est à moi, inscrit dans mon destin. De mon balcon je distingue un camion et, devant, un fouillis avec déjà des gens qui s'attroupent.

En bas, sur l'asphalte du boulevard Montparnasse, luisant encore de la première pluie de septembre, je considère l'invoyable, l'inadmissible. Un désordre terrible composé de matières nouvelles. Un amas fait de débris et de déchiquetures du progrès : du sec, du raide, des humeurs gluantes qui empestent l'industrie. Et, dans ce nid, mes enfants morts — je les ai crus morts —, leurs corps abandonnés au trépas. Leurs corps déjà anciens, et leur beau sang qui coule !

Qui peut supporter un tel spectacle sans en être à jamais broyée ?

Devant mon regard détruit, devant mon impuissance pétrifiée, je vois des hommes en blouse les emmener. Ils les ont allongés sur des civières avec les mêmes gestes que j'avais, quand ils étaient petits, pour les coucher le dimanche soir après nos jeux épuisants ; dépliant leurs jambes, rentrant leurs bras sous le drap blanc, remontant la couverture. Et moi, du fond du chaos, remarquant que l'ourlet de ma fille est décousu, que le blouson de mon fils est déchiré, qu'une de leurs chaussures traîne dans le caniveau !... Incapable d'agir, de penser, livrée à des phrases qui s'énoncent toutes seules :

« S'ils n'avaient pas eu tant d'argent, ils n'en seraient pas là. »

« S'ils n'avaient pas eu cet engin, ils n'en seraient pas là. » « Si tu t'en étais occupée autrement... »

Des voix dehors, dedans, peinées, contrites, réprobatrices, grondeuses, raisonnables, à dire des mots qui me molestent, rebondissent, jaillissent, éclaboussent la moindre de mes pensées, le moindre de mes actes, remettent ma vie en question.

Mes deux enfants entre la vie et la mort pendant des

mois ! Chaque jour les hôpitaux, les ambulances, les sirènes, les salles de réanimation ! Les tuyaux pleins de sang, les tuyaux pleins d'oxygène, qui vont jusqu'à leurs corps, y pénètrent par des aiguilles, des canules, des drains. Les lentes et sinueuses étoiles filantes de leurs vies précaires sur les écrans de contrôle. Le silence affolant entre deux respirations. Le calme inaccessible de leurs comas, et puis des marmonnements, leur fragile retour à une vie problématique.

Je ne suis pas coupable, je ne suis pas coupable !

Là, devant leurs corps inertes, devant le danger de leur mort, devant leurs vies fragiles, plus que fragiles... leurs vies que je leur ai « données »... la peur a jailli, une peur ancienne, peur du sacrilège, peur d'avoir touché aux dieux, aux colonnes de la vie. Une angoisse m'a prise, semblable à celle que j'éprouvais petite quand je croyais que l'enfer existait, gardé par des diables, des serpents, des bûchers, Lucifer... Les craintes de la jeunesse sont revenues, celles que j'éprouvais face aux codes, aux limites, aux frontières qui se découvraient partout, incompréhensibles, inadmissibles...

Quelle entreprise qu'une existence, avec les aller et retour fulgurants de la mémoire, annulant les années, rendant la vie à la petite fille, la restituant intacte, faisant que j'ai, sans cesse, depuis cet accident, dix ans et cinquante ans à la fois, avec la même authenticité !

Encore une bûche dans la cheminée, une grosse, parce qu'il y a beaucoup de braises maintenant. Des étincelles. Le feu s'écroule, se tasse, s'installe, pour manger le mieux possible la provende que je viens de lui offrir. Personne, personne autour de moi dans la pièce et je ne peux m'empêcher de remarquer que cette absence est une présence. La présence de ma vie entière surpeuplée de personnages, de maîtres, de juges, de parents, d'aînés, encombrée d'objets...

Le soir a, peu à peu, noirci les vitres, les transformant en miroirs où se projettent les lueurs mouvantes du foyer. En scrutant cette noirceur je devine, au-delà des reflets chatoyants de l'intérieur, dehors, les lignes rondes du sommet du grand pin et, encore plus haut, le bleu très sombre de la nuit sans lune.

Et les vagues ? Et les vagues ! J'écoute de toutes mes forces. Je me tapis dans mes oreilles pour capter le bruit des vagues, pour le détacher des autres bruits, pour jouir de son rythme. Quelle est sa cadence cette nuit ? Une vague par une vague, chacune longue, profonde ? Ou trois vagues, un silence, encore trois vagues ? Ou alors neuf vagues courtes, agitées, embrouillant leurs écumes, le reflux de l'une se mêlant au flux de la suivante ?

La bûche crépite, elle bave sa résine qui grésille en brûlant, et les flammes hardies, gonflées de la chair du bois qu'elles dévorent, ronflent, entreprennent des grimpettes allègres et bruyantes. C'est beau ! Impossible d'écouter les vagues. Tout à l'heure, quand le feu sera calmé, j'essaierai encore de les entendre.

Pourquoi fallait-il que j'en vienne à cet exil, à cet isolement ? Pourquoi avoir peur et... honte ? Je n'ai rien fait, je ne l'ai pas fait exprès, je ne me suis pas rendu compte, j'ai cru bien faire !

La moto ! Elle était tellement belle ! Chez le marchand nous l'entourions tous les trois, muets de désir, figés d'envie. Tous les trois ! Envie de la faire pétarader, envie de nous approprier sa puissance. Elle était conçue pour partir, pour aller loin. Noir et argent, en costume de gala, pour des orgies de vent, d'oubli... Oui, les autres avaient raison, c'était insensé, à mon âge, d'avoir envie d'une moto... Une envie si forte que je l'ai achetée. Mais ce n'est pas moi qui l'ai enfourchée, ce sont mes enfants, mes deux enfants... Je les ai estropiés !

Je ne peux plus rester ici devant la cheminée, sans rien faire. Il faut que je bouge, que mes os et mes muscles bougent, que mes nerfs s'appliquent à accomplir des actions concrètes. Il faut que les mouvements de mon corps distraient ma cervelle qui, elle, grouille sans cesse, brasse des mots, des images, des idées. Agitation exaspérée, exaspérante, où les particules de la raison et de la déraison se heurtent, s'accumulent, se font la guerre, s'entretuent, recommencent, sans jamais parvenir à une réponse, à un soulagement, à une paix, même momentanée : je ne comprends pas le gâchis de ma vie, je refuse la punition, je ne veux pas admettre que c'était mieux avant, que je devrais réintégrer un ordre qui ne me convient plus. Pourquoi cache-t-on aux femmes la magnifique force de leur âge mûr ?

Je suis venue à ma vie en même temps que j'ai fait mes premiers pas dans le vieillissement. Vers trente-cinq ans ma peau s'est distendue, à peine, ensuite elle est devenue trop lâche, après il aurait fallu la reprendre partout. En même temps, petit à petit, ma colonne vertébrale s'arquait sous la nuque, mes mains se tachaient, les contours de mes yeux et de mes lèvres perdaient de leur précision. C'était comme ça, il n'y avait pas de quoi en faire une histoire..., d'ailleurs je devenais séduisante autrement, par moi-même. Alors, j'ai commencé à exister vraiment... Jusqu'à la stridence des freins sur le boulevard Montparnasse, le bruit court du choc, l'alarme, l'urgence, les giclées de sang sur la ferraille, mes bien-aimés à l'agonie... et leurs voix sortant du néant, l'une qui dit : « Aide-moi ! », l'autre :

« Je n'avais pas appris à conduire les grosses cylindrées. » Et, depuis, mon cœur qui bat à se rompre.

Coupable ! Coupable ! Je répète ça sans arrêt. C'est dans le trou de ce mot que je suis, immobile : je crois que mon bien-être a précipité ceux que j'aime dans le désastre... Pourquoi ? Ça n'a pas de sens ! Ce n'est pas possible que mon destin soit à ce point déterminé. Il doit y avoir une issue, il faut que je la trouve. Je mettrai le temps qu'il faudra mais je la trouverai.

D'abord apaiser ma pensée, m'occuper d'autre chose que de son manège emballé.

Dehors il fait noir comme dans un four. Je connais mal le sentier qui dégringole à travers les arbres jusqu'à la route de la plage. Tant pis, je m'y aventure quand même. La curiosité et un goût enfantin de la frayeur prennent le dessus ; je m'absorbe à distinguer le plus sombre, le moins sombre, le vertical, le plat, l'oblique, tout ce qui pourrait signaler les trous et les bosses, le danger ou la sécurité. Ma solitude et mon ignorance m'exaltent. Je vais rencontrer la mer, j'y arriverai, bon sang ! Je suis vivante, je suis vivante, il n'y a rien de plus important.

La Manche est encore plus noire que la nuit, d'autant plus noire que, là-haut, sur le quai, un réverbère allume une boule jaunasse, insuffisante lune. Je me tords les chevilles sur les galets, vite je fuis ce fanal du vide, cette mauvaise rencontre, jusqu'à ce que je découvre une sorte de vallon, un grand creux de caillasse dans lequel je me recroqueville, toute proche de l'eau, de sa frange phosphorescente.

La Manche appartient à l'Atlantique qui est grand, qui est profond. Il va loin, jusqu'aux Amériques, du pôle Nord au pôle Sud. Il travaille dur, il respire fort. Il est puissant même dans son repos, il dérange les galets. Il sent bon.

Là, dans ce creux, lovée, en compagnie des vagues, je ne suis pas seule. L'enfance revient encore, le goût du bain, le goût de la mer et de mon intimité avec elle. Je lèche mes lèvres que les embruns flottants poissent déjà, je suce la peau de mes doigts, de mes mains. Il n'existe pas de meilleure liqueur que ma salive salée.

Ce soir, contrainte par mon isolement, par ce village déserté, par le feu, par l'eau, par l'humidité, par la nuit, je me sens dans une caverne où le seul être humain à rencontrer est moi-même dont je suis grosse. Je me mentais lorsque je prétendais que je devais venir ici pour me reposer, je n'ai pas besoin de repos. Je suis venue me cacher pour accoucher. C'est clair : je suis enceinte de moi-même.

Mes enfants ne sont plus en danger. Je les ai conduits hier dans un centre de rééducation. Ils riaient, ils étaient pleins d'espoir. Ils vivront, c'est certain, et, dans leurs yeux, au moment où je les quittais, j'ai compris qu'ils désiraient que je fasse cesser l'alarme en moi, elle les gênait, ils n'en avaient plus besoin.

Mais l'alarme est toujours là, je l'entretiens avec mille détails affolants : des paroles de médecins, des articles de journaux, des mots scientifiques, incompréhensibles, des souvenirs insoutenables, j'ai peur que tout recommence, qu'ils restent infirmes. Je me livre à cette alarme. Pourquoi ? Je me cache derrière elle pour ne pas voir quoi ? Qui ? Une femme que les années ont fabriquée et qui a surgi, voilà peu, costaude, solide, entreprenante. La femme qui a acheté la moto. Pourquoi me fait-elle peur ? Pourquoi ai-je peur de celle que j'ai désiré être ?

Je comprends que je nais et pourtant la vie me fuit. Le contact avec moi-même est brutal, je ne sais pas l'encaisser. Trop de ligaments à me garder au port. Filandres transparentes et irisées comme des coulées de bave, comme du verre étiré, comme des giclées de foutre.

Je ne sais pas sortir de mes apparences, je ne sais pas casser ces liens tendres et perfides, je n'y parviens pas. Torrents des familles, torrents des écoles, torrents des géographies, torrents des amours, je me noie ! Mon berceau neuf prend l'eau de partout, je me noie ! Grosse nourrissonne de cinquante ans qui crève de l'envie de vivre.

Je n'en sors pas de la belle moto anéantie, des corps meurtris de mes enfants, je n'en sors pas ! On dirait que je ne m'autorise que ça, en fait de pensée : cet accident désastreux. Il était une bonne raison de m'alarmer, c'est vrai, mais... puisque le pire est écarté... pourquoi continuer à bercer mes bébés, pourquoi laisser venir, encore et encore, les souvenirs de leurs enfances ? Eux au réveil, chauds de leurs rêves, les joues rougies par leur nuit, eux pleurnichant à cause d'une écorchure au genou, eux partant pour l'école avec leurs gros cartables qui se décousaient aux coins, eux se jetant dans mes bras en riant... Je ne me permets que ça : être leur mère. Je ne suis que ça : leur mère. Moi lavant et repassant leur linge, moi surveillant leurs devoirs, moi préparant leurs repas préférés, moi attentive à leurs adolescences, moi leur offrant la moto noir et argent !...

Il faut que je m'arrête de penser de cette manière. Mais quand je chasse ces images — cette imagerie plutôt — et cette culpabilité qui m'emplissent, je me trouve alors plongée dans un néant, un vertige, un vide, encore plus effrayants que l'accident. Plus de prises, plus de bouées, plus de limites, plus de références, plus la moindre sécurité ; à leur place, un mystère hostile. Je parviens dans une impasse où tout est effroi, même le silence, même l'immobilité, même le calme. C'est pourtant là, dans ce danger, que je dois m'enfoncer si je veux essayer de comprendre le désarroi qui m'empoigne au moment de ma vie où je suis la plus forte.

L'Atlantique fait courir sa navette d'un continent à l'autre et moi, sorte d'épave, je le regarde faire, sentant que cette contemplation m'instruit, sans comprendre, toutefois, ce que j'apprends là. Flux et reflux, ressassement des mouvements vitaux, lenteur des gestations qui s'achèvent dans la brutalité, fugacité des révolutions, répétition des situations, indifférence et aveuglement des pouvoirs, force entêtée et stupide et splendide de l'innombrable.

En vivant comme je vivais, moi, à cinquante ans, j'ai bousculé quelque chose de grave. (Au commissariat, malgré mes deux enfants à l'agonie, le commissaire méprisant et goguenard : « Ah, c'est vous la " dame " qui s'intéresse aux motos, aux grosses cylindrées ? ! ») J'ai bousculé quelque chose qui touche à l'ordre de la nature, à ce qu'on appelle « les lois de la nature ». Quoi ? Je resterai dans cet isolement jusqu'à ce que je le découvre.

Cette nuit, je retrouve mon lit avec une véritable jouissance. Je suis transie, l'humidité est arrivée jusqu'à mes os, je grelotte. M'enfourner nue dans la couette légère dont le duvet, très vite, me réchauffe, est le premier plaisir d'une autre vie, une vie où mon âge prend l'allure d'une jeunesse, une vie où l'essentiel est devant moi, à construire.

J'ai dormi comme une marmotte et ce matin, en me

réveillant, j'ai senti sous mes doigts que l'oreiller avait laissé deux marques profondes dans ma joue... Il y avait longtemps que ça ne m'était pas arrivé.

Je me souviens de la journée d'hier et de la décision que j'ai prise de me mettre au monde, de rencontrer l'autre, cette femme que je suis devenue vers la cinquantaine.

La meilleure façon d'y arriver est de me laisser aller, de ne pas me forcer, de rythmer mes journées par des travaux de ménage, de me donner à faire une course quotidienne au village voisin — ici il n'y a aucune boutique — où j'irai à vélo, de rêver le plus possible.

Au début j'ai eu du mal à chasser la moto de ma tête. Concassée, détruite, souillée de sang, de dégoulinades d'huile, puant l'essence, calcinée par endroits... elle revenait dans cet état lamentable, aux moments où j'étais le plus en paix, elle ranimait l'angoisse et la parade des images de l'horreur concrète : la mort de mes enfants, leur chair éclatée, leurs yeux vitreux. Insupportable ! Mes viscères, mes tripes, mes entrailles se crampaient. Mon ventre se trouait, se vidait, aspiré par la peur et la révolte : « Non, pas ça, pas la mort de mes enfants ! » Pendant près de deux ans je n'avais rien vu d'autre, rien fait d'autre qu'éviter cette mort. Sauver mes enfants avait été mon occupation à plein temps. A plein temps, jour et nuit, sans relâche. Maintenant j'ai du mal à faire autre chose.

Pourtant, la beauté de l'automne, le manque de nouvelles (« pas de nouvelles bonnes nouvelles », comme on dit ; à la clinique ils ont mon adresse), ma bonne forme physique rendent de plus en plus inacceptable la torture que je m'inflige avec ces souvenirs. Enfin j'ose admettre que je ne les entretiens que pour masquer le reste.

Le reste ? Ma solitude, le désert qui m'entoure.

Peut-être dois-je reconnaître simplement qu'elle est normale, banale, la solitude d'une femme de cinquante ans ; elle est monnaie courante.

Pas la mienne ! Ma solitude, je l'ai inconsciemment fabriquée, voulue. Elle est ancienne déjà, elle a commencé à se former bien avant l'accident. Si je veux ne pas faire l'autruche, je dois convenir qu'elle s'est installée dès le départ de mon mari. Il y a combien de temps de ça ?... Je ne sais plus. Sept ans ?... Huit ans ?... Je ne peux pas dater ce départ car il n'y a pas eu de drame, de déchirement. C'est flou... Un relâchement, un espacement des relations, des absences qui se prolongent, un travail dans une autre ville... de petites altercations, quelques dimanches d'ennui, des bisbilles, rien... Incroyable, je ne sais pas les raisons profondes de notre éloignement...

J'entretiens d'excellentes relations avec lui, il ne refusera pas de me parler. Il va venir ici et nous parlerons. Nous n'avons jamais vraiment parlé de ça, de cette distance entre nous. Nous la vivions bien, elle nous arrangeait... Oui, je vais lui téléphoner et il viendra.

Sur le quai, au-dessus de la plage où j'ai passé ma première nuit, se dresse, incongrue, une cabine téléphonique. Chromée, vitrée, ornée du symbole ailé des P. et T. Marche-t-elle ? La population du village n'excédant pas une dizaine d'habitants en cette saison, je suppose que son fonctionnement est interrompu. Pas du tout, l'appareil marche !

C'est agréable de pouvoir parler dans ce module

transparent, bien à l'abri, face à la Manche qui verdoie et écume sous le soleil.

— Allô, bonjour, tu m'entends bien ?

— Très bien. Où es-tu ?

— Chez mon frère, en Normandie

— Qu'est-ce que tu fais là ? Qu'est-ce qu'il y a encore ?

« Encore » ! Sa voix est méfiante. Depuis des mois je ne lui téléphone que pour lui apprendre des catastrophes et il en a assez. Lui, une fois passé l'affolement qui a suivi l'accident, il s'est résigné au pire. Il s'est mis entre les mains de la science. Il souffrait de voir ses enfants dans l'état où ils étaient ; je suis certaine que c'est la souffrance qui lui a fait dire : « S'ils n'avaient pas eu tant d'argent... » Mais ses visites et ses coups de téléphone se sont espacés. Il a horreur des hôpitaux, ça le rend malade, il vomissait presque chaque fois qu'il y allait. Il disait : « A quoi ça sert d'être là, ils ne nous voient même pas. Il faut s'en remettre à la Providence et surtout à leur santé, à leur capacité de résistance, c'est tout ce qu'on peut faire. » Il désapprouvait mon agitation, mon obstination, mes courses, mes changements de médecins, de chirurgiens, de spécialistes, tous ces gens que je payais pour parler, pour écouter, pour opérer. Il ne comprenait pas que je m'enfonce dans cette morbidité. Mille fois il m'a expliqué qu'il fallait être responsable de ses « conneries » ; ça revenait à quoi de s'en rendre compte après ? Les « conneries » c'était moi leur offrant la moto et eux s'en servant sans même savoir la conduire. Je l'agaçais.

Alors, ce matin, comme d'habitude, sa voix est sèche, lasse. Il a ce ton qu'il prend maintenant avec moi, un ton un peu excédé mais patient. Il répète lentement :

— Qu'est-ce qui se passe encore ?

— Tout va très bien. Je les ai conduits dans le centre de rééducation, tu sais, celui dont je t'ai parlé la dernière fois. Il n'y en a pas de meilleur en France, paraît-il. Ils attendent ta visite. Tu peux y aller, ce n'est pas un hôpital... Non, il ne s'agit pas de ça. Je suis seule ici, il faut que je te voie. Je t'assure que je ne t'attire pas dans un traquenard, ce n'est pas un caprice non plus. J'ai besoin de parler avec toi, c'est important pour moi, très important.

— Tu sais que je suis débordé en ce moment, j'ai plein de travail... Dans une quinzaine je serai plus libre. Et puis mes finances ne sont pas brillantes... Pourquoi pas à Paris ?

— Non, je ne veux pas rentrer à Paris. Ne t'inquiète pas pour le voyage, je te rembourserai ça... je te l'offre, ça me fait plaisir.

— Ecoute... le week-end, deux jours... c'est tout ce que je peux faire.

— Ça suffira. Je suis en train de prendre un relais et ça va m'aider de te voir maintenant.

— Entendu, à samedi.

Deux jours à attendre. Deux jours à préparer mes discours, à les rendre clairs, simples, pas larmoyants. Deux jours à chercher les arguments qui justifieraient le dérangement que je lui cause. Deux jours à préciser mes désirs, mes questions, à trouver le meilleur moyen de le toucher, de le faire parler. Il allait me dire pourquoi il s'était éloigné de moi. Les véritables raisons. Peut-être les découvrirait-il lui-même, nous chercherions ensemble. Je comprendrais mieux qui je suis et qui il est. Je me sens cantonnée dans mon apparence. Je ne me vois pas, je ne me connais pas. J'aimerais me considérer de là où il est ; il me faut cette distance... Deux jours à faire, seule, un couple avec lui.

Le matin de son arrivée, des coups de klaxon insistants sur la route. Le voilà ! Et avec son goût du spectacle il se fait annoncer ! Il est tôt, il a dû prendre le premier train et le premier taxi. Moi, pieds nus, avec un peignoir de bain enfilé à la va-vite, je suis dehors. Je ris. Il est fou ! Quel tintamarre dans cette paix, quelles trompettes !

Stationnant devant la maison, moteur tournant, une voiture postale avec un postier en uniforme au volant, très fier d'avoir à me remettre un télégramme, mais un peu gêné :

— Je croyais que c'était une erreur. Je pensais que c'était inhabité, c'est pour ça que je suis pas sorti. Je voulais pas me déranger pour rien.

— Non, non, je suis là, j'habite chez mon frère pour quelques jours... Merci monsieur.

— Y a pas de quoi, ma p'tite dame. Allez, bonne journée, et excusez-moi encore. Vraiment, je croyais qu'y avait personne. Au revoir madame.

— Au revoir. Merci.

Mon nom, l'adresse exacte sur l'enveloppe grise collée avec soin. Elle est bien pour moi. Je n'ose pas l'ouvrir. Quel supplice y a-t-il là-dedans ? Encore. Lequel des deux est à la mort ? Lequel de mes enfants appelle au secours ?

J'entends le bruit de la camionnette que ses deux chevaux hissent jusqu'au plateau. Envie de la rattraper, de crier : « Attendez, attendez, ne me laissez pas seule ! » Trop tard. De nouveau le silence frétillant du matin, l'air frais, le gravier trempé de rosée sous mes pieds nus, et l'angoisse, ce vacarme inaudible, à l'intérieur de moi.

Je vais ouvrir le télégramme dehors. J'aurai moins mal, moins peur si j'ai à mes côtés les arbres jaunissant, les oiseaux éveillés, le ciel bleu. Quelle belle journée il va encore faire ! Mais vite, il fait froid !

« Impossible venir. Voyage trop cher pour moi. Affectueusement. Jacques. »

Voilà, c'est tout. C'est rien. Il ne viendra pas. J'en suis quitte pour la peur. Quel soulagement ! C'est rien. C'est pas grave.

C'est pas grave. Pourtant, dans la matinée, alors que je chantonne, sifflote, en effectuant de petites besognes, celles qui ne mettent pas seulement de l'ordre dans la maison mais qui équilibrent mes journées, qui sont, en quelque sorte, les gardiennes de mes humeurs — mauvais signe quand je n'accomplis pas mon remue-ménage matinal —, pendant tout ce temps donc, je ne cesse d'éprouver un manque, quelque chose comme une béance qui s'agrandit en moi, s'arrondit, ne me faisant pas souffrir, ne me dérangeant pas. Une évidence creuse. La certitude d'un embarras profond. Une insuffisance, une lacune, une omission, un vide. Je ne sais pas comment définir ça.

C'est pas grave que mon mari ne vienne pas, c'est pas grave que le père de mes enfants ne vienne pas, et pourtant... vers midi j'en suis arrivée à une constatation absurde : il n'y a rien de plus grave !

Je n'en reviens pas. Je me passe de lui depuis si longtemps ! Si longtemps qu'il n'est qu'un ornement de ma vie, un agrément. si longtemps qu'il n'intervient plus dans les événements que je traverse personnellement. Rien de blessant, de coupant entre nous.

Une seule fois, bien avant l'accident, il m'a déclaré : « J'étouffe. Nous en sommes arrivés à un point où je dois choisir entre toi et moi. Je choisis moi. » Il avait dit ça clairement et calmement. J'aurais aimé en faire autant. J'ai trouvé qu'il était courageux, qu'il osait dire ce que beaucoup d'autres pensent mais ne disent pas.

Après m'avoir offert de garder les enfants — offre que j'ai refusée en disant : « Mais qu'en ferais-tu, ils t'encombreraient, tu ne saurais pas t'y prendre. Et leurs études, et leurs amis... » — il a déménagé, s'est transformé en un père de rêve, un mari de rêve, éloigné, gai, accueillant, patient et compréhensif quand il nous rencontrait. Nous passions nos vacances ensemble. Un mari de vacances. Nous sommes restés à la superficie de notre désaccord.

Ce matin, quand le facteur a apporté le télégramme, j'ai cru qu'il allait faire une journée splendide. Je me suis trompée. Décidément, je ne connais rien au climat océanique. J'oublie qu'il y a des marées et que deux fois par jour elles font la pluie et le beau temps. Celle d'aujourd'hui a apporté la brume. En secouant mon chiffon aux fenêtres, j'ai vu l'air se ternir progressivement. Pas un seul nuage et cependant une opacité s'installait dans la nature, éloignant les arbres, masquant le ciel ; chaque fois plus dense. Au point que, maintenant, il fait sombre dans la maison et qu'à travers les vitres j'aperçois une vapeur blanchâtre accrochée aux feuillages, rampant sur l'herbe — rampant, car ce blanchoiement qui stagne est cependant mouvant —, une vapeur épaisse se fluidifiant au-dessus, s'éclaircissant tout en haut, formant un dôme sous lequel la maison est englobée. Une neige impalpable est montée de la plage, une avalanche de blancheurs m'ensevelit dans les murs de silex et de briques de la villa. Le vide, le néant de l'intérieur me protègent de l'envahissement opalescent qui s'arrête aux fenêtres, aux murs, aux portes. Je suis isolée, aliénée, à l'intérieur d'une maison qui me ressemble : lambeaux de papiers anciens, vacuité des pièces, plancher terne, lumière pauvre malgré le feu qui brille.

Jusqu'à ce que je n'aie plus rien à faire de mes dix doigts. Plus rien à faire qu'à éprouver le manque de lui. Un manque tellement inattendu qu'il m'intrigue plus qu'il ne me surprend. Il m'épingle, il me fixe. Je m'assieds devant la fenêtre. Là, telle que je suis, regardant la haute et grasse brume, j'ai la sensation d'être un animal à l'affût. Une maturation s'opère en moi et je fais attention à la laisser évoluer. Je suis aux aguets car il me semble que dans le vague que l'absence de Jacques vient de créer va se préciser un mot, une idée, une image, qui nourrira enfin le moteur fou de ma pensée tournant à vide, brassant inlassablement les mêmes images, les mêmes mots, les mêmes pensées, tellement ressassées qu'il n'en reste plus rien : usées, elles n'ont plus aucun sens.

J'essaye de ne pas réfléchir, de refouler ce qui vient trop vite à ma raison, comme si ma conscience avait peur de mon inconscient et voulait le distraire en lui offrant un livre d'images poignantes : mon mariage, ma robe de mariée, mes accouchements, les promesses de bonheur faites aux enfants par les adultes, ma mère... Je n'en veux pas. Dans ma stupeur, dans les instants suspendus que je vis, se niche un ferment important, ancien, plus ancien que l'émoi provoqué par l'absent, plus ancien que moi et ma lignée. Un ferment sauvage, un suc du commencement des temps, un germe fossilisé dans le limon de mes cellules.

J'admire les subtiles machinations de mon esprit, ses détours, sa patience, pour me mettre face au chemin caché de ma progression. Chemin que je prendrai ou que je ne prendrai pas mais qui me confrontera avec ce que je veux rencontrer : l'inconnue que je suis.

« Je n'ai pas faim. Heureusement que je n'ai pas faim. » J'ai répété cette phrase cent fois. A la vérité j'ai faim mais je sais qu'en allant à la cuisine, en ouvrant les placards et le réfrigérateur, en mettant la poêle sur le feu, en prenant le beurre, en cassant les œufs d'un coup sec sur le bord de la poêle j'interromprais ma méditation. Je me méfie de moi. Je sais par expérience que mes occupations ménagères peuvent — comme ce matin — me servir à démarrer une action ou une réflexion, mais que le plus souvent elles me font « perdre le fil ».

Aujourd'hui, face à la brume, une partie de moi veut sortir de la torpeur où je me trouve et invente de bonnes petites choses pour nourrir ma faim, des petites choses impliquant certaines manipulations délicates que j'aime faire, nécessitant peut-être que je prenne le vélo pour aller chercher du pain, de la crème fraîche ou n'importe quoi... mais une autre partie de moi déclare : « J'ai pas faim, un point c'est tout. »

Le « j'ai pas faim » a gagné et le jeûne affine mon attention. Je ne m'accorde qu'une seule activité : entretenir le feu et, s'il le faut, aller chercher du bois dans la cave.

Je deviens aiguë.

Peut-être que la sensation d'une tardive naissance est propre aux femmes. Leur jeunesse est trop occupée à résoudre les problèmes fondamentaux qui consistent à perpétuer et préserver l'espèce pour s'intéresser à autre chose : à leur identité. Peut-être faut-il attendre que l'âge de la maternité et du maternage se termine pour découvrir ce que je découvre : que je viens au monde, moi qui suis née en 1929 !

En 1929, en 1329, en 29, en −4529, en −10029... j'existe depuis toujours.

Femme, avec mon pubis comme une mangue frisée et mes seins comme des figues mûres. Femme je suis. Femme sortie d'une femme, comme toutes les autres femmes. La tête la première, la chevelure tirée en arrière par l'eau que nous fendons depuis des millénaires. Nageuses. Brasseuses. Les bras s'étendent, nous précèdent, forment une étrave, puis s'ouvrent comme des éventails, prenant appui sur le solide pour propulser le crâne, les épaules et tout le corps.

Quand ma fille est venue au monde, le docteur a dit :

— Regardez votre fils qui naît.

J'ai poussé encore et l'enfant a glissé lentement hors de ma douleur, sous-marin émergeant du long voyage dans le mystère. Je l'ai vue tout entière avec sa petite mangue chauve. L'accoucheur a rectifié :

— Ah non, c'est une fille... j'avais cru... elle a les épaules si larges...

La mangue. La fille pareille que la mère et la grand-mère et l'arrière-grand-mère, nous donnant naissance les unes aux autres. Pareilles. Nous nous transmettons les secrets des sources sans même parler, à seulement nous regarder.

La faim m'étrille, me fait caracoler, m'avive, me lacère.

Qu'est-ce que c'est, ce que j'appelle « mon histoire » ? C'est le mouvant, le multiple à l'intérieur de moi. C'est ce qui est à la fois caché et présent dans mes gestes, mes paroles, ma tête. Ce sont mes naissances successives dans mon unique vie, toutes ces personnes que l'âge suffit généralement à expliquer : un bébé, une petite fille, une adolescente, une fiancée, une femme, une mère, une belle-mère, une dame, une grand-mère, une vieille, une vieillarde. Avec moi ça ne colle pas, on dirait qu'une fois arrivée à la dame, les rouages de la machine se sont cassés. Est-ce que je suis anormale, est-ce que la ménopause m'a rendue folle ? Il paraît que ça arrive... Non, je ne suis pas folle. Je fais des folleries mais je ne suis pas folle.

Alors, qu'est-ce que c'est « mon affaire » ?

C'est ce qui sort par mes broderies.

Voilà longtemps que je tourne autour de ce mot et que je le rejette. Je juge plus sérieux de jongler avec des termes « graves » : Dieu, l'Essentiel, la Mort, le Temps... Je ne voulais pas prendre mes broderies comme point de départ de ma réflexion et pourtant c'est par elles que tout a commencé, que tout est arrivé.

BRODERIE.

Je déteste les travaux d'aiguilles mais j'ai toujours aimé broder, enfin... ce que j'appelle broder.

Cours Fénelon. Classe de couture. J'ai six ans, sept ans, dix ans, dix-sept ans. Onze années !

A la rentrée d'octobre, la maîtresse de couture indique le matériel à apporter. De classe en classe c'est toujours la même maîtresse et toujours le même matériel. Mais ça ne fait rien, elle répète la liste avec componction et gravité, le moindre détail est, paraît-il, capital. « C'est pour les nouvelles », assure-t-elle, mais en réalité, c'est pour se donner de l'importance, pour faire comme les autres professeurs, ceux qui enseignent des matières nobles, qui disent : « Vous vous munirez de vos dictionnaires, d'une table de logarithmes, de compas... » Elle, elle dit gravement : « Vous apporterez un crochet n° 2 et un crochet n° 3, des aiguilles assorties, du fil (une bobine de noir et une bobine de blanc, marque DMC), du coton perlé, du coton à repriser, et..

une pièce de linon de 30 cm sur 20 cm avec du coton à broder rouge. »

Sur ce rectancle de linon, pendant le dernier quart d'heure du cours de couture, les élèves doivent broder au point de croix leur nom de famille, leur prénom, les vingt-six lettres de l'alphabet, en majuscules et en minuscules, les dix chiffres. Si on a fait tout ça avant la fin de l'année scolaire, on peut alors enjoliver le rectangle par un encadrement décoratif au point de chaînette, au point de tige, au passé empiété, ou avec tout autre point, au choix. Improvisation libre réservée normalement aux meilleures élèves car elles seules arrivent à terminer le reste : l'alphabet, les chiffres, etc.

J'ai toujours été nulle en couture. Jamais au cours de ces onze années je ne suis parvenue à exécuter correctement une boutonnière, ou une reprise, ou un ourlet, ou une couture rabattue, ou des jours. Nulle.

Pourtant, quand le quart d'heure de broderie arrive, je suis contente, un peu fébrile, mes mains deviennent moites. Je prends mon bout de linon et je commence par bâcler l'alphabet et les inscriptions au point de croix. Chaque croix devrait se loger dans un carré de trois fils sur trois fils, mais je n'y arrive pas. Mon aiguille pressée se trompe et pique un fil trop bas ou un fil trop haut, quand ce n'est pas deux ou trois... si bien que ma croix n'en est pas une et ne se raboute pas à la croix précédente qui, d'ailleurs, n'en est pas une non plus. Le résultat est un gribouillage rouge prenant vaguement la forme de lettres et de chiffres. La maîtresse passe parfois entre les rangs et inspecte nos ouvrages par-dessus nos épaules. Quand son regard tombe sur le mien, elle se met à marmonner des imprécations qu'elle juge inutile de rendre plus audibles. Inutile, car tout le monde sait ce qu'elle pense de mon travail : bâclé, sale, maladroit, nul. Ça m'est égal. La couture n'est pas importante. Pour moi, ce qui compte, c'est d'en arriver au cadre où j'ai le droit de faire ce qui me plaît. Les autres en sont à peine au D ou au G minuscule que moi j'en suis déjà à la bordure ! Je remplis l'espace qui n'est pas occupé par mes prétendus points de croix avec des arabesques, des volutes, des je ne sais quoi, qui me font rêver. Au passé empiété, parce que ce point-là je peux le diriger à ma guise. Quand la cloche sonne, je plie soigneusement mon bout de chiffon et je le range dans ma boîte à ouvrage, au fond de mon pupitre. Il me tarde déjà de le retrouver, et il n'est pas rare que je le regarde à la sauvette, entre deux cours, tout en faisant semblant de chercher mes affaires.

Chez moi, pour occuper mes après-midi pluvieux ou désœuvrés de fille sage, j'ai choisi la broderie plutôt que le tricot ou le piano, parmi la gamme des distractions proposées. Je brodais des nappes à thé, des serviettes de table, des draps d'enfant, à ma manière... au passé empiété. Je restais de longs moments dans une petite mercerie de mon quartier (un endroit feutré, policé, où les rares clientes faisaient résonner un timbre en entrant). Je choisissais mes cotons, je m'oubliais dans la variété de leurs couleurs.

Pour les dessins de mes broderies, je m'inspirais des illustrations du *Petit Larousse* — des champignons, des fleurs, des fruits, des papillons, des drapeaux, des oiseaux, des poissons... — que je reproduisais sur mon tissu en les agrandissant. Je ne terminais jamais mes ouvrages, c'est-à-dire que je ne faisais pas les ourlets ou les jours qui les auraient achevés. Le dernier tiroir de ma commode leur servait de dépotoir. « C'est vraiment dommage, disait ma mère, tu n'as pas de suite dans les idées. »

J'étais parvenue à me créer une technique personnelle que j'améliorais sans cesse. J'exécutais mes points en cherchant sur mon index le fil du tissu, si bien que mon pauvre doigt était tout pelucheux à force d'être égratigné par l'aiguille. Je n'aimais pas me servir d'un tambourin ou d'un métier ; avec eux, le charme n'opérait pas. Mon travail m'absorbait d'autant plus que je préférais broder des étoffes fines et souples telles que la mousseline ou la soie. Je me souviens d'une nappe de douze couverts en organdi blanc que ma famille exhibait fièrement — après l'avoir fait, toutefois, terminer d'un jour triple par une lingère —, elle était la preuve que je serais un jour une femme d'intérieur. Elle était couverte d'églantines, il y en avait des centaines...

Après je me suis mariée, j'ai eu des enfants et j'ai cessé mes distractions de brodeuse. Plus le temps, plus l'envie, plus même l'idée de broder. Puis, il y a de ça quelques années, une dizaine au plus, j'ai de nouveau eu du temps à moi parce que les enfants avaient grandi et, tout naturellement, je suis revenue à cette occupation. Mais cette fois, je n'avais pas le désir de faire des nappes, ou des serviettes, ou quoi que ce soit d'utile, et encore moins de m'inspirer des dessins des autres. J'avais envie de jouer avec des couleurs et de projeter avec mon aiguille les formes de mes pulsions les plus incompréhensibles. Je m'obstinais, je m'entêtais à faire sortir de moi quelque chose d'enfoui, de secret : une boule, un noyau, un poids, un cri, un jeu. Je comprends ça aujourd'hui mais, sur le moment, je n'étais pas consciente de ce que je faisais et même je cachais mes ouvrages. Jusqu'à ce que Jacques en découvre un, par hasard. Il l'a trouvé magnifique ; je connais bien les expressions de son regard et j'ai vu qu'il était sincère. Ça m'a fait plaisir ; je peux dire aussi — mais je ne sais pas pourquoi — que j'ai ressenti un soulagement. Il m'a donné l'idée d'aller montrer « ça » dans une boutique de brocante, pas loin de chez nous, dont la patronne était devenue une amie à force de me voir fouiller dans sa boutique sans jamais rien acheter.

« Ça », ce sont des sortes de tableaux brodés. Ils ne sont pas obligatoirement rectangulaires ou carrés, ou ronds, ils sont plus ou moins grands. Ce sont des compositions de tons, de taches, de formes, de volumes.

La brocanteuse en a vendu un, puis deux, puis dix. Maintenant elle est devenue mon agent, elle organise des expositions partout, dans le monde entier. Quand j'y pense, c'est fou ! Moi qui étais restée quarante ans sans bouger, je me suis mise à arpenter les continents ! Moi qui, pendant tant d'années, courais derrière dix-huit sous pour faire vingt sous, l'argent m'a plu dessus !

Mes ouvrages m'apportaient le succès, la célébrité, le confort matériel, mais surtout ils me donnaient l'équilibre, le goût d'être moi-même car j'aimais faire ça. Je ne suis pas capable de définir exactement ce que j'exprime par les millions de petits points qui composent chacune de mes broderies, je sais seulement que lorsque je suis occupée et préoccupée par elles, je suis satisfaite, je n'ai besoin de rien d'autre.

C'est là que mon univers a commencé à déraper, c'est à partir de cette époque que, à mon insu, le désert s'est formé. C'est aussi pendant cette période que la ménopause est venue sans me déranger le moins du monde, comme pour me débarrasser d'une fâcheuse. Plus j'étais entourée, fêtée, honorée, riche, plus ma vie privée se dégradait. Je n'ai pas voulu le voir.

Mon mari est parti et, ensuite, pourquoi m'encombrer d'un homme à demeure ? Je n'acceptais pas d'autres exigences que celles de mon travail et celles de mes enfants. Je ne voulais ni ne pouvais prendre d'autres responsabilités. J'étais heureuse et je le savais. Jamais, dans les plus beaux rêves de ma jeunesse, je n'avais imaginé pouvoir être aussi heureuse.

Jusqu'à l'accident ! Là, brutalement, la culpabilité a jailli, me terrassant, me cinglant, me paralysant. Je n'ai plus touché à mes aiguilles, à mes soies et à mes cotons.

Coupable de quoi ? de broder ?

Le mot « femme » survient, comme tout à l'heure le mot « broderie », et s'accouple naturellement avec lui. Généralement les hommes ne brodent pas... Le mot « femme » persiste entretenu par l'onctuosité à la fois épaisse et vaporeuse de la brume. Je vois par la fenêtre des croupes et des seins blancs, de gros ventres fertiles, des tignasses crépues de négresses albinos, des cuisses nues qui s'entrouvrent pour chevaucher la rampe de la terrasse... un univers de lait et d'œufs battus.

Pour qu'il y ait du masculin dans ce monde que je contemple, il faudrait que surgisse l'étranger. Noir dans le blanc. Un cavalier trempé, harassé, cherchant son chemin, attiré et intimidé par la lumière de mon feu. Et moi je le jaugerais. A l'abri de ma maison fermée, je le considérerais de loin, avec méfiance. Peut-être que je lui refuserais l'asile et qu'il repartirait sur son cheval, s'enfonçant dans la brume incertaine, dans son vagin blanchâtre et dangereux.

Peut-être que je lui refuserais l'asile... peut-être que non... Mais... je n'ai pas confiance, je crains ce genre de personnage. Il serait capable de me cambrioler, de me violer. Oui, probable que je ne lui ouvrirais pas la porte.

Le cavalier est dehors avec un regard brun. Un regard brun ? Un regard bleu ? De quelle couleur est son regard ? Son cheval tourne comme une monture de manège et, au passage, devant la fenêtre où je me tiens, sortant de la brume qui brouille son image, sa tête se tourne vers moi et il me dévisage. Bruns, bleus, dorés, de quelle couleur sont ses yeux ? Sa bête est fatiguée, elle écume, son trot est lent, profond ; si bien que l'homme, quand il est visible, monte, descend, remonte, comme un cavalier de carrousel, avant de s'éloigner et de s'enfoncer de nouveau dans l'opacité.

Il fait chaud. Pendant tout ce temps je n'ai cessé d'alimenter le feu qui se régale, pourlèche ses babines rouges. Avide. Ses langues frétillantes semblent demander : encore, encore ! Il dégage une grande chaleur !

L'envie me prend de me déshabiller. Pourquoi rester vêtue par cette température ? Qui m'oblige à garder mon chandail et mon jean et mes chaussettes ? Personne... Personne. Seulement les habitudes, les convenances, les usages. Aucun être humain n'est là pour me regarder, seulement moi avec moi. L'une qui trouve l'autre folle : quelle idée de vouloir te mettre nue, comme ça, le soir, à ton âge, en Normandie ! Mais, pourquoi pas ?

C'est donc en me provoquant moi-même que je commence à enlever mes vêtements. Lentement, pour nc pas me choquer. Négligemment, comme si j'allais me mettre au lit ou entrer dans mon bain.

Dehors, la nuit s'installe. La nouvelle marée ne semble pas vouloir faire disparaître la brume, au contraire, elle l'épaissit. Caché dans ses vapeurs, le cavalier risque d'apparaître, à l'improviste, porté par la cadence houleuse de sa monture dont je ne sais plus s'il est un cheval ou une embarcation. Cavalier, navigateur ? Un aventurier !

La cheminée est pleine de feu. Avec mes vêtements je me suis fait une litière en forme de personne. Le chandail en haut, en dessous le pantalon, à plat : une personne aplatie, une sorte de pantin gréé de ficelles qui pendent, sur lesquelles on tire pour faire bouger les bras et les jambes. Avec le reste, ma culotte, mon soutien-gorge, j'ai confectionné un petit oreiller. Je m'allonge sur cette femme de chiffons. Il ne me reste plus que mes grosses chaussettes norvégiennes, bigarrées, blanches avec des dessins noirs, verts et rouges. A deux mètres du feu, pour ne pas brûler.

J'ai dépassé la faim, elle ne me tenaille plus, ne me pince plus. Maintenant elle entretient dans mon esprit une vigilance, un aigu qui, je ne sais pourquoi, suscite ma gaieté, une euphorie. Divisée en deux par le feu, un côté bouillant, un côté frais, je suis la folle d'une reine magnifique et terrible, la reine de la faim et du rêve : ne me manque qu'un chapeau à trois cornes avec des grelots.

Couchée comme je le suis, bien droite, à plat — le petit tas de mes sous-vêtements réduit à rien par le poids de mon crâne —, je ne peux guère voir mon corps. Alors je replie mes bras sous ma nuque. Maintenant j'aperçois de grandes plages de peau pâle, un paysage vallonné à peine rosé, des terres récoltées où ont poussé des moissons blondes. Et puis, à l'aplomb de cette paisible géographie, les falaises élevées de mes cuisses, les sommets érodés de mes genoux, et, leur servant d'arc-boutant, obliquement, la pente ferme et arrondie de mes mollets, de mes chevilles, et de mes longs pieds en chaussettes. Mes deux jambes étant légèrement séparées l'une de l'autre, elles ressemblent à des montagnes jumelles, fièrement dressées dans la fin d'une journée, l'une encore brillamment éclairée par la lumière rouge du couchant, l'autre entrant déjà dans l'ombre. Et moi de penser : « Tu as toujours de belles cuisses, ma fille. »

Mes hautes cuisses rousses ! Leur écartement forme une vallée encaissée par où mes enfants sont passés, et des hommes, et ma jouissance et, parfois, mon amour. Tant d'années qu'elles ont appris à faire autre chose qu'à soutenir mon corps debout, à assurer ma marche, tant d'années qu'elles se sont adaptées à accueillir l'autre, l'étranger...

Je veux voir si la brume est toujours aussi dense. Mais, au fond, je désire que se reforme la vision du cavalier. Je me plais à faire renaître le fantasme de la châtelaine capricieuse et méfiante hésitant à abaisser le pont-levis afin qu'un voyageur transi puisse venir se sécher et se reposer chez elle. Et la châtelaine serait nue...

Je me mets donc debout contre les vitres. J'appuie mes mains de chaque côté de mon visage, comme des œillères, pour scruter la nuit, car les lueurs excitées du foyer m'empêchent de distinguer quoi que ce soit dehors, rendant l'intérieur plus présent que l'extérieur. Je constate que la brume n'a pas cédé, qu'elle continue sa lente et lourde garde. Et puis, à force de m'absorber dans son examen — évaluant son épaisseur, sa hauteur — il arrive ce qui doit arriver : le cavalier réapparaît. En haut, en bas, en haut, en bas, chevauchant toujours la courbe sinusoïdale du trot profond de sa monture. Et j'ai peur de lui cette fois !... Parce que je suis nue.

Je m'éloigne brusquement de la porte-fenêtre. Je découvre alors mon reflet dans les vitres : une femme dévêtue, vieillissante, qui se tient debout, seule, dans une pièce vide où brûle un feu.

Ce n'est pas tant à la lourdeur de ses seins et de ses fesses que son âge se voit le mieux. C'est plutôt au grumeleux de ses chairs ; une sorte de cabossage par endroits — en dessous et au-dessus de la taille, au gras des épaules, au départ des jambes —, qu'accuse l'éclairage contre-plongeant du feu. La peau trop grande au creux des cuisses fait perdre aux genoux leur aspect osseux. D'ailleurs toutes les articulations, les chevilles, les coudes, les poignets, même celles des phalanges, donnent un effet de flasque, comme s'il y avait du jeu dans les engrenages. Impression que l'ossature s'est raidie, tassée, et s'est laissé envahir par une surabondance de tissus inutiles.

Vaincue par ma propre image, je me voûte, je m'avachis. Mon grand corps que je brandissais hardiment tout à l'heure — quand je m'étais redressée après avoir constaté que j'avais de belles jambes —, que je tenais bien droit, provoquant l'espace de mes seins de nourrice, avançant mon bassin, progressant avec arrogance dans la solitude, majestueusement remorquée par mon pubis rose, n'est plus qu'un sac usé, une sorte de baluchon mou, à forme humaine. Mes yeux qui, il y a quelques instants à peine, avaient vu de la beauté là, n'y voient plus que de la laideur. Le cavalier a fait changer mon regard !

Je m'accroupis et, maladroitement, n'osant pas me redresser, je me rhabille. Je fais ça vite et avec une sorte de colère.

Une sorte de colère... Un sentiment d'injustice... Se ravive, cette nuit, une émotion familière, souvent ressentie depuis ma sixième exposition — celle qui a eu lieu à New York et qui m'a fait connaître dans le monde entier. Une émotion... une fièvre intermittente qui certains jours me prenait à cause d'une réflexion, d'un mot, d'un comportement, d'une attitude... des événements minuscules mais dont la fréquence m'indignait.

Depuis que mes broderies étaient connues, on aurait

dit que Jacques, mes proches, ma famille, ceux qui profitaient le plus de leur succès, s'étaient mis à me considérer comme un spécimen anormal d'une espèce dûment répertoriée. Plus ma « réussite » devenait visible, plus j'avais l'impression de me transformer à leurs yeux en un animal de zoo ou de cirque, une incongruité. Je les entendais souvent parler de mon âge. Mon travail était sans cesse relié à mon mari, à mes enfants, à ma vie privée, aux hommes que j'avais connus ou que je connaissais. Lequel m'avait le plus influencée ? Lequel m'avait formée ? On allait déterrer des grands-pères poètes ou des grand-mères folles, des cousins explorateurs ou des cousines bizarres... ou alors d'anciens amoureux un peu... artistes.

La gêne que je leur causais ne m'est pas apparue tout de suite. Jacques, au commencement, quand mon premier ouvrage a trouvé acquéreur, était enchanté. Pour les suivants aussi — du moins je l'ai cru. Moi, encouragée par lui et par mes « clients », j'ai osé m'adonner à « ça ». J'ai commencé par me ménager un atelier, un espace pour moi toute seule où j'allais de temps en temps, puis tous les jours. D'abord j'y restais une heure ou deux, ensuite huit ou dix heures et même plus si la maison me le permettait.

Je n'ai pas fait de relation entre les absences répétées de Jacques et ce qui se passait dans mon atelier car je ne m'occupais à broder que lorsque tout le reste était fait.

Comme je gagnais de plus en plus d'argent, j'ai acheté une machine à laver le linge et une autre à laver la vaisselle, j'ai engagé un laveur de carreaux, deux fois par mois. J'ai pris l'habitude de téléphoner à l'épicier, au droguiste, au boucher, qui me livraient mes commandes. Ça me coûtait plus cher qu'avant mais je prélevais la différence sur ma « cagnotte » comme disait Jacques. Et j'étais libre de rester plus longtemps avec ce qu'il appelait mon « fourbi », ou mes « ouvrages de dame ».

Mon « fourbi », mes « ouvrages de dame », j'en riais moi aussi. Est-ce que ce n'était pas invraisemblable ce qui m'arrivait ? Quelle histoire !

La première authentique « aventure » de Jacques, je l'ai attribuée à mon âge. Nous avons le même âge tous les deux. Moi, à quarante-cinq ans, j'entrais dans la vieillesse, lui, il était encore jeune ; donc il fallait bien que jeunesse se passe... et je n'ai pas souffert longtemps de son amourette. Je n'ai pas compris que mes broderies prenaient sa place les nuits où il découchait. Je n'ai pas compris que je l'offensais en souffrant si peu. Je ne l'ai pas compris parce que mon fourbi ne m'empêchait pas de l'aimer... Je croyais être raisonnable, compréhensive...

Je me souviens d'un soir où il faisait ses comptes en maugréant parce qu'il avait à remplir sa déclaration d'impôts. Je suis allée broder puisque je n'avais pas sommeil et qu'il avait annoncé qu'il lui fallait la paix, que cette paperasse le rendait fou... Ce soir-là il est entré au moins vingt fois dans l'atelier et il m'a convoquée autant de fois dans le salon où il avait organisé méthodiquement ses papiers. Il voulait savoir exactement combien j'avais gagné, si je lui avais bien donné toutes les factures de mon matériel, comment je m'étais débrouillée pour les charges sociales du laveur de carreaux, etc. Finalement, épuisé, excédé, mais étant arrivé au bout de sa maudite déclaration, il est venu s'asseoir dans l'atelier, face à moi qui m'évertuais à dégrader des verts dans un volume que je voulais rond, sans être rond, tout en étant rond... Il m'a regardée faire un peu et m'a interrompue :

— Si je déduis de mes revenus les impôts supplémentaires qu'entraînent tes gains et tes frais... sais-tu combien tu gagnes par mois ?

— Non ! Je n'en ai pas la moindre idée.

— 200 francs !

Sur ce, il s'est levé :

— Bon, moi je vais faire un tour, je vais prendre un peu l'air. J'en ai par-dessus la tête de ces comptes et de ces histoires... Comme si c'était déjà pas assez compliqué avant.

Quand j'ai entendu la porte se refermer sur lui et ses pas qui dégringolaient les marches deux par deux, je me suis sentie coupable. Coupable de l'encombrer avec mon fourbi, pour deux cents francs par mois !

Plus tard, alors que mon succès s'installait, ses absences se sont multipliées et un matin, peu de temps avant qu'il avoue : « J'étouffe ici... », il m'a parlé d'une jeune femme qu'il voyait souvent et il a dit : « Que veux-tu, elle est gentille, elle me tient compagnie, elle me rend service, c'est une béquille... » J'ai cru qu'il disait ça par bonté d'âme, pour ne pas dire : « Elle est jeune, tu ne l'es plus. » J'ai vraiment cru qu'il voulait me ménager. Je n'ai pas compris qu'il avait à ce point besoin d'être assisté, besoin d'être l'unique centre d'intérêt d'une femme. Il avait toujours été si pointilleux sur sa liberté...

Après, quand je l'ai compris c'était trop tard, il avait pris ses habitudes ailleurs et moi je n'étais pas capable d'abandonner les miennes. Je ne pouvais pas imaginer ce qui allait se passer.

J'ai eu quelques amants à cette époque. Histoire de faire comme tout le monde, un peu par dépit... pas grand-chose. J'avais trop à faire avec le fourbi, la maison, les enfants qui entraient dans l'adolescence. Et puis surtout j'aimais Jacques, je n'ai jamais pensé à le remplacer. Je me suis résignée puisque je vieillissais ; je le savais à cause de l'image de moi qu'il me renvoyait, pourtant je ne sentais pas cette usure, au contraire. J'aurais pu agir comme on doit agir pour cacher ou retarder les « méfaits » de l'âge et si je n'ai rien fait de tout ça c'est que je devais choisir entre ces artifices qui prennent beaucoup de temps — culture physique, crèmes nourrissantes, maquillages... — et mon fourbi. Le choix a été vite fait : j'ai brodé de plus en plus, passionnément.

Ma famille, avec une obstination qui me mettait mal à l'aise, ne me sortait jamais du cadre qui aurait dû être le mien, celui d'une mère de famille ayant passé la quarantaine et qui occupait ses loisirs à broder. Mes enfants eux-mêmes, entraînés par l'ironie complaisante de leur père, n'aimaient guère la renommée qui m'entourait et ils dépensaient l'argent que je gagnais comme si cet argent n'avait pas été le fruit de mon ouvrage mais plutôt un gain de loterie. Jacques, finalement, ne comprenait pas que mes broderies puissent être traitées d' « œuvres ». « Les gens sont fous, disait-il, car enfin, la broderie, c'est de la broderie. » Lui, il parlait plutôt de mes tableaux comme s'il s'était agi de pot-au-feu ou de ragoûts réussis. Mon succès l'agaçait. Il se moquait de moi avec une gentillesse aigrelette : « Alors le tour de tête de Madame n'a pas trop grossi ce matin ? » parce qu'il y avait eu un article élogieux dans un magazine. Ou bien : « Peut-on se permettre d'interrompre le Maître ? » parce que j'avais oublié l'heure du dîner et qu'il n'y avait rien à manger. Et le ton faussement intéressé qu'il prenait pour me demander : « Comment va le chef-d'œuvre du moment ? »... Bref, les enfants et lui se comportaient de telle sorte que je me sentais coupable d'être trop absorbée par mes ouvrages, coupable de n'avoir plus à quémander un centime, coupable d'organiser le temps à ma guise. Alors la fièvre me prenait, je piquais une colère : « Laissez-moi travailler ! » « Foutez-moi la paix ! »

Par moments à la maison, l'atmosphère devenait irrespirable. Que voulaient-ils à la fin ? Qu'auraient-ils préféré que je fasse ? Plus de ménage ? Broder des choses utiles qui aient l'air de quelque chose ? Ils ne savaient pas comment interpréter mon épanouissement et ils en ressentaient de la gêne. Je crois qu'ils me trouvaient indécente. Oui, c'est ça, indécente. Trop d'étrangers à me regarder. Cet éclat suspect que je prenais, cette gaieté, cette force ! Cette liberté, cette autonomie, cette indépendance ! C'était comme si je les trompais, comme si je leur avais, jusque-là, caché ma vraie nature, comme s'ils découvraient qu'ils avaient vécu avec une étrangère, et ils n'aimaient pas ça. Il y avait quelque chose de pas correct là-dedans, qu'est-ce que c'était que ça ? « Ça », ce qu'il y avait au-delà de mes broderies, ce que cachaient mes millions de petits points multicolores, au passé empiété. « Ça », l'intérêt que ces objets suscitaient en dehors de la maison, du quartier, de la ville, du pays !

Or moi j'ai su, à cause des questions qu'indirectement ils me posaient, que « ça » avait toujours été en moi. « Ça » existait avant que j'aie des enfants, avant que je connaisse un homme, avant que je sois nubile. « Ça », ce que j'exprimais là, germait en moi depuis le commencement de mon existence et n'était pas particulièrement lié à la fille que j'étais. Rien n'était parvenu à étouffer « ça », ni mon éducation, ni mon instruction, ni ma vie de famille, ni la maison, ni mon corps, ni les bonheurs, ni les malheurs. « Ça » avait attendu que j'aie du temps à lui consacrer, mon temps. « Ça » était plus exigeant que tout. « Ça » m'arrachait à ma vie de femme, et je n'avais aucun désir de résister à « ça », au contraire, car « ça » me mettait exactement à la place qui était la mienne.

Mais j'avais vécu si longtemps ailleurs !... Quelle folie !... Le regard que « les miens » portaient sur mes ouvrages me produisait le même effet que, tout à l'heure, le regard du cavalier, il me remplissait de confusion... Je n'aimais pas être confuse à cause de « ça », je n'avais rien à cacher de « ça », d'ailleurs je ne pouvais pas cacher « ça ». J'ai senti que pour leur plaire ou pour les rassurer il aurait fallu que je maquille « ça ». Je ne l'ai pas voulu. Je me suis révoltée sans calculer les effets de ma révolte, sans même connaître la profondeur de ma révolte. J'avais seulement compris que ces regards qui se posaient sur la brodeuse étaient, même ceux de ma fille, des regards d'hommes. Alors, épouvantée, affolée par ma propre hardiesse, mais aussi enchantée par elle, j'ai chassé Jacques de ma vie ou j'ai provoqué son départ. Je l'ai fait avec acharnement et j'en ai éprouvé un grand bien-être. Il m'avait fallu toutes ces années pour évaluer et refuser la distance qu'il y avait entre les hommes et moi !

Ensuite, tout a été léger, tout a été facile. J'ai beaucoup travaillé, je me suis beaucoup dépensée, j'étais d'une incroyable efficacité. Je ressemblais à ces plantes qu'on garde au grenier ou à la cave pendant la saison froide, qu'on sort au printemps, moignons brunâtres, grisâtres, glandes ratatinées, et qui se mettent à foisonner en un rien de temps. Elles rattrapent la saison perdue, on croirait les voir pousser. J'étais comme ça.

...Jusqu'à l'accident, ce spectacle horrible, barbare. J'ai vu mes enfants ensanglantés, à l'agonie. J'ai vu aussi ma vie ravagée, au moment où elle était justement la plus belle. j'ai vu ma solitude, l'abandon où je me trouvais. La peur a jailli, tellement absurde que j'étais incapable de la broder. J'ai cessé de broder, je n'ai plus eu le goût de le faire.

Mon cœur se remet à cogner. Il a repris son travail forcené dans mon corps, il bat : coupable, coupable, coupable, à toute vitesse !

Coupable de quoi ?

Me voilà arrêtée au plus creux, au plus profond de cette culpabilité indéfinissable que je ressens, noyau minuscule et dur autour duquel tourne mon désarroi. Grain de sable sous ma paupière, ténu et aveuglant. Je suis une cible et vers mon centre convergent des traits, des lasers, qui me fouaillent, me harcèlent, me torturent. Je suis acculée à une absurdité révoltante par des regards, rien que des regards, de toutes les couleurs, de toutes les formes. Des regards vengeurs, des regards inquiets, des regards méprisants, des regards moqueurs, des regards peinés, des regards critiques, des regards experts, des regards nostalgiques, des regards savants. Ils me font honte et me scandalisent. Je n'ai pas voulu baisser les yeux, je n'ai pas obéi, j'ai désobéi ! Je suis coupable d'avoir désobéi aux gens, à leurs règles, à leurs lois, à la culture, à la morale, à ce qu'ils appellent l' « éternel féminin », et le prix astronomique de cette désobéissance, ce sont les vies de mes deux enfants... C'est trop cher, vous m'entendez ? C'est trop cher !

Maintenant se précisent ces regards, je sais à qui ils appartiennent. Ils me font peur ! Pourtant je vous aime tant ! à ma manière. Vous ne voulez pas de cette manière d'aimer, mais c'est de l'amour quand même, quoi que vous en pensiez. C'est mon amour, je ne peux ni ne veux vous donner celui que vous me demandez : il est faux !

Et j'ai envoyé balader les hommes de ma vie !

Coupable de m'être passée de Jacques, d'en avoir privé mes enfants ! C'est de ça que je suis coupable, pas d'avoir acheté une moto, pas d'avoir brodé ! Non, coupable de n'avoir pas besoin de la protection des hommes. Je ne suis pas restée à ma place, je suis sortie de mon rang, j'ai créé le désastre.

La pièce est surchauffée, j'ai trop chaud, j'ai faim ! La révolte est en moi. Je n'accepte pas mon sort, je ne veux pas du conditionnement stupide vers lequel tout me pousse, tout, tous, tout le monde, et moi la première. Oui, dès que la culpabilité fait battre mon cœur, je suis la première à me précipiter vers la cachette où j'ai enfoui les marionnettes de la maman, de l'épouse, de l'amante ! Je les déterre en même temps que je les repousse. Je ne veux pas me maquiller la face comme une guignole, je ne veux pas cacher mes rides, je ne veux pas passer le reste de ma vie à m'occuper de mes petits-enfants ! mais je voudrais être aimée comme les autres sont aimées...

Le cavalier, dehors, m'attire. Je sais qu'il est un fantasme, que je l'invente. Je le veux noir, terrible, traître, fatigué mais encore capable de me blesser, et pourtant j'ai envie de lui, envie d'avoir de la tendresse pour lui.

Le fantasme du cavalier fait renaître une sensation poignante que j'éprouve souvent en rentrant chez moi. L'envie me prend d'une présence. Besoin agaçant, à la fois précis et vague, d'une personne qui n'a pas de visage. Une stature plus haute que la mienne, proche. Un creux de tendresse dans lequel on m'embrasse. Un rire. Une gaieté. Une attention aiguë. Une gravité lumineuse. Qui ? Un homme. Oui, mais lequel ? Aucun de ceux que je connais n'a cette plénitude, cette complicité avec moi, cette prodigalité, ce désintéressement. Je pense que cet homme est mon père.

La maison est vide de lui. Il me manque.

Dans toutes les maisons que j'ai habitées, j'ai éprouvé ce manque, le soir, en rentrant, après une journée fatigante. Toujours, même dans mon enfance... même dans mon enfance.

J'ai cinquante ans et j'ai besoin de mon père comme une enfant ! Besoin de sa partialité, de sa préférence, de sa sévérité, de son aveuglement, de sa jalousie, de son amour. Besoin de cet homme, du premier homme.

Je ne connais pas mon père, je n'ai jamais habité sous le même toit que lui, j'ai été conçue en plein divorce, alors que mes parents n'habitaient plus ensemble. Je suis le fruit d'une rencontre due au hasard, ou au besoin, ou à l'hypocrisie, ou au doute... Je ne sais pas qui est mon père, je ne sais pas ce que c'est qu'un père.

Je nais et je suis vieille. Nouvelle et ancienne. Ignorante et lourde de connaissance. Je pars à l'aventure pour la première fois et je voyage depuis des siècles. Je sais tout et je ne sais rien : je ne sais pas qui est mon père.

Mon père ! Qu'est-ce qu'il vient faire là, dans mes rêvasseries, dans cette brume, dans la maison de mon frère ?

Je ne pense jamais à lui, il est un mythe, une légende. On me l'a raconté. Je ne sais de lui que ce que ma mère — qui ne l'aimait pas — en disait. J'avais dix-sept ans quand il est mort... A part ça je l'ai vu quelques fois, peu de fois, chez lui, dans sa maison — qui me semblait être l'antre d'un ogre — pour des repas... en tête à tête... une petite fille et un monsieur...

J'ai faim, tiens. Assez jeûné comme ça ! Je meurs de faim. Je vais m'offrir la boîte de foie gras et la bouteille de champagne ! J'ai bien fait d'amener une bouteille de champagne. J'aime ce vin, il me monte à la tête, il me rend gaie.

La cuisine est douce et intime. Du plafond descend un abat-jour de rotin tressé. Il répand, au centre de la table en gros bois, une lumière ronde, blonde, qui s'éparpille ensuite dans le reste de la pièce en une multitude de points dorés. Il me fait penser aux boules de music-hall, composées d'une mosaïque de petits miroirs, qui tournent et renvoient les faisceaux des projecteurs sous forme d'étoiles irisées, par milliers. Partout, dans la cuisine, des petits grains de clarté : sur les faïences bleues qui courent le long des murs, sur les appareils ménagers — valets impeccables, chromés, boutonnés, rassurants —, sur les placards de chêne, sur les chaises aux sièges de paille.

Une fête, un festin !

Avec mes deux pouces je dégage le bouchon lentement, lentement, jusqu'à ce que je sente les bulles impatientes le pousser. Elles sont fortes, elles m'obligent à serrer mes doigts autour du liège et du goulot. Je ne veux pas que le bouchon saute ; il s'agit d'une fête privée. Le champagne coule dans le verre, trépignant, couleur de miel pâle. Je le bois à petites gorgées fraîches qui dégringolent dans mon corps à jeun comme des farandoles. Je mets du pain à griller, j'ouvre la boîte de foie gras. Quel festin, vraiment !

L'envie me prend de remplir un autre verre que le mien... C'est de la folie, de la pure folie, encore plus que de me mettre nue devant le feu... Je voudrais inviter le cavalier, je voudrais ne pas avoir peur de lui, je voudrais rencontrer mon père, parler avec lui, connaître cet homme-là. Peut-être que si j'avais eu un père... Peut-être que...

Bonjour, cet homme caché dans la caverne de mon cœur, dans le nid rond et dur, hermétique, de mon crâne. Bonjour ! Viens, je vais te sortir de là.

« C'est un aventurier », disait de lui ma mère, faisant entendre par le ton de cette déclaration qu'il cherchait la bonne fortune, qu'il était un peu douteux, un peu malandrin sur les bords. Elle employait hypocritement ce terme, en ma présence, sachant qu'il a un double sens, qu'il peut aussi désigner celui qui voyage ; car, dans ce sens-là, aventurier il l'était, il courait le monde et je le savais.

Je lui ai versé son champagne.

Je suis là, dans la cuisine, attablée face à un verre qui reste plein. Ça n'a pas d'importance. Je ressemble aux femmes musulmanes qui vont au cimetière avec des dattes, des figues, des fleurs, des galettes, qui s'asseyent sur le bord des tombes après y avoir déposé leurs présents et se mettent à rêver ou à bavarder avec leurs voisines, en compagnie des morts, jusqu'à ce que le soleil se couche et qu'elles s'en aillent, laissant leurs cadeaux intacts. Les oiseaux mangeront tout, ou peut-être les défunts... qui sait ? J'ai aussi pensé à Electre disposant ses offrandes sur le tombeau d'Agamemnon, son père assassiné...

J'ai bu toute la bouteille en rêvant de lui. Je lui rends un corps, une voix, un regard. Des souvenirs minuscules reviennent. Pourquoi n'ai-je pas fait ça avant ? Il est là.

Tout à coup j'ai hâte de retrouver mon atelier, mes étoffes, mes soies, mes cotons, mes fils qui m'attendent depuis si longtemps, sagement rangés couleur par couleur, matière par matière. Mais j'ai beaucoup trop bu pour rentrer tout de suite à Paris.

Cette nuit je vais dormir avec mon père. Il me bercera. Je suis sa fille, même si j'ai maintenant presque l'âge qu'il avait au moment de sa mort... Il va m'apprendre à comprendre son monde où je ne sais pas vivre, dont je me méfie, qui me blesse.

Heureusement qu'il est avec moi quand je reviens à la maison. Le vide ne m'effraie pas, ni les traces que l'accident a laissées partout! bouts de papier avec, inscrites à la va-vite, des adresses d'hôpitaux, de cliniques, de médecins, des numéros de téléphone, vêtements en vrac dans ma chambre, boîtes de somnifères, boîtes de comprimés pour effacer le stress, ordonnances, lettres de compagnies d'assurance, tasses de thé à moitié bues empilées dans la cuisine, épluchures racornies de mandarines dans les cendriers... mon désespoir solitaire a laissé un désordre sec et inodore, terriblement triste... Seul mon atelier est intact, vide, comme désœuvré. Je n'y ai pas mis les pieds depuis deux ans.

Quel bonheur de pousser cette porte, moi, pas la mère de mes enfants, pas la femme de X ou la copine de Y. Moi, avec mon père, ce nouveau venu, cet inconnu. Moi entière. Tout en ouvrant les volets, en soufflant sur la poussière qui s'est accumulée sur la table à dessin, je pense avec tendresse : Est-ce qu'il a mis ses guêtres ?

Il vit en moi cet homme, et sa présence attentive est paisible. Je regarde des ébauches ou des diapositives de mes tableaux, avec un œil différent ; c'est qu'il regarde avec moi ! Je suis moins sévère à mon égard et plus exigeante. En inspectant tout ça, je comprends mieux où j'étais libre et où je ne l'étais pas. Certains volumes, certaines lignes, même le choix de certains tons ne m'avaient jamais satisfaite, et pourtant je n'avais pas su les améliorer. J'étais restée des heures, des jours, à essayer de les perfectionner, décousant, détruisant mes petits points à coups de ciseaux pointus, changeant la matière de base, prenant du coton à la place de la soie, du fil là où je m'étais servie de laine, sans jamais obtenir rien qui me satisfasse. Je pensais : « C'est comme ça, j'ai des limites, les femmes ne sont pas créatrices, on l'a prouvé, elles n'ont pas le cerveau fait comme les hommes, elles ont le lobe du rangement, de l'organisation, du pratique, plus développé que l'autre, celui de l'imagination. » C'était terrible, moi qui suis une si mauvaise gestionnaire... Ça me décourageait mais, en même temps, ça me rassurait : c'est ainsi, c'est la nature... Pas la peine d'aller plus loin, c'est impossible.

Aujourd'hui, parce qu'il est là, lui, la moitié de mes gènes, il me semble que je vais aller plus loin. Il n'y a pas de raison : je suis venue de Lui autant que d'Elle. Je sais bien que je suis faite comme Elle et pas comme Lui, mais ce qu'Elle m'a appris d'Elle n'a jamais très bien collé avec mon être : les 28 jours, les 9 mois, les 12 ans, les 50 ans, sans compter les 14e jours de la fécondité et les 40e jours du retour de couches. Je ne suis jamais entrée dans cette mathématique, avec moi la Science ne marche pas trop bien, je suis « anormale » dans mon corps, alors peut-être que dans mon esprit, dans mon lobe...

J'installe mon père dans ma personne comme on installe chez soi un bébé, un jeune animal, une nouvelle plante. On doit leur offrir un climat, une ambiance, un lieu, une lumière, un espace, une nourriture qui leur conviennent, qui soient propices à leur épanouissement.

Envie de m'enfermer dans mon atelier, de m'enfoncer dans mon travail : je ne suis pas allée assez loin. C'est par le sentiment que j'ai de mon insuffisance que passait, et me blessait, la critique des autres ; et c'est là, précisément, dans mon insuffisance, qu'est installée ma culpabilité. « On ne lâche pas la proie pour l'ombre », aurait dit ma grand-mère. Or moi, j'avais lâché les hommes, la femme, l' « éternel féminin », pour des œuvres somme toute imparfaites. Coupable de ça, d'avoir entraîné mes enfants dans mon aventure timorée... Aller plus loin ; ce besoin s'impose à moi sans même me questionner sur mon désir, besoin impératif ! C'est mûr et je ne sais pas ce qui va sortir de cette maturation... Appréhension — juste avant de plonger — de la simple liberté qui presse comme un ruisseau, une cascade, un torrent... peur, encore, de casser le barrage des autres, de ne pas être convenable.

Jean-Maurice, mon père, sois mon complice, viens avec moi dans le rêve, dans les cabrioles, dans les galipettes, dans le plaisir des larmes, dans la guerre, dans l'absolu, dans l'amour... Je dirai que c'est toi qui m'as inspirée, que c'est mon père, en moi, qui s'exprime. Nous ne serons pas dupes, nous serons des complices. Je suis arrivée à mon âge avec beaucoup de forces mais avec, encore, beaucoup de craintes. J'ai parcouru un grand chemin toute seule, il me reste peu à marcher pour exister tout à fait, mais ce peu-là, je n'arrive pas à le faire. J'ai besoin de toi. Toi, cet être unique qui es à la fois un homme et mon père. Je me méfie des autres. Quand, forte de toi, je ne craindrai plus peur d'être qui je suis, les autres reviendront vers moi... et s'ils ne reviennent pas, ma solitude n'aura pas ce goût de pourri qui me remplit la bouche.

Quelle hâte ! Je transpire de joie en fouillant dans mes boîtes et mes tiroirs. J'assemble des gris, des bleus délavés, des verts sombres, des verts jaunes, des blancs cassés, des couleurs océaniques. Groupes de triangles ardoise imbriqués les uns dans les autres, séparés par des lignes méandreuses : je veux broder une ville océane, ancienne, léchée par les vagues des tempêtes et les marées obstinées.

Il était si noir de cheveux et d'yeux, il avait le teint si mat que ma mère disait souvent de lui : « C'est un Arabe. Une de ses aïeules a dû fauter avec un bicot à l'époque où ils sont allés jusqu'à La Rochelle. » Il était né dans cette ville. Je ne sais pas exactement en quelle année… En 1885, je crois. Il avait seize ans de plus qu'elle…

DEUXIÈME PARTIE

La Rochelle, la ville natale de mon père. C'est important le lieu de la naissance, l'endroit où ont commencé le regard, la respiration, la marche. Oublie-t-on jamais les rythmes du départ, ses accents, ses couleurs, ses odeurs, ses goûts ? On croit qu'on les oublie mais, en fait, ils sont si étroitement mêlés à nous qu'on les confond avec nous-mêmes.

La Rochelle. Il faudrait que j'étudie l'Histoire, que je me fasse raconter la naissance et l'essor de cette ville. Je n'en ai pas envie. L'Histoire telle qu'on me l'enseigne m'ennuie. Elle est trop logique. Elle commence par le commencement et finit par la fin. Elle s'est déroulée à telle et telle date. Les hommes qui l'ont faite s'appellent comme ci et comme ça. Ils sont nés en tant et en tant et ils sont morts tant d'années plus tard. Tout cela, m'apprend-on, est sûr et certain : l'Histoire ne bougera pas, elle n'a pas de brèche, pas de surprise. On dirait, à l'étudier, que les hommes conduisent leur destin avec leurs propres mains. C'est une histoire dans laquelle on oublie que l'édredon le plus chaud est bourré du duvet le plus léger. Elle ressasse interminablement le même discours officiel, les mêmes phrases consacrées, longues. Serpents qui, par de beaux mouvements circulaires et constricteurs, maintiennent les architectures raisonnables de ma vie. Histoire séductrice, faussement claire, qui m'étouffe, qui me brime ; je n'en fais pas partie.

La Rochelle, une ville où je ne suis pas allée depuis mon enfance. Pour raviver mes souvenirs, j'ai fouillé dans les photos de famille, puis j'ai traîné chez les marchands de cartes postales. Un port historique, avec ses deux tours massives, son eau ronde comme celle d'un lac de montagne, et ses bateaux serrés les uns contre les autres, oscillant pareillement au rythme de l'océan. Bateaux de pêche, bateaux de plaisance, yachts. Longs mâts effilés aux haubans desquels la brise fait claquer les pavois.

Rien à voir avec les caïques ventrus et bruns qui roulaient dans la tempête leur cargaison de Barbaresques parmi lesquels se trouvait mon invraisemblable aïeul. Ils affrontèrent les canons des remparts, furent victorieux, et envahirent le port laissé libre par les boutres des pêcheurs. Ces pauvres esquifs, menés par de courageux Rochelais, étaient partis à la rescousse des bâtiments de la Marine royale — goélettes et caravelles — qui flambaient, au large, impuissants, malgré leur maîtrise de la science guerrière, leur élégance, et leurs traditions militaires. Tous ces navires, humbles ou nobles, furent anéantis par les barcasses habiles et trapues que dirigeaient des forbans fous du jeu de l'abordage, ne respectant aucune des règles de la bataille navale, accoutumés qu'ils étaient aux bagarres brutales et aux actions fourbes des corsaires.

Finalement, ces marins moustachus, pieds nus, torse nu, vêtus seulement de serouals gris de crasse et d'une large ceinture rouge, avaient débarqué dans la jolie ville commerciale, armés de yatagans qui luisaient entre leurs mains comme des croissants de lune dans une nuit d'été.

Mais l'invasion arabe fut une invasion terrestre. Il n'y a pas eu de caïques, de bataille navale ! Que voulez-vous que ça me fasse ? C'est mon père qui m'intéresse, ce n'est pas l'Histoire de France.

Que s'est-il passé une fois la ville envahie par les Maures ? Je n'en sais rien et l'apprendre ne m'apprendrait rien de plus sur mon père. Ce qui m'importe ce n'est pas qu'ils soient venus à La Rochelle par terre ou par mer et qu'ensuite ils aient fraternisé ou massacré, ce qui m'importe c'est qu'ils soient venus, qu'ils aient été des envahisseurs. Ce qui m'importe c'est que ma mère, des siècles plus tard, ait inscrit cette invasion dans la vie de mon père, dans la mienne donc. Ce qui m'importe finalement c'est ce que les gens en ont chuchoté, ce que les lèvres, dans le secret, ont murmuré aux oreilles, de génération en génération. Ce qui m'importe c'est la conquête, la fascination qu'exercent les conquérants. Ils sont l'autre côté du connu, l'autre berge de la connaissance. Ils inspirent la terreur mais ils dévoilent, par leur seule présence, la face cachée de l'existence, le vrai sens de la paix. Conquérants et conquis, à l'instant même de la conquête, sont engagés dans une rencontre où le meilleur et le pire d'eux-mêmes sont mêlés, leur affrontement les rend entiers.

Donc j'imagine que la petite grand-mère de vingt ans n'a plus douté de l'avenir quand elle a vu surgir un guerrier barbare dans les allées sablées du jardin. Elle n'a plus douté de l'avenir puisqu'il était là, devant elle, et qu'il n'était, après tout, qu'un homme avec une large poitrine tannée par le soleil, un ventre plat, une moustache noire et un grand rire plein de dents blanches.

A-t-elle été séduite, a-t-elle été violée dans les verveines, les asters et les capucines d'arrière-saison ? Je n'en sais rien. Je pense même qu'il n'y a eu de grand-père arabe que dans l'imagination de ma mère…

Après ? Après, un chapelet d'hommes et de femmes à la peau mate, aux cheveux et aux yeux noirs, avec, dans leur sang, les pirogues de l'aventure s'insinuant silencieusement d'un corps à un autre au cours des accouplements et des gestations. Jusqu'à lui. Jusqu'à moi qu'il est venu engendrer sur la côte algérienne. Jusqu'à ma fille, celle qui a les épaules si larges, celle dont les membres ont été brisés par la moto… Les deux jambes, les deux bras !…

J'ai toujours été gênée, moi qui me veux une concrétion de la Méditerranée, par le fait que mon père n'était pas méditerranéen. Il fallait que je le fasse venir de ces rivages par le truchement d'un fantasme de ma mère : la faute d'une grand-mère et d'un envahisseur barbaresque.

Ça me gênait et ça me plaisait.

J'avais fini ma première broderie et elle me satisfaisait telle qu'elle était. Mais maintenant je voulais broder la naissance et quelque chose me manquait, me dérangeait. Je me suis mise à chercher dans les papiers de famille, à questionner. Et puis voilà que l'autre jour mon frère me déclare avec assurance :

— Mais sa famille était d'origine sicilienne.

— Qu'est-ce que tu dis ?

— Ben oui, de Sicile. Tu ne le savais pas ? Des maçons siciliens.

— Non, je ne le savais pas. Personne ne m'a jamais vraiment parlé de lui… Notre mère disait qu'il avait un ancêtre arabe…

— Elle disait ça parce qu'elle ne l'aimait pas. Son

père était sicilien, je te dis, ou son grand-père plutôt. Le nom a été francisé. Il s'appelait Sangiovanni je crois, ou quelque chose comme ça.

Boue rouge, boue douce de la Méditerranée qui grisaille en séchant, qui se craquelle, dans laquelle je puise ma langueur et ma passion ! Me voilà certaine d'être toute façonnée par elle, poudrée de sa poussière, endiamantée de sa pierraille, saucée de son limon. Je suis entièrement une femme de cette précieuse terre !

La grand-mère de l'Atlantique a poussé un dernier coup, très fort, et son fils est sorti d'elle, à la fin de l'été, à l'époque où les fougères rouillent et où les grands vents d'équinoxe amènent une pluie oblique et raide. On a saucissonné le nouveau-né, comme on le faisait à l'époque, et on l'a couché dans un berceau douillet fait pour un bébé de négociant rochelais. Il était venu au monde noiraud, messager du Midi sur la côte atlantique. On le prénomma Jean-Maurice.

Est-il né dans la maison que je connais, 28 avenue Guitton ? Je ne le crois pas, mais après tout, c'est possible : la maison date de la fin du XIXe siècle.

J'imagine le grand-père Théodule, enrichi par son travail, la faisant bâtir selon ses plans pour y loger sa femme, son fils et ses deux filles. Car Théodule était entrepreneur de travaux publics ; un entrepreneur cossu.

Quand ma mère parlait de sa belle-famille elle disait avec dégoût : « Des nouveaux riches, des nouveaux riches ! Des métèques ! » Je comprends mieux pourquoi maintenant : les immigrés, ce n'était pas son genre. Ces gens-là sont malins, ils s'adaptent. Quand on a tout quitté on est capable de tout. De tout, de n'importe quoi ! De tout ce qui rapporte, de tout ce qui éloigne de la misère. Tout, porca Madonna ! Tutto, tutti, tutta ! Des aventuriers, des joueurs !

Je possède une photo du grand-père Théodule entouré de ses ouvriers, et avec, dans ses jambes, mon père tout petit, en robe blanche et en bottines cirées. L'enfant tient un marteau à la main. Le groupe prend sérieusement la pose. Théodule, au milieu, la bacchante abondante, l'estomac haut et rebondi, les bras croisés dessus, comme un patron. Les ouvriers, autour de lui et derrière lui, ont des regards fixes et des gestes figés, un poing sur la hanche ou les mains pendant le long des blouses grises. Tout le monde est raide, précis, sauf l'enfant au premier plan, devant le maître, qui a bougé au moment du déclenchement de l'appareil et dont le visage reste flou. Derrière, les surplombant, sentant le neuf, l'enseigne de la maison : « Entreprise Saintjean et fils ». Et fils... il ne devait pas avoir deux ans, le fils, quand on a peint l'enseigne.

Le fils régnera un jour sur l'affaire. Une belle affaire : vingt-cinq ouvriers et des apprentis, sans compter les servantes à la maison. Une belle maison, en pierre de taille, avec un auvent vitré au-dessus du perron de l'entrée, une maison riche mais pas tape-à-l'œil : « Faut pas péter plus haut que son cul », disait Théodule — c'était, paraît-il, une de ses formules. Il ne faut pas attirer l'envie quand on n'est, après tout, qu'un étranger, même si on a épousé une fille de la région.

Il s'est marié tard, mon grand-père Saintjean, et il a bien fait d'attendre. Sans sa fortune toute neuve il n'aurait pu épouser Ernestine Drapeau, fille d'un gros fermier des environs. Une paysanne mais qui était allée au couvent, qui savait se tenir, lire des poèmes, et qui savait compter aussi. Petite souris délurée.

Je me demande pour quelle raison elle a épousé ce

vieux matamore de Théodule, son aîné de vingt-cinq ans...

Elle était dégourdie. Elle et ses sœurs étaient abonnées au *Bonheur des Dames,* et elles savaient parader correctement dans la belle victoria tirée par deux chevaux que leur père leur avait offerte. Ce qui n'empêchait pas Ernestine de respecter les traditions, d'être attentive au murmure des coutumes et d'obéir à la secrète nécessité des usages. Ainsi, les jours de fête, portait-elle la coiffe de sa région, le châle, la large jupe sombre. J'ai vu une photo d'Ernestine, assise sur un banc, son petit visage fourré au centre d'une auréole tuyautée blanche, ses épaules engoncées dans un caraco noir. Il me semble que, sur cette photo, elle tient un parapluie sur ses genoux, mais peut-être que je la confonds avec une image de Bécassine...

Les racines sont profondes, elles vont où on veut. Elles sont innombrables. Pourquoi faut-il que celles des miennes qui me paraissent les plus aptes à me faire tenir en équilibre soient celles qui plongent dans le sol méditerranéen ? Pourquoi la grand-mère Ernestine ne m'attire-t-elle pas plus que ça ? Pourquoi la Méditerranée plus que l'Atlantique ? J'ai des goûts de chaleur, de sécheresse, de maisons fraîches aux murs épais, aux petites fenêtres ouvertes comme des regards dont les pupilles seraient des pots de citronnelle. Des racines, je sais qu'il m'en pousse ailleurs, en Auvergne, dans le Bordelais, mais elles ne m'agrippent pas, elles flottent. Ce sont des racines aériennes le long desquelles je peux glisser pour rêver de Vikings, de steppes orientales, de pagodes...

J'ai rencontré mon père peu de fois et j'avais honte de lui chaque fois. Honte à cause de ce que ma mère en disait : aventurier, malade, coureur... Honte aussi à cause d'autre chose : il était un homme. Quand j'étais avec lui, je n'étais plus une enfant, la fille de ma mère, j'étais une petite femme. Cela avait quelque chose d'indécent, d'inacceptable. Il disait : « Mon Dieu, comme tu as grandi. Tu sais que tu vas devenir une belle fille. » Ça le faisait rire. Il me prenait alors dans ses bras, me couvrait de baisers et il me gardait très fort contre lui, comme pour me protéger... ou me posséder tout entière.

Dans la rue, il me tenait par la main et nous marchions. Je n'aimais pas être dehors avec lui. Je regardais beaucoup ses chaussures et les miennes parce que je baissais la tête. Il portait des guêtres. Ce n'était déjà plus la mode de porter des guêtres ; alors pourquoi en portait-il ? Et pourquoi ma mère me faisait-elle mettre mes chaussures du dimanche quand j'allais lui rendre visite ? Il saluait les gens à grands coups de chapeau, des femmes surtout. Il avait une canne.

Je marchais, je voyais mes chaussures vernies, je voyais ses chaussures cirées qui dépassaient des guêtres et je pensais au jeu du loup : Loup y es-tu ? Chapeau pointu, turlututu ? J'enlève ma canne, j'enlève mon chapeau, j'enlève mes guêtres... Oh là là là.

Un petit garçon en robe blanche... Quelques années plus tard un petit garçon en culotte courte. Avec des bottines boutonnées sur le côté et des chaussettes qui dépassent, montant jusqu'aux genoux.

Quand j'étais petite fille, j'avais toujours les genoux écorchés parce que j'étais turbulente : j'aimais grimper aux arbres, faire du vélo et du patin à roulettes. Chaque fois que je rencontrais mon père, il constatait les dégâts, inspectait les sparadraps et les croûtes, et constatait fièrement : « Je vois que tu es encore en réparation. » Je savais qu'il employait le terme réparation pour me faire rire, mais ça ne me faisait pas rire, je ne me pensais pas comme une automobile.

Peut-être que lui-même se prenait pour une automobile quand il avait mon âge. Y avait-il des automobiles à cette époque ?

Comme tous les matins de classe, Ernestine est assise sur une chaise et préside à la toilette de son garçon. Jeanne la servante a versé de l'eau tiède dans la cuvette de porcelaine et aide Jean-Maurice à se débarbouiller puis à s'habiller. C'est vraiment un garçon avec ses longues jambes, ses petites fesses hautes, ses hanches étroites et sa poitrine osseuse. Tout en inspectant son fils, Ernestine pense à ses deux filles et elle se dit qu'elles sont vraiment bien différentes, ça la fait sourire.

Il est prêt. Ernestine lui tend son cartable qu'il endosse en quatrième vitesse, puis elle jette la pèlerine par-dessus les épaules et la sacoche, elle la boutonne soigneusement sous le menton et, de la paume de la main, elle aplatit encore une fois les cheveux noirs peignés en arrière, plantés irrégulièrement en haut du front où, à droite, un épi les fait se redresser. Les yeux noirs du garçon la regardent avec tendresse et impatience. Il veut partir, il va être en retard. Il aime aller à l'école et il se moque de sa coiffure, ça, c'est bon pour ses sœurs.

Il part en courant et, chemin faisant, il révise sa table de multiplication et ses règles de grammaire. Il ralentit quand l'avenue Guitton s'engage dans le parc et enjambe, par un pont bossu, la rivière qui coule doucement parmi les saules avant d'aller se jeter dans l'océan tout proche dont il entend le ressac. Il se penche, regarde l'eau brune qui va devenir vagues et écume. Il invente des bateaux en partance pour l'Afrique et l'Asie. Puis il reprend sa route en sautillant. Il fait attention à ne pas marcher sur les joints de ciment des dalles du trottoir. Comme elles sont irrégulières et qu'il veut aller vite, il doit être très attentif. Chaque erreur rendra plus difficile l'examen qu'il subira tout à l'heure, au moment où l'avenue croisera la rue de l'école... Son cartable tire ses épaules en arrière, ses jambes maigres et solides sont agiles, sa pèlerine sautille comme une pie. Il se dépêche. Il ne s'agit pas de tricher en ralentissant la cadence, sinon l'examen ne vaudrait rien. Les rares passants s'écartent en souriant, ou en maugréant, pour laisser passer ce fou qui rebondit à toute allure. A chaque saut, au fond du cartable, le porte-plume et le crayon se heurtent dans le plumier de bois sur le couvercle duquel est peint un voilier cinglant vers le Vésuve en éruption. C'est un plumier magnifique qu'il a eu pour Noël. Ce petit bruit, étouffé par la pèlerine, est indispensable à l'effort de Jean-Maurice, il est sa cravache, le bruit de sa conscience. La régularité du rythme prouve qu'il n'y a pas d'erreur, qu'il sera capable de passer l'examen. Il transpire, il est à bout de souffle. Encore quelques mètres et ce sera le grand moment de la journée. Cinq bonds, quatre bonds, trois bonds, deux bonds, un bond. Ça y est.

Il se fige, jambes jointes, ses poumons brassant l'air tant qu'ils peuvent, son cœur battant ; il n'y voit plus très clair. Il attend quelques secondes avant que ce charivari s'apaise. Alors il regarde par terre, à ses pieds. Il y est, en plein dedans ! Il s'est arrêté juste au milieu de la plaque métallique : scellé dans le trottoir, un carré qui enferme un rond. Un rond qui peut se dissocier du carré, qui peut se soulever. En effet, non seulement deux trous s'ouvrent permettant d'avoir prise sur lui, d'y passer deux doigts, mais aussi, à la périphérie du rond, un espace profond, où s'accumule la poussière, indique clairement qu'il n'est pas solidaire du carré, qu'il est libre, qu'on peut le dégager et que par l'ouverture qu'il protège, on peut entrer dans les entrailles de la terre.

Encore un saut sur place qui fait s'écarter les jambes de Jean-Maurice. Maintenant la plaque est entre ses deux pieds. Il la connaît bien. Il aime qu'elle soit usée par les piétons et que les angles des lettres profondément gravées s'arrondissent en luisant, montrant le cœur plus clair du métal. Les lettres inscrivent, en arc de cercle, en arc de triomphe : ENTREPRISE SAINTJEAN ET FILS.

L'avenue, le pont, la route qui bombe doucement son dos entre les trottoirs ourlés de longues pierres grises, le carrefour net où le pavement dessine une rosace, l'entrée dans le ventre du sol, tout cela est fait, construit, par Saintjean et fils. Par son père et par lui-même, Jean-Maurice...

Le cartable est lourd, il faut tout apprendre, il faut tout savoir pour être digne de la plaque. Il voudrait être la plaque elle-même, aussi fort, aussi lourd, aussi sombre. Il apprendra tout, il saura tout.

Il sait déjà qu'il sera un bâtisseur, un constructeur. Un jour, il lancera des routes à travers la terre et des ponts sur les fleuves. Il élèvera des tours et des châteaux forts, il creusera des souterrains, il gravera son nom sur des métropoles.

De rêver comme ça ne l'empêche pas d'écouter. Au contraire sa rêverie le rend plus attentif, il se nourrit de ce qu'il apprend : tout ce que le maître enseigne est bon pour le rêve.

Hormis cette gravité rêveuse, Jean-Maurice est un garçon heureux. Il aime rire et courir. A la récréation, il s'amuse comme un fou, il joue au ballon prisonnier, à colin-maillard, à « tu l'as »,... (quand j'étais petite j'entendais « tue-la »...) et il gagne toujours. Son teint mat se colore, son plaisir découvre ses dents régulières et blanches, ses yeux éclaboussent de la bonne santé.

Il sent inconsciemment que, pour construire, il faut être solide soi-même. Il y a dans l'architecture de son corps, et de son être entier, une perfection qu'il voudrait reproduire avec du bois, des briques, du fer, et tout le matériel qui s'empile dans les entrepôts de son père.

Quand la journée de classe est terminée, Jean-

Maurice rentre chez lui sans traîner en chemin. Il prend son goûter : le bol de lait d'un seul trait et les tartines de raisiné que Jeanne a préparées sur une assiette. De belles tranches de pain de son, presque aussi grandes que le visage du petit garçon, enduites d'une confiture noire aux reflets pourpres. Une tartine dans chaque main il sort de la cuisine, descend dans le jardin puis traverse le verger où poussent des pommiers en espalier, des poiriers, des cerisiers et aussi quatre rangs de vigne, bien alignés dans le coin le plus abrité et le plus ensoleillé. Il va jusqu'à une petite porte de chêne qui s'ouvre dans le mur du fond et donne sur l'Entreprise. Là, Jean-Maurice se recueille tout en mordant dans ses tartines. La paix du verger, la boule de nourriture sucrée qu'il malaxe dans sa bouche, les oiseaux qui fuient sous les branches à son approche, les sacs de papier huilé et transparent qui protègent les fruits des insectes et des intempéries, tout cela forme un vaisseau qui le portera tout à l'heure de l'autre côté du mur. Par-dessus la clôture, lui parviennent des bruits de marteaux, d'enclumes, de scies, des voix d'hommes, et une odeur de besogne où le parfum du bois domine les relents métalliques ; ce sont les voiles et la mâture de son bâtiment.

Il n'ouvrira la porte que lorsqu'il aura terminé son goûter. Il n'est pas pressé. Les tartines sont bonnes et le passage ne peut se faire dans la précipitation. Il faut un certain temps pour que s'opère la mutation car ce n'est pas dans son apparence que quelque chose doit changer ; il est un enfant et c'est un enfant qui pénétrera le moment venu sur le chantier. Mais, à l'instant où il entrera dans l'Entreprise, ce ne sera pas seulement le fils du patron qui apparaîtra mais aussi le futur patron en personne ; c'est comme ça, ce sera comme ça, ça ne dépend que de lui. Il est élevé pour ça, il est instruit pour ça, c'est comme ça, et ça lui plaît. C'est donc dans ses yeux que quelque chose doit changer. Ce qu'il élabore en ce moment, c'est le regard dans lequel les ouvriers discerneront l'homme qu'il sera, lui. C'est ça qui prend du temps et demande de la concentration.

Le vide devant moi, un creux terrifiant, une béance qui me rend impuissante : comment exprimer un petit garçon quand on n'a jamais été un petit garçon. Quelles couleurs choisir, quelles matières, quelles formes ? Ça désire quoi un petit garçon ? Comment se projette-t-il dans l'avenir ? Une petite fille, qui imagine quelle femme elle sera, invente d'abord un corps différent du sien, non seulement plus haut et plus large (ça, un petit garçon l'invente aussi), mais surtout elle invente des seins, le sang des menstrues, et un vide dans son ventre. Un espace dedans qui peut se remplir et se vider. Elle sait que, de son ventre, il pourrait sortir un enfant. Un enfant, d'elle qui est une enfant... Il me semble qu'un petit garçon s'imagine plus fort, plus puissant, et quoi encore ? Du poil lui poussera partout, il aura peut-être une barbe, une moustache, s'il le veut, sinon il se rasera. Et quoi encore ? Il sait déjà bander depuis qu'il est tout petit. A douze ans, il a éjaculé. Son corps est, en miniature, tel qu'il sera, à peu de chose près. Son corps ne lui réserve pas de grandes surprises. Il est libre de penser à autre chose, de lancer son esprit hors de son enveloppe. Une petite fille peut difficilement se libérer de son corps, trop de surprises y nichent. Il faut qu'elle se projette avec lui, cet inconnu...

Jean-Maurice mâche le pain et la confiture, il en fait une pâte molle et délicieuse que sa salive amollit encore, jusqu'à produire un épais sirop qui coule dans sa gorge et qu'il déglutit par à-coups réguliers. Ses projets se gavent de cette nourriture veloutée.

Mon père était-il gourmand ? Je me souviens d'une petite bouteille à goulot et à bouchon d'argent, pleine d'huile, où macéraient des piments rouges. Il versait quelques gouttes de ce liquide sur tout ce qu'il mangeait. Je me souviens de la tendresse avec laquelle il manipulait cette bouteille, l'ouvrait, la fermait, la reposait en disant : « Ça, c'est pas pour les enfants. C'est trop fort pour les petites filles. » Elixir démoniaque, feu infernal ! Le breuvage interdit ou les belles mains soignées qui effleuraient les formes douces du flacon ? Je me demande ce qui me troublait le plus.

Jean-Maurice a fini son goûter, il essuie ses mains sur sa culotte de serge brune, il tire sur son court veston, il a le geste de sa mère pour aplatir son épi de cheveux.

Mon père a toujours fait attention à la tenue de sa chevelure. Elle était lisse comme un casque. Je pense qu'il devait se mettre de la gomina. Dans sa salle de bain, pendait, accroché à un piton, près du lavabo, un filet à cheveux, une sorte de bonnet en résille comme en mettent les femmes pour tenir leur mise en plis. Il paraît qu'il se mettait ça sur la tête pendant tout le temps de sa toilette pour dompter sa tignasse rebelle. Je ne sais pas si c'est vrai. Je ne l'ai jamais vu faire sa toilette.

Jean-Maurice est prêt à entrer dans le monde du travail, dans le monde sérieux des hommes. Il ouvre la petite porte puis la referme derrière lui. Il est dans l'Entreprise. « Son » Entreprise Un jour ce sera son

Entreprise. Il en vivra et elle vivra de lui. Il en est certain. Ce qu'il préfère ici — et il y va en premier — c'est le coin des menuisiers. Il aime l'entassement ordonné des planches qui embaument. Il aime marcher sur le sol blond où la sciure assourdit les pas. Il aime que les hommes enfoncent leurs scies dans le bois, régulièrement, tranchant dans la tendresse de l'aubier. Petites dents des lames acérées et cruelles. Il observe les gestes des menuisiers, il essaie de deviner d'où viennent leur force et leur précision. Il veut apprendre de quels muscles ils se servent car lui, en cachette, il a voulu scier, et il a trouvé ça difficile.

Il y a d'autres hommes qui rabotent, se couchant sur leur planche, se redressant lentement, se courbant encore, comme pour des confidences répétées et douces, comme des complices.

Poudre de la sciure. Bouclettes des copeaux. Eaux de la sueur. Ahanement des poitrines. Parfums de la belle forêt...

Plus tard, il en aura des forêts, Jean-Maurice. Le petit garçon ne le sait pas. Moi, je le sais. Je suis sa fille et je le sais. Je sais qu'il aimait le bois et qu'il en cherchait partout dans le monde. Je sais qu'il achetait des concessions dans lesquelles il partait à la rencontre de l'ébène, du teck, de l'hickory, des bois précieux ou exotiques. Je sais qu'il a pris des sampans, des pirogues, des teufteufs, des éléphants ou des dromadaires, et même des mules ou des chevaux, pour s'enfoncer dans les jungles, les forêts vierges, les savanes et les futaies. Je le sais, il me l'a raconté, une fois... La sylve le prenait pour lui livrer son trésor. Orchidées, perroquets, lianes, la pénombre sous le haut enchevêtrement des branches, le silence plein de bruits...

Les arbres tuent les arbres. Les lierres étouffent les troncs des arbres. Les lianes étranglent les lierres. Les insectes dévorent les lianes. Les oiseaux mangent les insectes. Les hommes abattent les oiseaux et les arbres. Les vrilles, les aiguillons, les dards, les griffes, les crocs, sucent, pincent, piquent, coupent. Survivent les plus malins, les plus sinueux, les plus pervers, les plus subversifs.

Mon père chemine et scrute l'élancement des fûts. Il veut le plus haut, le plus droit, le plus beau. Il a du désir plein la tête. Jusqu'à ce qu'il découvre, enfin, celui qu'il est venu chercher de si loin. Alors, de ses belles mains, il le caresse. Ses doigts prennent du plaisir au contact de l'écorce douce, ou rugueuse, ou craquelée. Et ça sent bon !

Jean-Maurice met ses mains dans les poches de sa culotte courte pour se donner une contenance, pour faire plus sérieux, plus homme. Les ouvriers le connaissent. Ils sont habitués à ses visites. Ils le laissent regarder leurs mouvements, leurs transpirations, leurs grosses mains abîmées. Ils n'en sont pas gênés, ils en sont même fiers. Le petit garçon ne les dérange pas, il a compris, il sait qu'ils ont des secrets. Ils continuent leur besogne sans même lever la tête, ils poursuivent leur mystérieux commerce avec le fil du bois, ses nœuds, ses veines, sa dureté ou sa tendresse, ses plaies et ses bosses, avec la vie de l'arbre qui se raconte en se livrant à eux.

Plus loin il y a les forgerons. Le bruit qu'ils font enveloppe l'entreprise entière. Quand Jean-Maurice s'en approche il devient assourdissant, il est si grand qu'il le tient prisonnier, il le fascine. Les forgerons apprêtent la ferraille qui deviendra le squelette des constructions. Os bruns empilés en amas hirsutes. Gros fémurs des poutrelles, larges coudes des fers à T, côtelettes des ancres de chaînage... La plate-forme de la forge est vaste ; sur ses charbons incandescents, les chaudronniers mettent à chauffer leurs morceaux de métal. L'énorme soufflet ouvre et referme ses ouïes de dragon, dans un bruit de chaîne, pour attiser le feu. La hotte, au-dessus des maîtres du fer, est le toit de leur maison dont les murs sont faits de chaleur et de brillance. Les silhouettes noires des hommes se dessinent sur la rondeur aveuglante de l'active fournaise. Jean-Maurice connaît leur pouvoir sur le feu et le métal, il en a un peu peur. Il n'ose pas s'approcher d'eux comme il le fait avec les menuisiers. Il les admire mais il ne sera pas forgeron.

Il se campe bien sur ses deux pieds, toujours les mains dans ses poches et, un peu à l'écart, il regarde.

C'est beau ce qu'il voit. Il voit s'effectuer la métamorphose de la ferraille noire, croûteuse, triste, qui brunit au feu, vire à l'incarnat, puis au rouge, et tout à coup paraît s'enfler dans la blondeur, comme si elle prenait un corps langoureux que la chaleur fait s'étirer jusqu'au roux, jusqu'au doré, jusqu'au blanc soleil. Ensuite les grosses pinces qui l'ont fait se tourner et se retourner doucement la soulèvent de son lit ardent, la placent sur l'enclume. Le maillet alors s'abat sur cet or en fusion, sur le métal pâmé, placide, consentant, pour lui donner la forme de son désir. Désir sur lequel le forgeron s'acharne, remettant son ébauche au feu pour l'attendrir de nouveau et parfaire son œuvre en la battant à grands coups de masse.

Les os métalliques changent d'apparence, s'arrondissent, s'aplatissent, s'allongent, et chaque coup qu'ils reçoivent leur fait pousser des cris. Ils éclatent en longues vibrations qui crêpent l'air. Stridences ou meuglements qui se mettent à trembler comme des feuilles de bouleau, à se plisser comme des éventails, à s'ouvrir ou à se fermer comme des accordéons. Limailles sonores qui gardent, au fond de leurs modulations, le rêche, le sec, le brillant du métal. Les étincelles qui montent en crépitant ont la souplesse et la vivacité de jeunes annimaux. Elles se laissent porter, coquettes, vers le ciel, par les souffles d'air chaud. Parfois l'une d'elles se détache de la horde de ses sœurs folles. Jean-Maurice suit du regard le chemin oblique de cette solitaire, il ne perd pas de vue la sente rouge qu'elle trace dans l'air, jusqu'à ce qu'elle disparaisse totalement.

Tout le temps que le petit garçon guette les hommes à leur besogne — aussi bien la tendresse cruelle des menuisiers que la violence amoureuse des forgerons — il sent au bas de son ventre et entre ses jambes une lourdeur douce, une légèreté pondéreuse, une présence ravissante. Il aime être là, avec les ouvriers, au cœur de leur travail. Il a toujours été étonné par l'allure morne de ceux qu'il rencontre le dimanche, quand Théodule promène sa famille. Personnages insignifiants qui tirent, en passant, un coup de casquette au patron. Fluets, ternes, humbles, leurs muscles huilés de sueur effacés par les vêtements de la ville. Eux qui ont tant de force, tant de puissance, quand ils sont devant leur javotte ou leur établi, pourquoi en sont-ils tant démunis quand ils sont dehors ?

Jean-Maurice n'aime pas les promenades du dimanche, ses grandes sœurs qui paradent, l'aînée qui a un fiancé et l'autre qui est tellement bigleuse qu'elle ne voit même pas le bout de son nez. Lui, il aime être là, dans l'usine, avec les hommes. Il lui tarde d'y vivre.

Mon père Jean-Maurice a voyagé. Il est allé sur tous les continents et de chacun de ses voyages il a rapporté des objets. Je me souviens, moi, sa fille... D'Amérique, un réfrigérateur qui s'éclairait à l'intérieur quand on l'ouvrait. Une automobile avec une carrosserie aérodynamique. Des appareillages modernes avec des arrondis là où, chez ma mère, il y avait des angles, avec des couleurs gaies et brillantes là où, chez ma mère, il y avait du blanc et du gris. « C'est vulgaire, disait ma mère, ce désir de beauté, de plaisir, qu'il introduit dans le monde du travail, du ménage, du strict nécessaire. »

— Il est fou ! c'est un coureur, un aventurier !

D'Afrique il avait ramené des masques, des bijoux, des instruments de musique, des sièges, des armes. Des choses crasseuses qu'il tenait précautionneusement. Certaines avec encore, empâtant leurs lignes, du sang séché et des plumes de poulets sacrifiés. Il exultait : « Une statue Dogon, tu vois comme elle est belle ? » « Des masques Senoufo, Baoulé, Dan, ils sont beaux ! Tu n'imagines pas le mal que j'ai pris pour les avoir... Celui-là, regarde, il m'a demandé deux mois de palabres avec un sorcier avant de pouvoir l'emporter. Il paraît qu'il est particulièrement efficace pour faire pleuvoir. » A mon tour je pensais : « Il est fou ! »

Chez moi on m'instruisait du Louis XV et du Louis XVI, à la rigueur de la transition Louis XIV-Louis XV. On me faisait admirer des bouquets de pivoines et d'œillets brodés au petit point sur les dossiers de fauteuils dorés : « Tu vois la finesse ? Elles se crevaient les yeux, les femmes, à faire ça. » On m'apprenait à distinguer les détails d'une jonque ou d'une feuille de saule sur un cabinet laqué : « On croirait qu'ils vont bouger, tu ne trouves pas ? » On me faisait admirer les subtils entrelacements des flûtes de Pan, des tambourins, des luths et des houlettes enrubannées dans les marqueteries d'une commode en bois de rose, en citronnier, ou en bois de violette : « Ils savaient vivre à cette époque, quel raffinement ! » Lui, il exhibait des visages simples, à peine indiqués sur des pièces de bois chocolateux. Deux trous pour le regard, un trou pour la parole, une arête pour le nez, quelquefois de la paille pour les cheveux. Parfois des visages de cuivre, énigmatiques, plus froids que les autres malgré la brillance du métal. Quel sorcier se cachait encore dans la vacuité entrouverte de leurs yeux longs comme des olives ?

Ces figures visitaient mes rêves plus que celles des bergères et des marquis des tapisseries de ma mère. Les statues Dogon, nues, vivaient mieux en moi que les Apollon ou les Diane de marbre blanc, aux hanches drapées de chiffons délicats, qu'on me montrait dans les musées. Les hommes Dogon avaient un pénis recourbé et pendant comme un robinet. Les femmes Dogon avaient au bas du ventre une mangue doucement bombée, fendue d'une amande. Ce qui m'impressionnait ce n'était pas leur nudité, c'était, au contraire, leur accord avec leur nudité. Ils n'étaient pas hypocrites comme les Apollon et les Diane. Ils n'étaient pas obscènes non plus, comme le monsieur qui attendait les écolières à la sortie de quatre heures, à côté de la pissotière du boulevard Victor-Hugo. (Il triturait furtivement, dans sa braguette ouverte, un bout de viande infecte qu'il agitait sous notre nez. Les grandes disaient que c'était avec ça que les hommes faisaient des enfants aux femmes. Il respirait fort, il avait des larmes dans les yeux. Il nous faisait peur.) Tandis que les Dogon, eux, on aurait dit que d'être nus, comme ça, de n'être pas gênés par leur corps, rendait leur esprit libre. Ils étaient debout, la tête haute, ils désiraient entrer en communication avec la pensée de l'Autre. Et l'Autre c'était moi, petite fille, debout comme eux, dans le bureau silencieux de mon épouvantable père chez lequel s'accumulaient des trésors insensés.

Un altier masque africain, un réfrigérateur éblouissant, des flèches empoisonnées dans leur carquois, une voiture super-rapide avec des chromes partout, un homme et une femme nus, noirs, qui regardent de leurs yeux sans pupilles vers l'essentiel... Des choix qu'il avait faits, des formes qui portaient ses goûts, des couleurs qui nuançaient ses réflexions. Chemins pour le trouver.

J'ai cinquante ans. Terminés le mouillé, le moite, le visqueux. Je ne suinte plus, mon suc ne déborde plus, la résine de mon corps ne s'écoule plus voluptueusement avec son odeur des profondeurs. Mon corps est devenu sec. Est-ce dans ce sec que se trouve le masculin de mon humidité ?

J'ai été une animale-végétale, je sens du charnu et du ligneux en moi. J'ai été plantes ; les plantes sont dans les vases de mon passé où elles foisonnent. Lianes-pommes de terre, eucalyptus-navet, camélia-salade, capucines-céleri. Belles filles de ma vie, belles dames de mes années. Juteuses, fécondes, laiteuses... J'ai été animales ; les bêtes sont dans les cages de ma mémoire où elles tournent. Lionne-souris, éléphante-gazelle, chienne-serpente. Vives. Vives les femmes que j'ai été. Actives, agiles.

Mais, maintenant, je perçois aussi en moi les vibrations du minéral et du métallique. Sensation de pouvoir trouver enfin le matériel de mon homme-père : des bielles d'acier, des cheminées de pierre, des engrenages d'argent. De la mécanique qui tourne régulièrement, qui ne s'ensable pas dans les plages du vague, qui ne s'enlise pas dans les baves des gestations. Locomotive, je traverse, aujourd'hui, droite, les campagnes vaporeuses de mes maternités, les villes laborieuses de mes ménages. Je découvre le train d'une vie où je ne suis plus astreinte à des arrêts fréquents. J'ai l'impression d'être maîtresse de moi. J'ai gardé la souvenance de la lourde sagesse des cycles de mon corps, et j'apprends jour après jour, émerveillée, les folles libertés des cycles de mon esprit. Formidable équilibre des femmes de mon âge. Incroyable force ! Un être humain peut-il vivre cela hors de la mort ?

A ce carrefour, hormis la retraite, ne peut-il y avoir d'autre direction à prendre, que ma mort, ou la mort des hommes, ou la mort de mes enfants ! Mon équilibre doit-il être sanctionné ? Je ne peux pas accepter ça. Je ne suis coupable que de vivre.

Il faut que je sois mon père pour l'exprimer. Il faut que je sois lui. Je, c'est lui et moi. Je désire être mon père, vivre dans sa peau et dans sa tête, sentir sa moustache pousser sous mon nez, aimer comme lui. Que disparaissent mes seins, que se ferme mon vagin et que mon clitoris s'allonge, grossisse, se dresse, devienne le phallus de celui qui m'a faite.

Je suis un garçon de douze ans, je prendrai la suite de mon père à la direction de l'Entreprise. Cet avenir me plaît. J'ai des camarades de classe qui n'ont pas envie de leur avenir. Moi, oui. J'aime bien quand mon père me dit : « Tu te marieras et tu auras, à ton tour, un fils pour prendre notre suite. » Il dit ça sans rire et je sens que ça lui fait plaisir quand je lui réponds en le regardant droit dans les yeux : « Oui, j'aurai un fils. » Après, il y a quelque chose qui se passe entre nous deux, c'est pas comme ce qui se passe entre ma mère et moi, c'est plus sérieux, ça ne se dit pas.

J'ai toujours su que j'aurai un jour la direction de l'Entreprise. C'est ma mère surtout qui me le répète, et Jeanne aussi. Ça leur vient particulièrement — de me parler de ça — quand j'ai des notes médiocres ou quand je pleure parce que je me suis fait mal. Chaque fois, il y en a une pour déclarer : « Voyez-vous ça, la beau patron qu'il va faire celui-là ! » Maintenant je ne pleure plus, j'ai fait des progrès, même en cachette je ne pleure pas. Elles font aussi attention si je gaspille, si j'use trop mes affaires, si je ne suis pas à l'heure, si je laisse la lampe brûler pour rien. Alors elles disent : « Un maître, ça doit savoir contrôler le travail, ça doit savoir compter. »

Mon père, lui, ne se mêle pas de ces affaires-là. Mais je sais qu'il sait tout de moi. Ma mère doit lui raconter mes histoires quand ils s'enferment tous les deux dans leur chambre, le soir.

Une nuit, j'ai essayé d'entendre ce qu'ils se disaient, j'ai attendu qu'ils montent se coucher.

Après le dîner, ils font des comptes et des écritures pendant longtemps. Mon père dit souvent que le vrai patron, c'est ma mère. Il dit ça pour lui faire plaisir parce qu'elle ne saurait pas commander aux hommes : elle est trop petite et trop maigre, et quand il y a des étrangers, elle ne parle pas beaucoup. Elle n'ose pas. Elle est très polie mais elle n'est pas hardie comme mon père. Lui, il y va carrément, il dit ce qu'il pense. Elle, on ne sait jamais ce qu'elle pense, quelquefois même, on dirait qu'elle ne pense pas. A part quand elle parle des confitures ou de nos vêtements, et aussi quand elle explique à Jeanne ce qu'il faut acheter pour la maison, ou le travail qu'elle doit donner à faire aux deux bonnes qui couchent dans le grenier, les deux nièces de Jeanne. Ma mère active Jeanne et Jeanne active ses nièces. Les seuls jours où ma mère a l'air d'un maître, c'est les jours de lessive. Alors là, il vaut mieux ne pas se mettre dans ses jambes... Ça dure toute la journée et la maison ressemble à l'Entreprise. Heureusement que ça n'arrive qu'une fois tous les deux mois. Et puis, comme dit mon père : « Que d'histoires pour une lessive... »

Un jour, j'ai essayé d'entendre ce qu'ils disent quand ils sont tous les deux dans leur chambre.

Parce que, en bas, quand ils sont à leurs affaires, ils ne parlent guère. Ils sont attablés au bureau, ils se mettent dans le rond de lumière verte de la lampe à pétrole et ils travaillent. S'ils échangent des mots de temps en temps, c'est à propos des livres de comptes et du matériel qui est entreposé ou qu'il faut entreposer. Ils ne parlent pas de la maison. Quand j'étais petit, ça m'arrivait souvent de me tapir dans le noir de l'entrée pour les surveiller, j'avais peur dans ma chambre, la nuit, au premier. J'aurais voulu que ma mère reste avec moi jusqu'à ce que je m'endorme. Mais mon père n'aimait pas ça, il disait : « Un garçon, ça n'a pas besoin d'être dorloté. Qu'est-ce que tu feras si tu deviens conscrit ?... » Quand j'entendais qu'ils rangeaient leurs paperasses, je grimpais en vitesse à l'étage et, avant de pousser la porte de ma chambre, que ma mère laissait toujours entrouverte, j'avais juste le temps de voir mon père sortir le premier, tenant haut la lampe pour éclairer ma mère qui fermait le bureau à clef, avant de s'engager dans l'escalier.

Un soir, j'ai essayé d'écouter ce qu'ils se disaient quand ils étaient dans leur chambre. J'ai entendu des petits remue-ménage. J'ai entendu de l'eau couler dans la cuvette et le choc du broc encore plein qu'on reposait sur le marbre de la table de toilette. J'ai entendu le lit grincer. J'ai entendu des murmures. J'ai rien entendu.

Les jours de lessive, je vois sécher les longues chemises de nuit de ma mère et les bannières de mon père, mais je n'ai jamais vu mon père et ma mère dans ces tenues. Les chemises de ma mère ont des cols hauts et des manches qui se boutonnent au poignet, les chemises de mon père sont plus longues derrière que devant... Mon père est grand, avec un gros estomac, ma mère est toute petite et discrète.

J'ai quinze ans. Je veux être un architecte, je veux être un bâtisseur. Je veux avoir une armée d'ouvriers sous mes ordres et que la ville me connaisse, que mon nom soit inscrit sur le fronton des plus beaux immeubles. Je veux que ces immeubles soient solides et qu'ils aient un aspect qui me plaise.

Mon père fait de l'ancien. Il recopie les vieilles maisons. Il les fait plus pratiques, plus commodes qu'avant, mais elles ne portent pas sa marque. Moi, je construirai des maisons à mon idée, un port à mon idée. J'étudierai, puis je voyagerai pour voir les autres villes. J'irai en Amérique, il paraît que là-bas, ils bâtissent des maisons si hautes qu'elles touchent le ciel. Mon père en rit, pas moi.

J'ai quinze ans, je suis un bon élève, j'ai un pantalon long, la moustache me pousse, le temps n'en finit pas de passer. Les années sont interminables, chacune a trois cent soixante-cinq jours, chaque jour a vingt-quatre heures, chaque heure a soixante minutes, chaque minute a soixante secondes. Et les secondes s'écoulent lentement...

Quand j'arrive dans une nouvelle classe avec de nouveaux programmes, de nouveaux maîtres, je sais que je pénètre dans un nouveau pays où je vais vivre longtemps. Pourtant il me semble que l'année qui vient de s'écouler était moins lente que les autres. Peut-être parce que je suis maintenant dans la catégorie des grands. Peut-être que le plus long est fait. Il me tarde d'être un homme.

L'adolescence est un moment juteux, goûteux, poivré, mais Jean-Maurice ne sait pas le déguster. Moi non plus je n'ai pas su goûter la mienne. Je ne me suis pas ajustée à cette période au cours de laquelle j'ai découvert la durée, la chronologie, le commencement, la fin... Dans mon enfance, le temps faisait bloc avec moi, il ne pouvait pas m'échapper, il n'était pas fugace... Il me semble qu'il ne faut plus être adolescent pour apprécier son adolescence. Jean-Maurice vit la sienne parfois comme un enfant et parfois comme un adulte. Il est dans ce constant déséquilibre. D'un côté, dans la maison, la protection vigilante d'Ernestine et, à l'opposé, le bureau de Théodule, au centre de l'usine : la saveur des deux... Etre pris en charge et prendre en charge... Se sentir capable de tout vivre et ne vivre qu'un peu... Il piaffe mais ne le montre guère. Il est aussi sombre de caractère que de poils. Poils noirs qui lui poussent partout et bannissent le petit garçon qu'il est encore.

Il s'enferme dans sa chambre. Il regarde par la fenêtre. Il ne voit que l'océan feuilleté du grand figuier qui pousse en dessous et qui, bien à l'abri, foisonne. Tout au long de son enfance il s'est amusé dans les branches faciles de cet arbre. Chaque été il s'est goinfré de ses petites figues mielleuses, jusqu'à s'en rendre malade. Il en a marre du figuier ! Jamais plus il n'y grimpera. Ça ne lui dit plus rien cette ascension sans péril, tout juste bonne à faire crier les femmes : « Mon Dieu, il est tout en haut, il va se rompre le cou ! » Les femmes ne connaissent pas les vrais dangers, elles ne font pas la guerre, elles ne commandent pas les ouvriers, elles sont ignorantes. Il ne veut plus qu'on le prenne pour un enfant, pour un ignorant.

Son œil de connaisseur et de propriétaire regarde encore son arbre épanoui. Malgré lui, il juge : « Les figues ne seront mûres que dans deux semaines. » Ça l'agace d'avoir pensé ça. Et pourtant il ne peut empêcher que remontent des souvenirs qui le troublent : la douceur de l'écorce grise, l'odeur de fourmi du feuillage... Sa gorge se serre, des larmes lui montent aux yeux. Pourquoi ? Pour un figuier ? Il ne veut pas pleurer. Il s'éloigne de la fenêtre et se laisse tomber sur son lit, la tête dans l'oreiller où il sanglote. C'est à cause des femmes qu'il pleure.

Sa mère, Marianne et Marguerite ses sœurs, Jeanne la gouvernante, les deux petites bonnes... Rien que des femmes autour de lui ! Des occupations de femmes, des bruits de femmes, des odeurs de femmes, des conversations de femmes. Il en a marre de ça !

Il est devenu fort, Jean-Maurice. Il pratique tous les sports de son école et, en plus, il joue au tennis et monte à cheval. Il a de longues jambes solides, des épaules larges, il est agile ; c'est un athlète. Les filles le regardent. Chaque jour, sur le chemin du collège il croise des yeux à la fois pudiques et hardis, troublants, qui se détournent vite. A peine un scintillement, une luisance, qui lui mettent le feu au ventre. Et puis, ensuite, il reste avec une lourdeur dans son pantalon, une douce palombe prisonnière là, dont le cœur bat. Ça le tient jusqu'à ce qu'il rentre chez lui, dans sa chambre fermée à clef, sur son lit. Des rires dans le couloir : « Alors, Monsieur fait le cachottier maintenant ? » Elles sont bêtes, ses sœurs, elles sont niaises. Deux nouilles, deux tartes, deux cruches, et méchantes par-dessus le marché, et moches. L'une est myope à ne pas voir deux mètres devant elle. L'autre, l'aînée, va se marier avec Marini. Celui-là il se marierait avec Marianne même si elle était cul-de-jatte, rien que pour entrer dans la famille et avoir sa part du gâteau... Il est ignoble.

Jean-Maurice se caresse en inventant des corps de femmes. Des corps ouverts. Des corps avec des ouvertures. D'abord il ne fait que palper du tissu sur ses cuisses et son ventre. Il sent la solide étoffe contre ses doigts et, dessous, la chaleur de son besoin, la grosseur de son besoin. Il voit des yeux, des yeux qui coulent, qui glissent, qui insistent et fuient. Il voit des oreilles, des narines, des bouches, des trous duveteux, vivants. Besoin de l'humide, du creux humide, d'un creux chaud et humide. Où ? Où ? C'est plus fort que lui, il faut qu'il défasse ses vêtements, qu'il touche avec sa main cette projection de lui qui pousse, pousse, comme une racine impudique. Il faut qu'il l'empoigne cette racine. Elle exhibe, malgré lui, son ignorance, son allégresse, sa naïveté, son goût de la conquête, sa crainte de l'abandon, sa tendresse, sa brutalité, sa jeunesse, sa sagesse. D'abord il est comme un porte-drapeau fier de parader devant lui-même avec cette bannière qui lui jaillit du ventre. Fier, et étonné, et ravi. Il est un homme, c'est ça être un homme. Je suis un homme, quelle chance ! Sa main va et vient le long de l'outil, ce manche de marteau, ce rabot, cette poignée de porte, si fin, si satiné, si chaleureux. La main va et vient, et la fête bat son plein. Il ira au bout, personne ne pourra l'arrêter. Au bout de quoi ? Des narines, des oreilles, des bouches, des nombrils ! Ça n'est pas satisfaisant. Il monte, il descend, il manie son sexe empaumé. Il sait, maintenant, à un millimètre près, à une seconde près, comment l'ouvrager, l'apaiser, l'exciter. Besoin d'un abri, besoin du mouillé, besoin du caché, besoin du chaud. Besoin d'enfourner ça quelque part, bon dieu ! Mais où ? Soulever les chiffons de la femme en marbre blanc, celle du parc municipal, celle qui a des seins comme deux poires, celle qui a de la chiure de pigeons plein la figure, celle qui tend vers le nord un bras rongé de lichen. Arracher ses voiles de pierre et fouiller là-dedans, jusqu'à ce qu'il trouve ce qu'il cherche, ce qu'il veut, ce qui le hante, ce qui l'obsède, ce qui lui fait peur. Il va, il vient, il va, il vient, sa joie se tisse avec de la crainte, le bonheur monte en même temps que la peur du bonheur. Où va partir sa force, où va partir son plaisir ? Où va se déverser son cœur, son âme, son être ? Où ? Il est petit, petit, petit, il lui faut un berceau, il lui faut une coquille, un nid. Il n'est que ça, ce grand phallus rouge, il se résume à ça, à ce pénis turgescent, aveugle, à ce sexe fragile parce qu'il n'est que puissance, il n'est pas autre chose, il n'a aucune autre défense que sa force colossale et éphémère. Il faut la cacher, il faut lui trouver un abri parce qu'elle est rare, parce qu'elle est précieuse, parce qu'elle est unique. Il lui faut un écrin, un gant, une gaine, quelque chose qui la protège.

Il sait déjà que la durée de son heureuse exaltation sera courte, que les minutes de son plaisir sont comptées, qu'il ne doit pas les perdre. Il devient fébrile, le va-et-vient de sa main s'accélère et, en lui, la détermination d'aller au bout fait bloc, devient obsession, pèse. Aller au bout de quoi ? Il ne commande plus, il n'a qu'à se livrer. A quoi ? Il ne peut plus s'arrêter, sa main se meut d'elle-même à une cadence admirable qu'il ne sait expliquer. Il ferme les yeux pour qu'aucun objet, aucune lumière, aucune couleur ne viennent le distraire du charme. Il s'abandonne au désordre de la satisfaction, au chaos de l'harmonie ; il est la vastité, l'innombrable. La proximité du Complément, de l'Autre, de l'Ailleurs, le ravit, fulgure, vibrionne dans son sexe. Il est tout proche du Parfait, du Plein, de l'Un.

Mais, dans la divagation de Jean-Maurice, dans sa vertigineuse balade, il a conscience d'être seul. Sa raison connaît cette solitude et la juge mauvaise, il essaie de se raccrocher à quelque chose : un visage, des formes, un regard, un prénom. Avant de tout lâcher, devant ce voyage incontrôlable, il renâcle et l'étoile du manque scintille, à peine. Assez pour que son bonheur en soit teinté.

Où ira sa semence ?

Ecoute, mon p'tit père, mon père tout jeune, mon père adolescent, mon père en herbe. Ecoute, prends ma main. Prends-la, elle est si semblable à la tienne. Ma main c'est ta main. Prends ma main de femme de cinquante ans tachetée de la rousseur des vieux, où la peau se distend aux phalanges et au poignet, à force d'avoir servi. Prends-la, c'est ta main, c'est une main de femme, c'est la main de ta fille, elle connaît les nocturnes chemins du trou, de la nuine, de la mangue. Elle te conduira à l'écrin, au gant, à la gaine, au berceau, au nid, là où se trouve ce que tu cherches. Pour une fois, allons à l'orgasme ensemble. Toi et moi ensemble. Pareils. Le père et la fille semblables, innocents, purs, libres. Engendrons-nous mutuellement, donnons-nous naissance. Je t'invente. Tu nais de moi comme je suis née de toi. Allons.

Le garçon a rouvert les yeux. Il ne voit ni la fente du plafond, ni la peinture qui s'écaille en une tache pelliculeuse, à gauche, ni le figuier déformé par les vitres défectueuses, ni la lampe sur la table de chevet, ni le haut montant du lit, ni rien. Ses paupières sont ouvertes sur ses prunelles noires, sa crinière flotte sur l'oreiller. Sa main longue, brune, belle, aux ongles bien faits, aux extrémités qui se recourbent en une ligne tendre, émouvante — une proue —, conduit son long navire vers le rivage de la jouissance.

Vient un moment où le bonheur est certain, où la ruée vers lui est irréversible, où je sais que je vais jouir à un point tel que, pour quelques secondes, je serai la jouissance même. Il n'y aura que mon plaisir dans la totalité de l'univers, rien d'autre : absolu, complet, immense, infini. Le monde entier — l'humain et l'inhumain — sera comblé par moi. Je serai tout. Le temps éclatera avec la matière et la pensée. Il y aura le vide, l'invécu, l'invivable, l'inexprimable de la Perfection. La rutilante, l'éblouissante, la somptueuse épée de l'orgasme entrera dans mes reins et mon bassin. Elle me cambrera, me fera sursauter comme un poisson sorti de l'eau. Comme lui, j'ouvrirai la bouche — peut-être pour reconnaître l'élément étranger où je serais tombée, peut-être pour essayer de le gober, de l'assimiler, de m'en emparer afin de le garder longtemps. Peut-être que je serais morte et que ma vie ne tiendrait plus mes mâchoires. Peut-être pour béer et laisser la Perfection me traverser toute, tout, me prendre toute, tout, partout, entièrement.

En même temps que le spasme, montera l'épaisse eau de mon sperme. Il roulera d'abord dans les lourds nuages de ma tempête, puis il cognera comme un bélier contre les portes de l'autre, ta porte, que tu ouvriras enfin, rose, capitonnée, beurrée, moelleuse, accueillante, chaude de ton bain, suintant la mer de tes tropiques. Je jaillirai dans tes bras constricteurs et je me réfugierai dans ta poitrine haletante, gonflée et souple comme du pain de campagne. Tu me berceras un peu, je te caresserai un peu, puis, quand la crème de nos foutres aura nappé nos vallées et nos monts, aura soudé nos géographies, nous nous allongerons côte à côte, siamois, immobiles, sur la plage de la satisfaction.

Un aventurier, un aventurier !

Mon père et les femmes... chapitre infernal de mon enfance. Infernal ! Le diable était en moi, circulait partout en moi, à cause de mon père, cet inconnu, cet étranger, cet homme : j'étais du même sang que lui.

« Le péché de la chair est un péché mortel. » J'avais appris ça au catéchisme. J'étais damnée dès ma naissance, à cause de lui.

Le péché de la chair ! Chair, hachis, bouilli. Chair à pâté, chair à canon, chair à saucisse, chair de poule... chère madame... Mais pourquoi fait-il ça ? Pourquoi m'entraîne-t-il là-dedans ? Avec ses coups de chapeau, ses guêtres, sa canne, ses dents blanches plein son sourire... et moi qui marche à côté de lui, comme une poule !

— On ne compte plus ses poules, c'est un obsédé !

Cinq heures de l'après-midi. L'incongru soleil africain éclaire obliquement les meubles européens de la maison. Odeur du thé, subtile, précieuse. Odeur de la brioche, chaude, mousseuse. Odeur des toasts, grillée, craquante. Double porte vitrée de petits carreaux, entrebâillée. Velours rouge d'une tenture dont l'épaisseur soyeuse s'appuie contre les vitres biseautées de la porte entrouverte. Je regarde sans être vue. Pan de salon : un bout de tapis, un bout de piano, un bout de portrait de l'arrière-grand-mère, un bout d'abat-jour. Je connais si bien la pièce que je n'ai pas besoin d'en voir plus pour la reconstituer dans son ensemble et savoir exactement où et comment sont assises ma mère et ses amies. Elles parlent, elles parlent de mon père, car le divorce de ma mère reste une grande affaire. Leurs parfums se mêlent parfaitement à l'heure, aux vêtements, à l'ameublement : Mitsouko, Shalimar, Chanel... Leurs voix de gorge s'accordent avec les cigarettes qu'elles fument du bout des doigts : Craven A, Camel... Flacons, paquets... aux belles formes, aux belles couleurs... regardés, lus, touchés mille fois, dix mille fois, dans la salle de bain, sur la table de chevet, au bord de la coiffeuse... l'univers policé des femmes est si loin, si incompréhensible... comment y arriverai-je ?

L'univers de mon père, lui, est tel qu'il autorise la vulgarité et les dames en profitent, les mots défendus rebondissent joyeusement : poules, femelles, putains, donzelles, gourgandines, maîtresses, grues, traînées... Avec des rires qui fusent, des chuchotis, des bruits de porcelaine, des craquements d'allumettes, des crissements de bas de soie quand les jambes se croisent et se décroisent, l'homme ignoble est livré à l'ordure. Et moi avec lui, car je suis liée à lui par le sang qui croûte à mes écorchures. Les cicatrices rosâtres de mes genoux et de mes coudes témoignent de ça, elles montrent que je suis sa fille, irrémédiablement. Je ne peux pas, moi, divorcer de lui.

Loin, loin tout ça, quarante ans en arrière et plus. Mon sang, que je n'ai jamais laissé circuler normalement dans mon corps de femme, est-ce parce qu'il est tari maintenant, est-ce parce qu'il n'est plus qu'un sang normal, un sang d'homme, le sang de Jean-Maurice, en somme, que je le revendique ?

Ma sœur va se marier avec Marini. Je sais qu'il y a des tractations dans l'air, des marchandages, des négociations. Les catiminis et les susurrements se multiplient. Ma mère et ma sœur jacassent à voix basse dans la journée. Le soir, quand mon père rentre, elles l'accaparent, elles ferment poliment mais rudement la porte du bureau sur leur trio de conspirateurs. Qu'est-ce qui se trame, qu'est-ce qui se complote ?

C'est par Jeanne qu'un jour j'ai appris la vérité. Je lui ai joué la comédie et ça a marché.

Il n'y avait personne à la maison quand je suis revenu du collège : ma mère et mes sœurs étaient sorties. Moi, j'ai fait celui qui n'allait pas bien, qui couvait une maladie. Je me traînais dans la cuisine. Ça a attendri Jeanne, je le prévoyais. Elle s'est mise à me tâter le front, à me poser des questions sur ce que j'avais mangé et pas mangé. Elle m'a préparé une tisane. Je me suis laissé faire, comme avant. Elle est partie dans ses câlineries, ses niaiseries, ses gâtifiages, comme quand j'étais petit. Il y avait au moins trois ans que je la privais de ça, alors elle y allait carrément, elle en abusait : et mon « p'tit gars » par-ci, et mon « Momo » par-là... J'en ai profité pour la faire parler. Elle sait tout, Jeanne, elle entre et elle sort de partout à tous moments, avec des plateaux de café ou de verveine, avec du bois pour les cheminées, avec de l'eau chaude pour les tables de toilette, en plus, c'est elle qui allume les lampes et les place dans toutes les pièces de la maison. Et puis ma mère et mes sœurs bavardent avec elle en cousant. Elles ont une manière spéciale d'échanger leurs paroles, parfois on dirait des aumônes, parfois des confessions... des fariboles qui enchaînent le service et l'intimité familiale. Elle en sait plus long que moi sur chaque membre de la famille, Jeanne. Elle connaît ma parenté mieux que moi.

Ce que je cherchais à savoir a fini par sortir : quelques mots aussi perfides que des hameçons, aussi méchants que des flèches, empoisonnés par le sucre de la tendresse, aiguisés par le caramel du chouchoutage. Jeanne, sans le savoir, me blessait comme je n'avais jamais été blessé : « C' que ta sœur apportera en dot à Marini, ça s'ra principalement, à part son trousseau, le titre de directeur adjoint de l'Entreprise. »

Après, j'ai plus voulu la voir, ni voir personne. J'ai dit que j'avais du travail, que je me sentais pas bien, que j'avais pas faim, que j'avais besoin de rien, que je voulais rester dans ma chambre, jusqu'au lendemain.

Me faire ça à moi, le Fils ! Flanquer Marini à la direction de l'entreprise ! Et moi, alors ? Qu'est-ce que ça veut dire « Entreprise Saintjean et Fils », alors ? Qu'est-ce que je ferai quand j'aurai fini mes études ? Je serai sous les ordres de Marini, un employé de Marini ? Dans ce cas, ça sert à quoi de faire mes études ? Autant entrer tout de suite apprenti dans la maison, et qu'on ne me parle plus de Fils, d'Entreprise familiale, du Nom que je porte ! Mais ils me prennent pour qui ? Pour

J'ai rien foutu aux cours, j'ai pas écouté, j'ai pas joué

avec les camarades. C'était pas possible, cette histoire changeait toute ma vie. Moi, ce qui me portait, ce qui me poussait, ce qui m'intéressait, c'était d'être bientôt patron. Dans cinq ans peut-être, si je mettais les bouchées doubles. Avec Marini dans les jambes, il n'en était plus question.

Ça ne pouvait pas se passer comme ça. Il fallait que je fasse quelque chose avant qu'il soit trop tard. Toute la journée j'ai cherché des solutions, j'ai remué dans ma tête ce que j'avais à remuer, ce que je savais, tout ce que j'étais capable d'imaginer. Et puis, à un moment ça m'a paru simple : j'avais qu'à parler à mon père. Je ne parlais jamais avec lui, je croyais que ce n'était pas nécessaire, qu'il savait, que ça coulait de source, qu'entre lui et moi il existait des accords qui n'avaient pas besoin d'être commentés. Mais, après tout, il était tellement occupé, peut-être qu'il n'avait pas remarqué que j'avais grandi, que j'allais bientôt finir mes études, que j'allais pouvoir le remplacer. Oui, c'est ça, il ne s'était pas rendu compte que j'étais devenu un homme. Je lui parlerais et le malentendu serait effacé.

Au lieu d'aller m'enfermer dans ma chambre comme d'habitude, j'irai tout droit à son bureau de l'Entreprise, dès la sortie du collège. Pas de goûter, pas de Jeanne, pas de confiture de figues. Fini tout ça. Finies les jupes de ma mère, d'ailleurs je suis plus grand qu'elle maintenant, elle m'arrive à l'épaule. Je suis le fils de mon père, je suis moi, et c'est tout.

Je ne passerai pas par le verger. Je passerai par la grande entrée, rue des Récollets, là où c'est écrit : « ENTREPRISE SAINTJEAN ET FILS ».

Jean-Maurice se met en route pour faire la plus importante démarche de sa vie... Mon p'tit père, mon fils, mon garçon !... Son geste pour boutonner sa veste neuve qui le serre déjà aux entournures tant il a grandi vite cette année. Son mouvement furtif pour aplatir son épi de cheveux. Son cartable gênant qu'il n'ose pas abandonner, qui lui donne trop une allure d'écolier. Ses doigts tachés d'encre. Ses chaussures poussiéreuses. Son duvet de moustache qu'il n'a jamais rasé...

Regard complaisant du concierge, sous le porche. Regard curieux des employés aux manches de lustrine, dans les bureaux. Couloirs sentant l'encre, le papier, et la cire. Une porte, au fond, plus grande que les autres, avec des chaises alignées de chaque côté, et un palmier en pot. Jean-Maurice s'assoit — au moins peut-il glisser son cartable sous la chaise — et il attend. Un client attend aussi.

La porte s'ouvre. Théodule apparaît dans l'embrasure, il précède un monsieur auquel il souhaite au revoir, puis, tout en lui serrant la main, il claironne de sa voix solide : « Alors c'est d'accord... et pour Rochefort, on verra plus tard. » Il accueille l'autre monsieur qui s'est déjà levé, impatient. Théodule voit Jean-Maurice, mais rien n'indique qu'il soit surpris ou contrarié par la présence inhabituelle de son fils dans ce lieu. La porte se referme, Jean-Maurice reste seul. Il contemple les grandes lettres noires peintes au-dessus du chambranle : DIRECTION. Il ne sait pas quoi faire de ses mains qui ne sont pas nettes. Un employé allume les becs de gaz le long du corridor. Il semble à Jean-Maurice qu'il met plus longtemps pour allumer le dernier, celui qui est proche de lui. On dirait qu'il l'épie. Ça l'agace. Tout l'agace : son costume, sa coiffure, ses mains, tout.

Il a peur. Les mots lui manquent. Maintenant qu'il est là, il ne sait plus ce qu'il va dire. Ce qui lui paraissait clair et convaincant tout à l'heure ne tient plus debout face aux lettres, là-haut, dans ce couloir, parmi ces gens disciplinés et respectueux sur lesquels, malgré les cloisons et la porte bouclée, pèse le pouvoir de son père. C'est long !

La porte s'ouvre enfin. Théodule : « ... et, bien entendu le règlement à la livraison, monsieur Duprat. Et mes respects à Mme Duprat. N'y manquez pas ! »

L'homme s'éloigne dans le couloir éclairé. Théodule pendant quelques secondes regarde partir son client. Il dit à la cantonade : « Déjà le mois d'avril, bientôt ce sera juin, les jours les plus longs, plus besoin de gaz... » Puis il se tourne vers son fils et, avec sa voix de patron, il dit : « Entre. »

La massive table-bureau, en chêne, est au centre de la pièce. Théodule l'a fabriquée lui-même... Pour Jean-Maurice ce meuble fait partie de son enfance. Il se rappelle les dimanches où ils allaient seuls dans les ateliers au repos. Il aidait son père à fabriquer sa table. Théodule y tenait... Jean-Maurice aimait ça. Les rabots, les varlopes, les chevilles, les presses, la casserole engluée de colle sur un trépied, au-dessus d'une petite flamme... Odeurs d'automne montant des entailles de la scie : fougères, champignons, mousses... Par moments le père parle au fils, l'instruit. Sinon le silence des voix, les bruits de l'ouvrage, l'intimité, la complicité, le rude confort de l'univers masculin...

Derrière le bureau, une verrière qui donne sur le cœur de l'usine. On voit les hommes au travail, et tous les bâtiments. La menuiscrie par là, les forges par ici, les briques sur le côté, plus loin les entrepôts de ferrailles et de pierres. C'est le royaume des Saintjean, et, de le contempler d'ici, d'en haut, de la direction, comme ça, d'entendre sa rumeur, de voir ses couleurs, donne à Jean-Maurice un courage formidable.

Théodule s'assied dans le siège du patron, il fait un geste du bras, volontairement protocolaire, pour indiquer à son fils le siège des clients, face à lui. Il lui signifie ainsi qu'il le reçoit comme un homme, sérieusement, il se doute bien que son fils n'est pas venu ici pour une bagatelle.

— Assieds-toi.

Jean-Maurice s'assied, droit. La table est entre eux : trait d'union du souvenir, de l'apprentissage, de la confiance. La carrure de Théodule se découpe sur le décor de l'usine. Jean-Maurice regarde son père, son père le regarde :

— Alors, qu'est-ce qui ne va pas au collège ?

— C'est pas au collège, c'est à la maison.

— A la maison ! Tiens donc... Et qu'est-ce qui ne va pas à la maison ?

— C'est à cause de Marini.

— Marini ? Ben ça c'est encore mieux ! Et qu'est-ce qu'il t'a fait Marini ?

— Il va prendre ma place, ici... Et ce n'est pas possible.

— Ta place ? Ici ? Explique-toi, mon garçon.

— Je sais que vous allez lui donner ma place, que vous allez le nommer directeur adjoint.

— ... Je vois que ça caquette au poulailler... Voilà ce que c'est que de traîner dans les jupes des femmes... On y apprend tout, même ce qu'on n'a pas à savoir.

Il est de bonne humeur Théodule. Son gros estomac est secoué de rigolades. Il y a de la tendresse dans ses yeux, il devient même un peu égrillard :

— Les femmes, tu sais, ce qu'elles disent... Il faut en prendre et en laisser.

Jean-Maurice est content. Il s'ouvre, il rit aussi. Quel imbécile il a été de croire aux ragots de Jeanne.

— Alors, c'est faux ? J'en étais sûr, ce n'était pas possible.

Une gêne s'installe sur la face de Théodule. Il réfléchit un moment puis il prend sa voix de père :

— Tu sais quel âge tu as, Jean-Maurice ?

— J'ai quinze ans passés. Dans cinq ans, si je travaille fort, je pourrai vous seconder en tout. Vous pourrez même vous reposer complètement sur moi. C'est pour ça que je suis le premier au collège, vous le savez, pour pouvoir vous remplacer. D'ici cinq ans vous pourrez vous reposer...

— Et dans dix ans tu m'enterreras !

— J'ai pas dit ça.

Théodule a changé. Il se redresse dans son fauteuil, il tripote un crayon posé sur son buvard. Quel danger sent-il venir ? Qu'est-ce qui le fait subitement considérer son propre fils comme un ennemi ?

— Tu sais combien d'années ça m'a pris pour être assis là où je suis assis ? Porca Madonna !

— Vous n'aviez pas fait d'études. Moi, dans cinq ans je serai ingénieur.

— Allons donc... et qu'est-ce qu'ils savent, les ingénieurs, que je ne sais pas ? Qu'est-ce que tu sauras de plus que moi quand tu seras ingénieur ?

— ... Alors, prenez-moi comme apprenti tout de suite. C'est pas la peine que je continue mes études dans ces conditions.

— Tu n'as pas d'ordres à me donner, c'est moi qui donne les ordres dans cette maison. Tu continueras tes études, tu deviendras ingénieur, et après, on verra.

— On verra quoi ? On verra que mon patron direct ça sera Marini ?

— Ça ne te regarde pas.

— Si, ça me regarde. C'est ma vie. Mon avenir c'est l'Entreprise et j'aime l'Entreprise. Vous avez toujours dit que ce serait moi le patron un jour.

— Un jour, c'est pas maintenant.

— C'est quand ?

— On verra.

— C'est moi qui porte votre nom, c'est pas Marini.

— Toi tu portes mon nom peut-être, mais Marini, lui, il porte des sablières et des fours à chaux, et il se marie avec ma fille par-dessus le marché... Tu comprends ça, nom de dieu !

— Vous n'avez pas besoin de le nommer directeur adjoint pour ça. Il se marierait avec ma sœur sans ça... et ses sablières et ses fours à chaux, vous les auriez quand même si vous lui donniez seulement une part dans l'affaire.

— Une part dans l'affaire ! C'est justement ce que je ne veux pas, couillon ! Est-ce que tu sais ce que c'est qu'une société, comment ça se constitue une société, combien de sortes de sociétés il y a ?... Petit morveux... va te faire moucher par ta mère. De quoi j' me mêle !

— Alors, expliquez-moi comment ça se passera dans cinq ans pour moi.

— Je n'ai rien à t'expliquer... Je n'ai pas d'explications à te donner. Tu t'y prends mal avec moi, mon garçon. Tu me vois déjà au cimetière et toi ici. Eh bien moi, je te dis que c'est pas demain la veille qu'il crèvera le père Saintjean... C'est ça, hein, tu veux commander à ma place !

— Non, c'est pas ça.

— Alors, c'est quoi, petit couillon ? Et puis, je n'aime pas que tu me tiennes tête. Je n'aime pas ça. Marini, lui, au moins, il discute pas mes décisions. C'est comme ça et c'est comme ça... Fous-moi le camp. Va chercher ton goûter et faire tes devoirs. J'ai autre chose à foutre qu'à perdre mon temps avec un gamin prétentieux.

— Je ne partirai pas d'ici sans que vous me disiez ce que vous comptez faire de moi dans cinq ans.

— Dans cinq ans, dans cinq ans... Nous n'y sommes pas. Dans cinq ans, tu verras... et puis encore une fois, je n'ai pas d'explications à te donner. Le maître, ici, c'est moi, c'est pas toi.

— Je ne discute pas de ça, c'est certain. Mais j'ai besoin de savoir, j'ai le droit de savoir.

— Tu continues ! Tu veux que je te flanque une raclée devant tout le personnel pour te montrer où elle est ta place ? Tu veux que je t'y mette à ta place ? Allez, ne me pousse pas à bout, fous le camp, laisse-moi travailler. Profite de ta vie de gosse de riche et ne t'occupe pas d'autre chose. Apprends d'abord à respecter le travail de ceux qui travaillent, tu entends ! Moi, je sais ce que c'est le travail et je peux en parler. Moi, je me suis usé les bras et les reins à travailler, je suis parti de rien — je sais ce que c'est que de crever de faim, moi —, quand je jugerai que tu seras capable d'entrer à l'Entreprise je te le dirai, pas avant. En attendant, sors de mon bureau.

— Moi, je vous dis que je suis capable de prendre l'Entreprise avec vous... En tout cas, si je sors d'ici comme ça, je ne reviendrai jamais... Je reviendrai quand je serai ingénieur et que je gagnerai ma vie ailleurs !

— C'est ça. Eh bien, va-t'en... Bons vents !

La porte claque sur les talons de Jean-Maurice. Le couloir n'en finit pas, mais il ne veut pas courir. Alors, il marche le plus vite possible, tout droit, avec des tourbillons de mots dans la tête, tous ceux qu'il aurait dû dire et qu'il n'a pas su ou pas pu dire, avec un poids insoutenable sur les poumons et le cœur, avec de la flanelle dans les chevilles et les genoux. Et son cartable ! Tant pis ! Pour rien au monde il ne retournerait le chercher là-bas.

Dehors, la soirée est dépeuplée. La marée montante crachine. Les lampadaires sont allumés, ils éclairent le vide, rien, personne. Et Jean-Maurice qui court jusqu'à la maison. La Maison ! Plus jamais il ne pourra habiter là, sous le même toit que lui.

Pourquoi Théodule a-t-il fait ça ? Est-ce qu'il a sacrifié son fils à sa fortune ? Est-ce que la vie de Jean-Maurice n'a pas d'importance pour lui ? Est-ce qu'il a préféré donner la place de son fils que son argent ? Est-ce qu'il a peur de la mort et qu'il la nie en s'obstinant à ne voir en son fils qu'un petit garçon ? Est-il faible ? Est-il un tyran, un pingre, un égoïste, un aveugle ?

Ernestine est intimidée par l'inconnu qui parle en face d'elle et qui est pourtant son fils. Elle ne savait pas qu'il pouvait être déterminé à ce point, solide comme ça, et fort, et grand. Mon Dieu, comme il est grand !

— Je ne resterai pas un jour de plus ici. Je m'en vais.

— Calme-toi, Jean-Maurice. Assieds-toi. Jeanne va te faire une tisane.

— Je n'en veux pas. Je ne veux rien de vous. Je suis venu vous dire que je partais, c'est tout.

— Il faut comprendre ton père. Ta sœur se marie, il a le devoir de la doter correctement... Tu admets ça ?

— Ne revenons pas là-dessus. Je vous ai dit ce que j'en pensais... Et vous, vous ne m'en aviez même pas parlé... Encore lui, ça peut passer, c'est un salaud...

— Ne parle pas comme ça de ton père. Tu ne sais pas ce qu'il a fait pour nous, pour vous.

— C'est pour lui qu'il l'a fait. Pour pouvoir parader avec son ventre en avant devant ses maisons moches. Elles sont moches les maisons qu'il bâtit. Je les trouve moches...

— Ne parle pas comme ça de ton père.

— Je ne comprends pas que vous, vous l'approuviez... Vous l'approuvez ?

— ... C'est ton père.

— Ça ne veut plus rien dire pour moi.

Ernestine n'est pas affolée, elle n'est pas choquée, elle n'est pas en colère. Elle est grave. Elle, elle est lourde de l'expérience de l'obéissance, elle sait quelle vie on peut y construire, comment elle a appris à contourner le pouvoir de son mari. Mais ce qu'elle sait, elle ne peut le transmettre à son fils, lui, il est un homme, ça ne lui servirait à rien.

— ... Et où iras-tu mon garçon ?

— Je monterai à Paris, les hommes disent que c'est plein de chantiers là-bas. Je trouverai de l'ouvrage comme apprenti. Ça ne me fait pas peur.

— C'est une vie dure.

— Pas plus dure que de rester ici, maintenant.

Son fils qui s'en va ! Cet homme qu'elle a fait, elle, si petite. Cet enfant qui prend si facilement froid. Partir, déjà ! Car il partira, elle en est certaine. Il y a, dans la détermination de Jean-Maurice, quelque chose qu'elle reconnaît, qu'elle approuve peut-être.

Elle se redresse, elle retrousse sur ses jupons noirs un pan de sa longue jupe brune pour découvrir ses clefs qui pendent au bout d'un cordonnet de soie. Parmi elles, gravement, elle en choisit une. Elle se dirige vers le bureau à tambour dont elle fait coulisser l'abattant articulé. Une autre clef qu'elle cherche en farfouillant dans son trousseau, pour ouvrir un petit tiroir. Elle tourne le dos à son fils qui la regarde, qui ne sait pas ce qu'elle va faire, qui est curieux des entrailles de ce meuble où sont rangés les secrets de la famille. Il entend des bruits de sous qui glissent les uns sur les autres. Puis Ernestine referme le tout soigneusement et revient vers lui. Elle lève son minuscule visage. Il comprend qu'elle veut l'embrasser. Il se penche. Elle l'embrasse, puis, du pouce, elle trace une croix sur son front et, en même temps, il sent une pièce qu'elle place dans sa main :

— Tiens, prends ça, mon fils, et que Dieu te garde.

— C'était une pièce de cinquante francs-or ! Une somme à l'époque, un vrai trésor. Tu n'imagines pas !

J'avais dix ans. J'étais en face de lui dans la salle à manger. Nous déjeunions, je faisais attention de me tenir correctement. Il caressait son flacon d'élixir pimenté. Il riait en racontant cette histoire... Quelle histoire ? Je ne me la rappelle plus. Seulement qu'il était parti un jour de chez lui, que sa mère lui avait donné une pièce de cinquante francs-or, qu'il avait quinze ans... Un aventurier !

1900. Y avait-il des trains pour aller de La Rochelle à Paris à cette époque ? Oui, il y en avait, je veux qu'il y en ait eu. Je n'ai pas envie de relais de poste, de chevaux écumants, de voyageurs fourbus, de tout l'attirail des voyages anciens. J'ai envie d'acier, de vapeur, d'escarbilles, de sifflets stridents, de portières claquées, de rails entêtés, de vie moderne, pour la présentation de Jean Maurice à la capitale.

IL EST INTERDIT DE CRACHER ET DE SE PENCHER À LA FENÊTRE... *E pericoloso sporghersi...* Une poignée rouge : signal d'alarme... Un train comme ceux de mon enfance. C'est un train comme ça que je veux à mon père pour faire sa fugue.

Attraction du signal d'alarme, de sa poignée rouge, fascination. Si je la tire, tout s'arrête, tout. Surtout, mon cœur s'arrête de cogner en cadence avec les inlassables bielles : j'ai peur, j'ai peur, j'ai peur...

Je ne suis jamais sorti de La Rochelle, sauf pour aller à Rochefort, à vingt kilomètres, dans la famille de ma mère. Je ne connais personne à Paris. A partir du moment où le train s'arrêtera, je ne saurai plus rien. Je dormirai sur un banc de la salle d'attente, je resterai près des trains.

La Rochelle-Paris, premier voyage de mon père... désormais il traînera ses guêtres partout... Guêtres de toile blanchies au blanc d'Espagne. Guêtres d'astrakan, doublées de mohair. Guêtres de soie. Guêtres de sac. Comment était-il chaussé pour le premier départ ? Bottines de collégien, lacées jusqu'en haut de la cheville ? Souliers de cuir solide, brodequins de sportif ? Ernestine a-t-elle préparé son bagage ?

Moi, c'est avec lui que j'ai fait mon premier voyage de femme...

... Je toque à la porte de la cabine des hommes. Un gros monsieur l'entrouvre et me fait signe d'entrer. Il est là, mon père, impeccable — comme chaque fois que je l'ai vu — en train d'ajuster ses guêtres de feutre beige, parmi le laisser-aller et les odeurs de ses compagnons de voyage...

J'avais quinze ans, la guerre venait de finir en Europe et il m'emmenait.

Il voulait, disait-il, que j'aie une bonne instruction et une bonne éducation, comme on en donnait dans son pays, en France. Pour cela il avait fallu qu'il me sépare de ma mère, de ses gémissements, de ses parfums. Il avait fallu qu'il me persuade de le suivre : cela n'avait pas été facile, je ne le connaissais pas.

Je ne sais plus comment il est parvenu à nous défaire l'une de l'autre. Je n'ai pas le souvenir d'un déchirement. Je suis partie avec lui parce qu'il le fallait, parce que ce voyage avec moi lui était nécessaire, je ne sais plus pourquoi.

Il avait une telle hâte de cet enlèvement qu'il a trouvé le moyen de nous faire embarquer sur le premier bateau effectuant la traversée de la Méditerranée, à la fin de la guerre. Un rafiot ordinairement destiné au transport des moutons mais qui, cette fois, allait engouffrer des passagers dans ses cales provisoirement aménagées en dortoirs. Les femmes d'un côté, les hommes de l'autre. Un bateau large et court qui dépassait à peine du quai, dans lequel on embarquait par une vulgaire planche, sans rambarde. Deux jours à être parqués là-dedans. Rien à voir avec les paquebots de mon enfance, îles de luxe voguant vers les villes d'eau, les plages océanes, les grands couturiers, les palaces helvétiques ou bavarois, le business international, les capitales européennes, Paris, surtout, qu'il fallait saluer une fois l'an pour marquer notre allégeance à la terre de France. Non, sur notre rafiot, rien de tout ça, pas de pont-promenade, pas de jolis grooms à brandebourgs dorés, pas d'appartements fleuris de glaïeuls et de roses, pas de tailleurs de shantung et de costumes de lin, juste une de ces humanités que déplacent les guerres, chargée de valises en carton et de ballots, braillarde, pleurnicharde, excitée. Des gens de la Méditerranée, quelque temps arrêtés dans leur immémoriale errance circulaire. Ils reprenaient leur migration méridionale, ils repartaient vers des nids, des berceaux, des tanières : l'Italie, l'Espagne, la Grèce, la Turquie, la Provence. Ils jacassaient et agitaient leurs mains pour dire au revoir.

Ma ville restait sur le quai, au mois d'août, dans sa blancheur tremblotante et son odeur de pisse. Les hauteurs verdoyantes des jardins de mes commencements s'éloignaient. Là, s'élaboreraient sans moi les fêtes du jasmin et de la verveine, les noces des figuiers et de la vigne, à l'ombre des oliviers et des cyprès, dans l'accompagnement entêtant des mouches et des cigales. Les palmiers échevelés du square Bresson grisaillaiant dans la brume de chaleur.

Je partais avec un homme à moustaches, à guêtres, à

cannes, à chapeaux, dont le visage brun était allumé d'un immense rire nacré. Il serrait très fort mon bras contre lui pour m'aider à franchir la passerelle dangereuse sous laquelle un lent ressac berçait des immondices : rats que la noyade avait boursouflés, écorces grugées de melon et de pastèque, où se voyaient encore les marques de dents assoiffées. Je partais avec mon père inconnu vers une destination inconnue.

Le port de ma terre gardait ma mère dans son havre bouillant, gardait le cœur de mon enfance, gardait mes premières rencontres avec le bonheur et la peine. A l'instant de mon départ je n'avais pas de peine, pas de bonheur, aucune peur ; ma vie s'accomplissait et je la laissais faire.

Mon père et moi... à peine accouplés, déjà séparés... Impossible de nous rencontrer : lui chez les hommes, moi chez les femmes...

Moi, recroquevillée sur ma couchette de fortune, et lui ?

Longtemps, parmi le brouhaha qui, par bouffées, au gré de la houle, se balançait du dortoir des hommes au dortoir des femmes, j'ai essayé de discerner une manifestation qui serait propre à mon père. Rien.

Vers midi, dans un vacarme catastrophique, une grande lame de fond a fait rouler le bateau bord sur bord et a brisé toute la vaisselle. Il n'y a donc pas eu de repas. D'ailleurs, ça bougeait trop. A chaque coup de roulis, la femme couchée au-dessus de moi vomissait dans l'évier qui se trouvait à hauteur de mon lit. Je voyais apparaître son visage décomposé en même temps que la tête de son petit chien, nommé Kiki, dont les yeux étaient naturellement exorbités. Ils se ressemblaient, mais, lui, ne vomissait pas. La femme, après avoir dégueulé trois ou quatre fois de la matière consistante, n'a plus rien eu à rendre. Cependant, et malgré l'inutilité de ses efforts, elle persistait à jaillir dans mon horizon, sa face toute ouverte sur sa bouche d'où ne sortait plus qu'une longue bave qui descendait lentement en filandres élastiques qu'excédée elle rompait d'un revers de main. Alors, elle implorait la vierge : « Madre mia de mia de mi corazon... » Puis elle se rejetait en arrière, entraînant son chien : « Aïe Kiki, aïe Kiki... »

Finalement j'ai dormi comme savent dormir les jeunes gens, longtemps, profondément, pour oublier, pour être ailleurs.

C'est une toux qui m'a réveillée au cours de la nuit. Une toux sèche, une toux entêtée, mauvaise, obstinée. La toux de mon père, celle qui avait tué ma sœur, la toux qui l'avait séparé de ma mère. Je ne bougeais pas. L'Espagnole, au-dessus, s'était calmée. Une tranquillité épuisée emplissait l'espace obscur livré aux vibrations des machines qui faisaient trembler la carcasse du cargo. La toux incessante, inquiétante, énervante, dans la nuit, dans l'aube, et moi la prenant pour chef d'orchestre, la laissant guider et rythmer mon agitation intérieure, rendant insupportable mon immobilité : je n'osais pas aller dans le dortoir des hommes.

Jusqu'à ce que le jour vienne et que se fassent, sur le pont et ailleurs, les préparatifs de l'arrivée. Alors je me suis levée et je suis allée vers son dortoir. J'ai toqué à la porte, un monsieur à bretelles m'a fait entrer. Mon père était là, impeccable, à ajuster ses guêtres. Il a souri en me voyant.

— Vous avez été malade ?

— Pas du tout.

— Je vous ai entendu tousser toute la nuit.

— C'était mon voisin. Il m'a assez agacé...

Il ne s'est rien dit d'autre. Nous étions embarrassés,

lui dans sa chambrée d'hommes, moi dans mes quinze ans de fille.

Arrivée à Marseille, une ville méditerranéenne mais qui n'était pas africaine. J'étais intimidée par ça, par l'Europe que je retrouvais de l'autre côté de la mer mais que je n'avais pas perçue auparavant. Je n'osais pas parler. Démarches à la gare pour prendre un train. Puis traversée d'un pays qui était paraît-il le mien et où, pourtant, chaque kilomètre parcouru m'éloignait de chez moi. Ponts coupés, villes bombardées, Français affamés, héroïsme visible encore partout, un courage qui m'était étranger. Cette guerre à peine terminée, que nous n'avions pas vécue mon père et moi, nous rendait muets. Paris enfin, la pension qui me façonnerait à son idée. Il allait mourir bientôt, mais je ne le savais pas... A peine accouplés déjà séparés !

Arrivée de Jean-Maurice à Paris.

Cinquante ans auparavant, le baron Haussmann avait fait dessiner pour la capitale une robe de sacre, un vêtement d'apparat... Longue traîne des boulevards et des avenues, décorations étoilées des places, diadème de jets d'eau, bijoux de statues et d'arcs de triomphe, broderies de balcons en fer forgé, colliers de perles des réverbères et... les dessous hygiéniques des égouts invisibles... Pour cela, pour exécuter cette toilette grandiose, on coupait dans l'étoffe des quartiers, dans la vie du peuple, dans les routines du petit commerce, dans les échoppes des artisans. Les Parisiens quittaient leur fourmilière détruite, ils abandonnaient le centre ; on les chassait des ruelles et des taudis qui avaient connu leurs révoltes, leurs amours et leurs morts. Ils allaient s'installer plus loin, aux portes et en dehors des portes, dans la campagne de l'Ile-de-France.

C'était vrai ce qu'avait dit Jean-Maurice à Ernestine : à Paris, des chantiers il y en avait plein.

Qu'est-ce que Jean-Maurice fait les premiers jours ? Est-ce qu'il dépense ses sous ? Ou bien, au contraire, est-ce qu'il les roule dans son mouchoir et les garde au fond de sa poche ?

Il marche dans des rues immenses, qui n'en finissent plus. Il lève la tête pour voir le bout de la tour Eiffel, il contemple des choses qu'il n'aurait même pas pu imaginer deux jours avant. Il se sent petit, ignorant. Pourquoi l'engagerait-on, lui, sur ces chantiers formidables ? Et puis il y a tant de monde. Comment dormir, manger, parler, ici ? Il est perdu, il manque de courage. Il n'aurait jamais dû partir... Sa grande maison qui sent l'encaustique, les repas de Jeanne, les petites bonnes diligentes en tablier blanc, et Ernestine !...

Qu'est-ce qui m'arrive ? Ça bascule, ça bascule. La ville est triste, froide. Il pleut. Les trottoirs sont larges, les maisons sont hautes. Il y a peu de gens dehors, ils se pressent, ils longent les murs, ils ne veulent pas être mouillés. Ils ont autre chose à faire qu'à me parler, ou seulement me regarder. Ils me ferment, me cadenassent, m'isolent. C'est à se demander si j'existe. Je cherche en moi, comme un aveugle, les chemins du courage, de la volonté, de la détermination. Je ne sais faire que ça. Je ne suis qu'un marécage de mauvais sommeil, de doute, de peur.

Etranger à tout ce qui m'entoure, mon ignorance me fait buter contre mille écueils : des habitudes, des rythmes, des mots, que je ne connais pas et qui dénoncent ma perdition. Ceux qui sont perdus sont douteux, ils viennent d'ailleurs, ils réveillent les fantômes. Ou bien ils sont abandonnés ou bien ils sont la proie des prêtres et des escrocs. Faire attention, rester sur mes gardes !

La ville ne se laisse pas faire. Elle ne se laisse pas marcher, elle ne se laisse pas promener par moi. Elle se cache, elle me donne une fausse identité, elle ne m'offre qu'un accueil factice. Je la crains. Envie de rentrer chez moi. Envie de retrouver... quoi ?... Les palmiers assoiffés d'Alger ?... Les deux tours du port de La Rochelle ?

Comment pousser la lourde porte vitrée du bistrot ? Comment pénétrer dans l'univers des adultes ? Là-dedans il y a de la lumière, des paroles de commis, de la bière, des projets de fortune, des ébauches de bonheur, des confidences, une sérénité momentanée, en même temps que des peurs de manquer, des désirs frustrés, des avenirs avortés... Que faire ? Rester dehors, avec l'enfance en bandoulière ?... Dehors est trop grand, trop creux.

Je prends mon courage à deux mains, j'entre. Personne ne fait attention à moi. Je n'ose pas aller au comptoir et commander une consommation. Je m'assieds à une table vide et j'attends. La table est contre une vitre, je regarde dehors : j'aime mieux être dedans, j'ai bien fait d'entrer. Les voix des clients font un bruit continu, une sorte de moteur qui tourne régulièrement, avec parfois des exclamations, des rires, un mot qui se détache, comme si le moteur changeait de vitesse pour s'arrêter et repartir. Je n'arrive pas à regarder dans la direction des autres.

— Qu'est-ce que ce sera ?

— Un bock.

Le garçon m'a pris pour un consommateur normal. Ma pièce a fait un bruit rassurant en tombant sur le marbre. Tout va bien. La bière est fraîche, elle est bonne. Le bistro est bourré de monde maintenant.

Des hommes entrent encore, ils restent debout un moment à scruter ce lieu qu'ils connaissent par cœur. Ils serrent des mains, interpellent et se font interpeller. Puis, sans façons, ils s'approprient ma table. Je me tasse dans mon coin, je sens contre mon épaule le froid du dehors qui traverse la vitre. Ça ne fait rien. Les réverbères viennent de s'allumer. Les adultes ont une grande facilité à vivre. Tout leur est accessible. Comment entrer dans leurs rangs ?

Je ne sais pas si mon père a pu penser ça. Je ne sais rien de son arrivée. Je ne sais que deux choses : une date, 1900, et un nom de ville, Paris. Alors pourquoi un café, un café de Ménilmontant même ? A cause de Bruand, à cause de Toulouse-Lautrec, à cause de tout ce qui, dans ma tête, sonne à la fois Paris et 1900... Qui peut raconter autre chose que soi-même, ses fantasmes, sa mémoire, sa connaissance, ses désirs ? Qui ?

Il était à Paris, en 1900, il avait quinze ans, il fuguait, il cherchait du travail. Ça, je le sais...

Il parlait, mon père, il se souvenait. Nous déjeunions... Je revois sa table de salle à manger. Il l'avait fait faire avec un bois exotique qu'il était allé chercher au bout du monde. Un bois aussi doux et luisant qu'un chat roux... Sa table, comme son père Théodule... Elle était large... Mais, puisque nous mangions, elle aurait dû être couverte d'une nappe, de vaisselle... Je la revois nue, rousse, bonne à caresser...

Lui, assis devant son flacon d'huile pimentée. Lui, avec son sourire éclatant, sa moustache, son teint basané (a-t-il eu un ancêtre arabe ?). Lui, avec ses cheveux mal plantés à la lisière du front, son épi (le même que ma fille... ma fille !), son épi assagi par la gomina, enrégimenté dans l'épaisseur de sa toison qui lui faisait une sorte de casque noir. Ses mains soignées posées devant lui, un de ses doigts portant un large anneau d'or sur lequel, en filigrane, est inscrit son nom en caractères algériens ; alliance avec lui-même, incompréhensible arabesque.

Moi, en face de lui, adolescente, lui ressemblant, mais blonde — de cette blondeur des Méditerranéennes, façonnée par le soleil et l'eau de mer. Moi, l'écoutant raconter des histoires de l'époque où il avait mon âge... Ainsi, par le pouvoir des mots, sont liés, assis à la même table, une demoiselle de quinze ans et un apprenti de quinze ans qui raconte des histoires. Histoires de mains calleuses à glisser dans ma boîte à gants de jeune fille bien élevée...

Il laissait monter à la surface les souvenirs de son adolescence et il était visiblement heureux de les partager avec moi. Là, sur sa table, à l'heure où la chaleur faisait somnoler la ville, derrière les volets fermés, dans la pénombre striée de soleil, dans le calme.

— Dès mon premier chantier les anciens m'ont appelé « Gueule de Prince ». Après le sobriquet m'est resté. C'est comme ça qu'on m'appelait : « Gueule de Prince ». Pas tellement à cause de ma figure, mais surtout à cause de mes mains. Je n'avais jamais travaillé avec, et ça se voyait.

Ce matin-là il faisait froid. Dans le petit jour, le long des palissades, il y avait des touffes d'herbe que le givre faisait luire. On était pourtant à la fin d'avril. La chaussée défoncée était blanchâtre.

Les chemins des chantiers se ressemblent tous, tu sais, pleins de trous et de bosses, jonchés de détritus, de débris, de ferrailles rouillées, de bois déchirés, de papiers froissés.

Dans un creux de la Plaine-Saint-Denis, il y avait une carcasse, un squelette. D'après ce qu'on m'avait dit la veille dans le bistro de Ménilmontant, ce devait être l'usine en construction où, paraît-il, il y avait de l'embauche pour des apprentis.

J'avais bien fait d'entrer dans ce bistro hier soir. Les gens m'avaient pris en sympathie, ils m'avaient fait boire avec eux. Quatre bières... si mon père m'avait vu... Deux femmes se sont assises avec nous. Elles étaient gentilles, elles ne me gênaient pas, au contraire. Ils se sont tous moqués de moi, un peu, pas beaucoup. Ils m'ont traité de morveux, pas méchamment, pas beaucoup. Les femmes se moquaient moins. On a mangé un haricot de mouton qui était fameux, je ne l'oublierai jamais, je l'ai même trouvé meilleur que celui de

Jeanne... Ils n'ont pas voulu que je paie. J'ai dit que je cherchais du travail. C'est comme ça qu'ils m'ont signalé le chantier de la Plaine-Saint-Denis, et le chemin pour y aller. Ils sont partis dans la nuit avec les femmes. Ils ne marchaient pas trop droit... J'avais passé un bon moment avec eux. Moi, j'ai pris la direction qu'ils m'avaient indiquée.

J'ai été embauché. Il n'y a aucune gloire à ça : ils ont embauché tout le monde ce matin-là. C'était un chantier éloigné, alors, tant qu'à être dans la région parisienne, les hommes préféraient un travail plus près de Paris. Là, c'était trop loin, fallait dormir sur place. Moi, ça m'était égal, je n'avais pas de logement.

J'ai été apprenti pendant deux ans. J'en garde un bon souvenir et pourtant c'était dur. Le travail d'un apprenti, ça consistait à regarder, à écouter, et à porter. Porter des sacs de ciment, porter des madriers, porter des poutres, porter du sable, porter de la chaux, porter de l'eau, porter des vieux seaux rouillés et cabossés qui me sciaient les doigts... pousser des brouettes délabrées avec des roues désaxées et des poignées lubrifiées par l'eau de mes ampoules... Les apprentis, on en mettait un coup, mais on s'entendait bien.

Les ouvriers logeaient dans des baraquements qu'ils s'étaient construits. Une fois la journée de travail finie, le soir, on allumait des feux, dehors, et on s'installait autour. Les anciens, qu'on avait écoutés et aidés toute la journée, se mettaient à raconter des histoires. On les écoutait encore. Ils venaient de tous les coins de France, et même de l'étranger, de Belgique, de Suisse, d'Italie, d'Espagne, ou de plus loin. J'ai connu des Polonais, des Turcs... Ils avaient beaucoup d'histoires à conter et de chansons à chanter. Ils étaient sévères avec les apprentis, mais ils étaient justes. Ils étaient discrets aussi :

personne n'a jamais cherché à savoir pourquoi j'étais là. Pourtant c'était visible que je ne venais pas de leur monde ; ça les faisait rire mes manières et mon ignorance. Tout ce qui comptait c'était le travail, et comme je travaillais bien, ils me traitaient bien.

Les premières semaines, en même temps qu'ils préparaient la soupe et la tambouille du dîner, ils mettaient à chauffer de gros chaudrons d'eau. Ils s'amusaient, ils me prévenaient : « Ça va être ta fête, Gueule de Prince ! » Quand l'eau devenait tiède, ils me faisaient me déshabiller, je restais juste en chemise. C'est que, justement, ma chemise, je ne pouvais pas l'enlever, elle restait collée à mon dos. J'avais pas l'habitude de porter des grosses charges, je ne savais pas m'y prendre, je ne connaissais pas les prises, alors c'était mon dos qui trinquait, je m'arrachais les épaules, je me blessais à un point tel que le sang, en séchant, me collait la chemise aux muscles. Le premier soir qu'ils m'ont fait me déshabiller, comme ça, devant tout le monde, je me demandais pourquoi ; après je savais, et les jours suivants je me dépêchais de me mettre en tenue. Je gigotais comme un farfadet autour du feu, je faisais l'imbécile. Ils riaient, moi aussi je riais. Jusqu'à ce qu'ils m'attrapent par un de mes abattis et alors ils me jetaient l'eau tiède dessus et ils décollaient doucement ma chemise, ça me faisait du bien : « C'est le métier qui rentre, Gueule de Prince. » Après ils me soignaient. Ils me mettaient une sorte d'onguent et un emplâtre. Les compagnons savaient s'occuper des apprentis. On ne peut pas dire qu'ils étaient doux, mais ils s'y prenaient bien, ils étaient bons. En même temps, ils nous initiaient. C'est tout un mystère une vie de compagnon, tu sais...

Peu à peu, je me suis endurci le corps. J'ai grandi, j'ai forci, je suis devenu un homme.

Qu'est-ce que ça voulait dire : « Je suis devenu un homme » ?

Pour moi qui étais là, en face de lui, de l'autre côté de sa table, et qui ne vivais qu'avec des femmes, ça voulait dire qu'il était devenu cet aventurier qui avait gâché la vie de ma mère. Pour moi, un homme, ça pouvait aussi signifier un chef, un obscène, un dieu...

Mais, dans le fond de moi, honteusement, un homme, ça voulait dire quelqu'un que j'avais envie d'aimer, tout simplement.

Cette ambiguïté me faisait honte. Par elle je trahissais ma mère.

Jean-Maurice a travaillé deux ans comme apprenti, puis il est passé ouvrier et enfin il est devenu compagnon charpentier.

1900-1914. Quatorze années ! La vie de mon père entre ses quinze ans et ses vingt-neuf ans... un garçon pour commencer, un homme pour finir.

Peu de documents de cette époque (des certificats de travail), aucune lettre, trois photos jaunies, minuscules, presque indéchiffrables. Jean-Maurice anonyme dans la foule des ouvriers français. Anonyme, livré à moi qui ne sais qu'en faire, qui n'ose pas l'aborder. Un jeune homme, un amant, un homme ? Ses moustaches. Ses dents blanches dans un visage tout frais, hâlé, boucané par le soleil, le vent et la pluie, sculpté par les saisons, travaillé par les efforts qui font se durcir les mâchoires et se raidir la nuque. Les cheveux noirs, raides, touffus. Ses mains ont gonflé, elles ont pris des cals là où il convient pour que les outils ne les blessent plus, pour que les échardes et la limaille ne les écorchent plus. Il porte un pantalon trop large serré à la taille par un bout de corde et une sorte de tricot de corps brun qui colle à son torse solide. Il est haut, il est fort, il est droit. Il a dix-neuf ans.

Il rit. Quatre ans qu'il travaille sur les chantiers de Paris et de la région parisienne.

... Peu de documents, aucune lettre, mais des mots qui se baladent dans ma mémoire, qui me tentent. Ils vivent au ralenti en moi. Des mots-dormeurs à la respiration légère et rare. Des mots-clefs que je ne me décide pas à saisir, embrouillée que je suis par la véritable histoire, celle que je ne connais pas, celle qu'il a vécue... Mon vrai père n'est-il pas celui que j'invente ?

Toujours sa table de salle à manger. Moi en face de lui. Combien de repas avons-nous pris ensemble ? Peut-être une centaine en tout, pendant les dix-sept ans que je l'ai connu.

Il parle beaucoup, je parle peu.

Les mots des pères crépitent dans la tête des enfants. Certains y explosent et déchirent, d'autres allument une flambée qui ne s'éteindra jamais. Il y en a qui brillent, il y en a qui brûlent, il y en a qui étincellent, il y en a qui s'éteignent avant même d'être terminés.

Il parlait, il parlait... J'essaie de me souvenir. Il ne me reste pas grand-chose de ce qu'il disait. J'étais trop attentive à son apparence, à ses gestes, à sa voix, à ses manières pour écouter vraiment ce qu'il disait. Au fond, je ne l'ai jamais écouté, je n'ai fait que le regarder. Pourtant des mots sont restés, ils me reviennent maintenant que j'essaie de vivre la jeunesse de Jean-Maurice : Ecole du soir, Accident du travail, Rugby.

J'ai toujours aimé apprendre. J'ai toujours aimé être à ma place dans la classe avec mes camarades autour de moi, et apprendre.

Mais aux cours du soir, j'aimais encore mieux ça. Je me demande si ça ne tenait pas au fait que j'étais là uniquement par ma volonté. Personne pour me surveiller, personne pour regarder mes notes. Pas de punitions, pas de récompenses, j'étais le seul à apprécier mes progrès, mon ignorance, ma paresse, mes mérites. C'était autre chose, l'école, quand Théodule gueulait après moi avec ses jurons siciliens et qu'Ernestine me consolait en cachette. C'était moins intéressant.

J'allais à l'école du soir parce que je voulais y aller. Personne ne pointait mes absences. D'ailleurs je n'étais jamais absent, et d'ailleurs ce n'était pas une école. Je me souviens, la première était un entrepôt municipal, un hangar. En arrivant, nous disposions nos tables et nos bancs, en partant nous les rangions le long d'un mur, en pyramides, les uns sur les autres. Dans la journée, ça servait à la fois de local de gymnastique pour des écoliers et de salle d'entraînement pour des sportifs. Ça sentait l'embrocation. On trouvait souvent des papiers de goûters, des gants ou des cache-nez qui traînaient. Des vestiges d'enfants, de jeunes.

Comme ces quelques mois m'avaient éloigné de l'enfance ! Je n'aurais pas pu retourner chez Ernestine.

Nous étions une trentaine d'élèves. J'étais le plus jeune. Il y en avait qui avaient quarante ans et plus. Quelques-uns venaient pour apprendre à lire et à écrire, la plupart voulaient passer le certificat d'études ou le brevet. Nous n'étions que trois à préparer le baccalauréat.

Sur le chantier les anciens m'avaient dit :

— Toi, Gueule de Prince, t'es pas fait pour rester ouvrier, t'es fait pour faire un patron, tu dois continuer à étudier.

— Comment ?

— Tu peux aller à l'école du soir.

— Et pourquoi vous y allez pas, vous ?

— Parce qu'on n'a pas la tête à ça. On a la tête comme nos mains, pas fine. Regarde ce qu'elles sont devenues tes belles mains, Gueule de Prince, bientôt t'auras la tête comme ça. C'est bête de laisser perdre ce que tu sais déjà.

Il faut dire que les jours de repos j'avais pris l'habitude de les aider à rédiger leurs lettres et souvent je leur lisais les journaux. Ils trouvaient que j'écrivais bien et que je lisais bien. Des fois aussi on se mettait à discuter sur les charpentes en fer et les charpentes en bois. Ce que j'avais appris au collège et dans les ateliers de mon père me servait. On discutait, on discutait, les vieux ne voulaient pas en démordre du bois. Moi aussi je préférais le bois, mais je savais qu'avec le fer on peut faire des choses qu'on ne fait pas avec le bois. Le fer, ça prend moins de main-d'œuvre sur le chantier et ça va plus vite. Les compagnons en arrivaient toujours à la même conclusion : « Gueule de Prince, tu dois faire ingénieur. »

C'est comme ça qu'à la première rentrée j'ai pris le chemin de l'école du soir. J'en ai fait beaucoup des écoles du soir ; quand je changeais de chantier, je changeais d'école. Il y en avait quelquefois qui étaient sacrément loin.

Je me souviens d'une ! Pour y aller, ça allait encore, mais c'était pour rentrer, après, l'hiver quand il gelait à pierre fendre et que j'avais mes petits kilomètres à faire dans le noir, par de mauvais chemins, pour retrouver ma baraque... faut être jeune pour faire ça, parce que vraiment, c'était dur. Mais une fois de retour c'était tellement bon que j'en oubliais le froid. Ils m'avaient laissé ma place près du poêle et préparé un frichti avec les restants du souper. Je savais que quand je les en remercierais ils bougonneraient : « A ton âge, faut bouffer, Gueule de Prince. » Il y en avait même quelquefois qui me laissaient un bout de sucre ou une galette, quelque chose qu'ils avaient acheté à la ville ou qu'ils avaient trouvé dans un colis envoyé par leur femme. Il faisait bien chaud dans la baraque. Je prenais plein de précautions pour ne pas en réveiller un seul. J'enlevais mes godillots dans la petite lumière du poêle, j'en profitais pour le recharger le plus doucement possible pour qu'il fasse chaud encore longtemps. Et puis je m'endormais. J'avais tellement sommeil que je me rendais même pas compte que je m'endormais. J'avais l'impression d'être en sécurité, il ne pouvait rien m'arriver de mauvais. Même Ernestine ne m'avait jamais aussi bien protégé que ces hommes. Pourtant ils étaient rudes. Le matin, ils me secouaient comme un prunier et me flanquaient des bourrades pour me réveiller : « Eh, Gueule de Prince, réveille-toi, va chercher l'eau. Où tu te crois ici ? C'est pas l'hôtel Ritz ! »

Je les aimais. Je serais reçu à mon baccalauréat rien que pour leur faire plaisir, pour ne pas les décevoir...

A part certaines nuits de glace où j'ai pensé que je ne rentrerais jamais, où j'ai cru que j'allais mourir de froid sur la route, tout le reste forme un souvenir chaleureux et lumineux dans ma mémoire. Pourtant de la lumière il n'y en avait guère à l'école, surtout au début de mes études : deux lampes à pétrole pour tout le monde. On se serrait, on se tenait chaud. Il y en avait qui s'appliquaient à faire des ronds et des bâtons, des pleins et des déliés ; il y en avait d'autres qui marmonnaiant la table de multiplication, et puis d'autres qui extrayaient des racines carrées ou traduisaient du latin. Il y avait des moments de silence où on était tous à travailler sur nos devoirs. On était là, dans les deux ronds de lumière dorée qui attiraient les papillons du soir, nos grandes ombres ondulées se projetaient sur la tôle du hangar, la nuit de la terre nous cachait comme un trésor. Nous étions tous pareils, des frères, même ceux qui auraient pu être mes pères.

Il y avait un instituteur et un professeur qui nous enseignaient. Ils avaient une patience avec certains ! Ils nous donnaient des livres pour qu'on n'ait pas à les acheter. Des livres gonflés par l'usure. Je passais souvent mes moments de repos, les jours de pluie, à les rapetasser avec de la colle et du papier d'emballage pour qu'ils puissent servir encore. J'ai rêvé sur ces livres plus que sur aucun autre livre. Pourtant ils n'étaient pas illustrés, seulement des figures dans les manuels de physique et de mathématiques, quelques schémas, quelques croquis, c'était tout.

Enfin, j'ai mis le temps qu'il a fallu mais un jour j'ai été reçu, je suis devenu bachelier.

On a fêté ça, au chantier ! Et après on s'est soûlé la gueule faut voir comment ! J'ai jamais été aussi malade de ma vie. Quelle belle fête !

J'ai eu la tentation d'écrire à Théodule mais je ne l'ai pas fait. J'avais dit que je reviendrais quand je serais ingénieur, je n'avais pas à changer d'avis.

Mais la vie a changé pour moi sur les chantiers l'année même où j'allais être reçu à la deuxième partie de mon baccalauréat, à cause d'un accident.

Il faisait beau, c'était en mai. C'était un grand chantier, le plus grand chantier où j'avais travaillé jusque-là. On construisait un bâtiment pour une entreprise de stockage de textiles. Six étages en surface, en partie des entrepôts en partie des bureaux, en dessous trois étages de sous-sol, des fondations impressionnantes. Un jeune architecte, un jeune entrepreneur, un jeune patron-propriétaire ; un projet ultra-moderne avec une charpente en fer, des fenêtres partout, des ouvertures larges, et tout marchait à l'électricité, il y aurait même un ascenseur et un monte-charge.

Un gros chantier, plus d'une centaine d'hommes sur place, sans compter les journaliers embauchés pour des coups de main et sans compter les chevaux qui tiraient les charrois de matériel et qui logeaient là eux aussi. Ça sentait le crottin, par moments on se serait cru à la campagne. Et pourtant c'était pas la campagne, on était juste à la limite de Clichy, presque dans Paris.

Il faisait chaud, c'était une de ces journées où l'été commence à prendre le dessus sur le printemps. Moi, je ne sais pas si c'était parce que j'avais mon examen à passer bientôt mais j'étais excité comme un morpion, j'avais envie de travailler, de bouger. Et puis les journées devenaient longues et le soir, en rentrant de mes cours, j'avais encore une petite demi-heure pour jouer au rugby avec les copains. J'aimais ça, ces parties qu'on organisait au crépuscule, avec tous les autres assis autour du terrain, qui nous regardaient, qui criaient, qui nous provoquaient...

Faut avoir vingt ans pour mener une vie pareille. La fatigue, je la sentais pas.

Mais ce matin-là, y avait pas que moi d'excité. Tout le monde était excité parce que le patron venait visiter le chantier et que nous autres, à la charpente, on avait pris du retard à cause d'une mauvaise livraison de poutrelles qui avaient pas été forgées à la mesure exacte.

Le compagnon qui dirigeait l'équipe des charpentiers en avait pas dormi de la nuit. Je l'aimais beaucoup, il m'apprenait beaucoup, mais il était vieux déjà et fatigué.

Il arrivait pas à se faire aux charpentes métalliques. Il m'avait pris sous sa protection depuis le début et, chaque fois qu'on avait fini un chantier, il m'emmenait avec lui et il me faisait embaucher. C'est pour ça qu'on peut dire que mon tour de France, je l'ai plutôt fait autour de Paris, parce qu'il avait sa famille par là. Une femme et des enfants. Des enfants qui étaient plus vieux que moi et qui travaillaient dans le commerce. Moi, je crois que j'étais le fils qu'il aurait voulu avoir.

Il ne me parlait guère, il ne me faisait pas de grandes démonstrations d'affection. Simplement, par un mot ou un regard, je savais qu'il enregistrait tout ce que je faisais et qu'il approuvait ou désapprouvait. Et comme je l'admirais et le respectais, je me corrigeais dans le sens qu'il voulait.

Ce matin-là, pas question de traîner autour des feux en buvant son café. Il faisait à peine jour qu'on était déjà au travail au cinquième étage. C'est une des choses qu'il n'appréciait pas l'Ancien, qu'on monte étage par étage. Lui, il aimait qu'on monte toute la structure bien solide en premier, et puis après qu'on fignole. C'était pas possible avec les constructions modernes. Il le savait, il n'en discutait pas, mais ça lui plaisait pas. Il arrêtait pas de répéter : « J' prendrai plus jamais d' l'embauche sur un chantier comme ça. C'est le monde à l'envers. Ça tient pas debout, ça tiendra pas debout longtemps. » Il se faisait un sacré mauvais sang. Et par-dessus le marché, ce retard faute à la mauvaise livraison de poutrelles, justement au moment du rendez-vous de chantier des patrons. C'était une honte pour lui, même si c'était pas de sa faute.

Il faisait chaud ce jour-là, bon dieu c'est peu de le dire. Pas la moindre brise. Et le soleil tapait dur. Moi je m'étais mis torse nu. La plupart des hommes étaient en tricot de corps. On avait bu toute l'eau qu'il y avait à boire, c'est pour ça qu'à la pause de dix heures, l'Ancien m'a dit : « Jean-Maurice — il m'appelait jamais Gueule de Prince — va chercher de l'eau, si j'envoie un apprenti il mettra deux heures et on n'a pas de temps à perdre. »

J'ai pris les deux seaux avec leurs quarts attachés aux anses par des chaînettes qui brinquebalaient dedans, j'ai descendu les cinq étages à toute vitesse et je suis allé jusqu'aux baraquements qui nous servaient de cantine. Là, il y avait un robinet qui sortait du sol au bout d'un tuyau. J'ai dû attendre un peu. Y'avait pas que notre équipe à avoir soif. Enfin mon tour est venu. J'ai rempli le premier seau et pendant que le deuxième se remplissait, j'ai entendu un bruit. Un bruit pas très fort, pas très terrible. Pourtant, je ne sais pas pourquoi, ça m'a fait un choc au cœur. J'ai levé la tête dans la direction d'où venait ce bruit et j'ai vu un corps qui basculait du cinquième étage. Il est parti les bras en avant, il a fait un lent saut périlleux et il est tombé à terre, sur le dos. Ça s'est passé très vite et en même temps j'ai eu l'impression de voir ça au ralenti. Je crois que j'ai poussé un cri, je ne sais plus. J'ai empoigné mes deux seaux et j'ai couru, versant mon eau plein mon pantalon et mes godasses. Il y avait d'autres hommes qui avaient vu aussi et grimpaient avec moi le tertre en haut duquel s'élevait la construction. Quand je suis arrivé, un cercle s'était déjà formé.

Au centre de ce cercle il y avait l'Ancien. Ses yeux étaient ouverts et fixes. A part un peu de sang qui lui coulait du nez on ne voyait pas où il était blessé. C'était plutôt sa position qui n'était pas normale. Une jambe qui se déhanchait trop, un pied complètement tourné vers l'intérieur, les épaules très hautes et la tête qui aurait dû s'y enfoncer pendait au contraire par-dessus une aisselle. Il n'avait rien apparemment mais on sentait qu'il était en bouillie, que tous ses os étaient cassés.

J'arrêtais pas de me répéter : « C'est l'Ancien, bon dieu, c'est l'Ancien. L'échafaudage a cédé et il est tombé. » J'arrivais pas à bouger. Finalement j'ai pris un de mes seaux et j'ai balancé toute son eau sur la figure de l'Ancien. Il faisait tellement chaud !

Quelqu'un a dit : « Laisse-le, il est mort, il est tombé de trop haut. »

Je ne sais plus comment ça s'est passé ensuite, comment on a enlevé le corps, si j'ai aidé à l'enlever, si j'ai fait quoi que ce soit. J'avais dans l'idée de ne pas perdre mes seaux, de ne pas les laisser traîner en plein milieu comme ça. Quelqu'un a dit : « On nous a donné des planches pourries pour les échafaudages. Cet échafaudage-là c'est de la merde. Y aura d'autres hommes qui se tueront. On peut pas continuer à accepter ça. » J'avais de la peine, plus que de la peine, mais je ne pouvais pas l'exprimer, même je sentais que pour faire plaisir à l'Ancien je ne devais pas l'exprimer. Ils savaient tous que j'avais de la peine, inutile de le souligner.

Après j'ai fait un ballot avec ses affaires. Je me souviens d'avoir pris sur lui son gros oignon d'argent qu'il tirait souvent de son gilet pour régler le travail. Oui, je me souviens maintenant, c'est après que j'ai fait ça que les autres l'ont emmené. La terre avait déjà bu tout le sang de l'Ancien, elle était seulement un peu plus sombre à un endroit. Je me suis dit que j'allais donner le ballot et la montre à sa femme, je savais où elle habitait, j'irais la voir dimanche.

Tout ça, ça s'est passé très vite. Il n'y avait pas une heure qu'il était tombé que j'étais en haut, au cinquième, avec toute l'équipe et les patrons. Nous, les hommes, on se taisait, on n'osait même pas se regarder entre nous. Eux ils étaient embêtés, ils ne savaient pas comment remplacer l'Ancien. Ils avaient des délais, c'était urgent de continuer. Ils discutaient entre eux, ils parlaient du travail qu'on était en train de faire. Il s'agissait, au point où on en était, de poser quatre fers à T sur lesquels s'appuierait le sixième étage, et, surtout, la charpente du toit. Moi, je le connaissais par cœur ce travail, l'Ancien m'en parlait tout le temps, il était même emmerdant pour ça : en dehors du travail il parlait que du travail.

J'ai dit que je savais, que je pouvais remplacer l'Ancien et continuer le travail en attendant qu'on le remplace. Je savais que c'est ce que l'Ancien aurait voulu que je fasse.

Le chef de chantier a glissé un mot à l'architecte et à l'entrepreneur.

On était pas à l'aise pour parler là, y avait pas de place, alors ils m'ont fait signe de les suivre et je suis descendu avec eux jusqu'en bas. Là, dans le sol, avec un bâton, j'ai tracé un schéma du travail et j'ai montré comment s'articuleraient les fers à T, où il fallait les fixer. Je me souviens que j'enfonçais mon bout de bois de toutes mes forces dans la terre. C'était le plan de l'Ancien, il était pas question d'en discuter, c'était un bon plan.

Finalement ils ont dit : « C'est d'accord, Gueule de Prince, tu prendras la direction de cette équipe. »

Je suis remonté, j'ai mis les hommes au travail — ils ont trouvé ça normal —, j'ai pris la place de l'Ancien, à l'angle, tout près de l'échafaudage qui avait cédé et que des menuisiers étaient déjà en train de réparer.

De là-haut, juste avant la pause de midi, j'ai vu un charroi qui partait à vide tiré par deux chevaux. Sur la plate-forme il n'y avait qu'une forme longue et sombre. C'était l'Ancien qu'on emmenait je sais pas où.

L'Ancien était vraiment mort et enterré vite.

J'avais dix-neuf ans, j'étais chef d'équipe. J'ai pris la décision de m'inscrire à un syndicat et j'ai pris une autre résolution aussi, celle de faire comme chef-d'œuvre de compagnon un bel escalier à double révolution, en bois.

Le rugby, c'est une autre histoire, je me demande comment il était monté jusqu'à nous, dans la région parisienne. Probablement par un compagnon qui venait du Sud-Ouest. Une équipe était déjà formée quand je me suis fait embaucher pour la première fois. J'étais jeune et sportif, ils m'ont enrôlé tout de suite.

Notre ballon c'étaient des journaux et de l'emballage qu'on serrait de toutes nos forces et qu'on saucissonnait ferme avec de la ficelle. Avec ça on bourrait un morceau de cuir, on fabriquait une sorte d'obus. Au bout de dix minutes, le ballon avait déjà l'air d'un chou-fleur. A l'époque je crois bien qu'on passait la moitié de notre temps à le rafistoler. N'empêche qu'on respectait les règles ; fallait pas rigoler avec elles. Il y avait des anciens qui arbitraient et ils ne plaisantaient pas. Plus tard on a eu un vrai ballon...

Moi, je courais vite ; j'étais pas énorme ni immense mais j'étais solide. Au début j'ai joué ailier et puis, en m'étoffant avec l'âge et le travail, je suis devenu troisième ligne. J'ai plus bougé de cette place. Je trouve que c'est la meilleure place, la plus intéressante, celle où on est dans tout le jeu à la fois. Quoi qu'il en soit, chaque joueur aime sa place... Je vois pas un pilier qui voudrait être ailier ou vice versa. On joue à la place qui convient à nos capacités et on est content d'y être... Mais trois-quarts... Tu vois... C'est quand même rudement bien... Je jouais au centre...

Il parlait, il parlait... Il me cassait un peu les pieds avec son rugby.

Quelquefois, le dimanche, quand il n'était pas à vadrouiller à travers le monde, il me prenait en garde.

Ma Nany m'accompagnait jusque dans l'antichambre de la maison de mon père et elle m'y laissait. On aurait dit qu'elle livrait Blandine aux lions. Elle n'adressait pas la parole à Eugénie, la gouvernante de mon père, et quand il apparaissait, elle était prise d'un mouvement de panique et de répulsion qui la faisait se recroqueviller sur elle-même. Elle baissait les paupières et murmurait des « Bonjour, Monsieur. Oui, Monsieur. Non, Monsieur » qui me flanquaient la trouille. Car, à l'ordinaire, Nany était hardie. Il lui arrivait même de répondre à ma mère ou de prendre des initiatives contestées par ma famille. Par exemple elle avait osé m'emmener sur le terrain de courses du Caroubier où elle avait un petit ami lad. Ça s'était su et ça avait fait un scandale : inadmissible d'emmener une petite fille chez les joueurs, les bookmakers ; et à la pelouse par-dessus le marché !... « Même au pesage cela ne se fait pas, Nany, vous entendez, même au pesage ! » Quelle belle journée j'avais pourtant passée, je m'étais amusée comme une folle.

Alors, si Nany — qui avait un petit ami, qui connaissait donc les hommes — était à ce point terrorisée par mon père, qui était-il donc ? A qui m'abandonnait-on ? Ainsi, c'est avec le sentiment d'être une martyre, une sacrifiée, une victime que je l'abordais chaque fois.

Et pourtant, chaque fois, pour lui, c'était la fête : sa

joie de me voir, ses éclats de rire, la valse qu'il me faisait faire, dans ses bras, à travers le salon ! Puis le déjeuner. Nous deux séparés par la grande table... Il parlait...

Après, quand c'était l'automne ou l'hiver, il m'emmenait dans sa longue voiture américaine chromée qui avait quelque chose de vulgaire, qui exhibait — à l'avis de ma mère — des mœurs et surtout une richesse douteuses. La bonne richesse était discrète, le luxe ne devait pas être voyant ; on me l'avait répété mille fois : « Il ne faut pas étaler sa fortune, c'est indécent. » De là découlait d'ailleurs une quantité de règles qui m'étaient enseignées aussi bien à la maison qu'à l'école et qui formaient les fondations mêmes de mon éducation, l'architecture de mon avenir : la décence, l'économie, la pudeur, la réserve, le tact, la sobriété et aussi la charité, l'altruisme, la bienfaisance, la philanthropie, la pitié, et encore l'épargne, les comptes, ainsi que leurs contraires catastrophiques : le gaspillage, la dilapidation, le dévergondage...

Mon père, lui, n'appliquait aucune de ces règles ; il parlait de ses « sous » avec jubilation, il clamait tout haut le montant de la pension qu'il versait à ma mère — « une misère », disait-elle avec gêne et colère — et il m'entretenait de la pauvreté comme si elle pouvait m'atteindre. Il était scandaleux !

J'entrais donc dans son automobile « voyante » avec l'impression qu'il me fallait boire la honte jusqu'à la lie. Ceci étant acquis, comme je ne pouvais pas échapper à ce traquenard, autant en profiter. Car, dans le fond, j'aimais cet engin. Il était plein de boutons, de cadrans phosphorescents, de cendriers, d'accessoires distrayants. Je passais sans arrêt du siège avant au siège arrière et... ma mémoire s'égare, il semble me souvenir que le siège arrière était très haut, comme une sorte de trône...

Mon père riait. Il me laissait faire. Et tant pis si dans mes escalades ou à cause d'un arrêt brutal de la circulation, je me trouvais projetée sur les coussins la jupe écossaise par-dessus la tête : « Dis donc, tu as une bonne paire de fesses, ma fille. » Et je riais. Cette automobile me faisait perdre la tête.

Où allions-nous ? Nous allions assister à un match de rugby.

A l'arrivée sa voiture faisait sensation. Un match de rugby ce n'est pas un concours hippique, l'assistance est bruyante, pauvre, et peu distinguée, surtout en Algérie... des visages se collaient aux vitres avec curiosité. Nous sortions de l'auto dans un silence respectueux. Je trouvais que je ressemblais à Shirley Temple dans *Petite Princesse.* Jean-Maurice était le roi, il me prenait par la main, et, harnachés du prix de sa voiture, nous allions acheter nos billets à la baraque percée d'un trou rond qui servait de guichet d'entrée. Heureusement que ma mère ne me voyait pas. Comme par enchantement les deux meilleures places se libéraient pour nous sur les gradins de fortune qui entouraient un terrain vaguement nivelé, probablement plus semblable aux terrains où mon père jouait dans sa jeunesse qu'aux pelouses impeccables du tournoi des Cinq Nations.

En fait de pelouse il n'y avait qu'une terre caillouteuse. Mais, faute d'herbe, il y avait de l'enthousiasme. Ça riait, ça s'agitait, ça gueulait, ça brandissait des drapeaux aux couleurs des clubs qui s'affrontaient, ça mangeait des cacahuètes et des graines de pastèques. Mon père était aux anges et moi aussi. Quand les deux équipes entraient sur le terrain, le déchaînement paraissait atteindre son comble, l'hystérie s'emparait de l'assistance ; ce n'était pourtant rien à côté de ce que ce serait plus tard, aux moments cruciaux du match !

Après, il m'emmenait à son club de tennis, où il faisait une partie pour se maintenir en forme, puis il jouait au bridge. Le soir, quand je rentrais chez ma mère et qu'elle me demandait ce que j'avais fait de ma journée, je disais : « Il m'a emmenée au club de tennis. » Pas plus : le rugby c'était entre lui et moi et ça l'est toujours.

A chaque match il m'indiquait le joueur qui tenait « sa » place et il m'expliquait ce qu'il allait avoir à faire. Ce joueur portait généralement le numéro sept ou le numéro huit et je ne le quittais pas des yeux... Je ne le quitte toujours pas des yeux. Quarante-cinq ans plus tard, quand un match de rugby est retransmis à la télévision, je repère « mon » joueur et je suis lui. Curieusement, j'ai besoin d'être seule (ou avec mon fils) pour me livrer à ce spectacle. Les autres me dérangent, me distraient, me gâchent la partie.

En hiver la mêlée fume. La balle met longtemps à sortir de la forêt des jambes. Rien que des dos, des croupes, des cuisses, des jarrets, et des bras qui font charnière, qui lient le paquet d'hommes courbés, imbriqués les uns dans les autres, comme les tuiles d'un dôme. Amis et ennemis soudés ensemble. Les têtes sont dedans, à l'intérieur, avec les yeux qui scrutent l'obscurité, qui cherchent le ballon perdu dans les colonnades. Piétinements. Ondulations et spasmes. Voilà l'œuf qui sort, l'arrière s'en saisit et le lance à son voisin, derrière lui, dans un grand plongeon qui le tend depuis les orteils jusqu'au bout des doigts. L'œuf ricoche de joueur en joueur, jusqu'à l'extrémité de l'aile parfois, loin en arrière...

« Mon boulot, alors, c'est de contrer l'adversaire, de dégager le terrain devant le copain qui a le ballon, de l'aider à remonter et de savoir aussi, le moment voulu, être en retrait de lui, une fois le ménage fait, pour recevoir une passe et en faire une.

« Quand on arrive à marquer un essai — qui peut quelquefois partir du bout du terrain, c'est rare mais ça arrive — quand on arrive comme ça, à nous tous, d'une extrémité à l'autre des ailes, à aller jusqu'au bout, personne ne peut savoir quel bonheur c'est ! Personne ne peut savoir. On est quinze mais on n'en fait qu'un. On a les poumons qui s'arrachent, on a les jambes dures et cassantes, on a la crampe aux mollets. Tous, aussi bien les mastodontes de piliers, que les talonneurs, tous, les demis de mêlée, les demis d'ouverture, les centres, les arrières, les ailiers, tous. Quel bonheur ! Une fois l'essai réussi le buteur prend son temps pour installer son ballon. Il faut qu'il retrouve son souffle et nous on en profite pour reprendre le nôtre. J'ai jamais été un bon buteur, je dois dire que c'est pas facile de faire tenir debout ce sacré ballon pointu, surtout quand il y a du vent. Le buteur se concentre, il recule, il est tout entier à l'intérieur de lui, concentré dans sa jambe, dans le bout de son pied. Il est aux aguets. Il enregistre la distance, l'angle, le vent, il faut qu'il possède tout ça. Il est à la fois souple et tendu. Il y a le silence pendant ce temps-là, tout le monde se concentre avec lui. Y'en a qui veulent qu'il rate ; y en a qui veulent qu'il réussisse, tout le monde veut quelque chose... Résolu tout à coup, il fuse et botte ! Le ballon s'élève, sa drôle de forme lui fait prendre une trajectoire incertaine. Passera, passera pas entre les poteaux ? Il passe !

« Quel beau jeu ! Quelle intelligence là-dedans, quelle générosité ! »

Volées d'hommes qui s'abattent les uns sur les autres dans les mêlées ouvertes, n'importe comment, se piétinant, se blessant, s'éreintant à courir après la balle, à la vouloir, à la désirer plus que tout, comme des chiens. Ils suent, ils saignent, ils se feraient tuer pour leur balle et c'est à quinze qu'ils doivent la prendre, sinon elle aurait moins d'attraits. C'est à trente qu'ils se la disputent. Quinze contre quinze. Pour la jouissance de la voir voler dans le ciel, longue, imprévisible, entre les deux hauts poteaux des buts. Après ils s'adonneront aux velours de la virilité ; ils tomberont dans les bras les uns des autres, ils s'embrasseront, s'étreindront, se tapoteront les fesses, le dos et la nuque. Ils auront ces touchants gestes d'hommes, maladroits et tendres, ces caresses frustes et troublantes. Heureux comme des enfants, enfin libres d'être eux-mêmes.

J'aime mon père quand il reçoit la balle, quand il la serre fort contre lui tout en courant, tout en cherchant celui de l'équipe qui peut être mieux placé que lui pour la mener à l'essai. J'aimerais être la balle...

J'aurais aussi aimé être la canne de compagnon de mon père.

Symbole du travail elle est aujourd'hui, comme il se doit, dans la maison de mon frère... Le travail... La noblesse du travail... Le respect et la crainte qu'inspirent les mains calleuses des hommes... Je me souviens, pendant un de mes accouchements mon mari me parlait et la sage-femme l'a interrompu : « Laissez-la, elle est en travail. » Ça du travail ? Mais je ne faisais rien : la nature s'était emparée de mon corps et agissait sans que j'y sois pour quoi que ce soit...

La canne de Jean-Maurice est très haute. Elle est mince et brune comme lui. Il la regarde intensément. Il y a longtemps qu'il a envie d'elle, longtemps qu'il veut être digne de la posséder.

Les anciens l'ont placée dans un coin de la salle où se déroule la cérémonie. Jean-Maurice l'a vue dès qu'il est entré. Son cœur a sauté dans sa poitrine et la force de sa joie lui a fait fermer les yeux, comme s'il avait un étourdissement. Sa canne, sa grande canne ! Il a si souvent rêvé d'elle.

Long bâton de pèlerin fait pour accompagner les marches, pour grimper les montagnes et traverser les plaines, pour aller de ville en ville, de chantier en chantier. Construire, toujours construire, construire encore, construire de nouveau. Chaque construction reliée à la précédente par un cheminement, par les jours et les nuits d'une randonnée entêtée.

Deux compagnons escortent Jean-Maurice jusqu'au centre de la pièce. Il pense à l'Ancien. Il pense à son père. Son enfance est terminée, sa jeunesse aussi, pourtant il se sent petit et fragile. C'est tout juste si les larmes ne lui montent pas aux yeux ; mais il n'y a pas de risques, il ne pleurnichera pas. En lui les routes des sanglots sont coupées depuis longtemps, effacées, elles n'existent plus. Ses faiblesses ou ses fragilités ne s'expriment plus jamais par les larmes, elles se cantonnent dans la raideur ou, rarement, explosent en violence. Elles ne passeront plus par le tiède chemin où sont postées les femmes, l'humide chemin du chagrin.

Donc, il est droit, sec, et comme foudroyé, comme ébloui. Homme accueilli par des hommes, tous droits, tous secs, comme lui, tous ayant enfermé en eux l'étang des pleurs, ayant colmaté depuis longtemps les issues de ce réservoir inutile, tous inconscients maintenant du sirop de peine emprisonné en eux qui crée pourtant leur différence, qui leur donne un poids, une assise n'appartenant qu'à eux.

Les compagnons ont des tambours voilés et des crécelles enrouées qu'ils font bruire par moments, comme pour délivrer les tempêtes profondes, anciennes, mais annulées, qui s'agitent en eux : cette eau du début des temps, de la gestation.

Jean-Maurice, la gorge serrée, soudain pense à sa mère. Ernestine, qu'est devenue Ernestine ?

Et moi qui allais naître de toi ? Mon père, as-tu seulement pensé à moi au moment où tu entrais bouleversé dans l'univers des hommes ? Imaginais-tu que tu pouvais mettre au monde une femme ? As-tu conservé une passerelle pour aller d'elle à toi ? Ou bien as-tu tout coupé, tout supprimé en devenant adulte ?

Les compagnons ont leur costume du dimanche et portent les insignes de leur confrérie. Ils sont sérieux comme des papes.

Je pense que c'est le plus grand jour de ma vie. J'ai vécu bien des cérémonies mais aucune ne m'a marqué comme celle-là.

Pendant des années et des années les anciens m'avaient instruit et éduqué. Certains soirs d'hiver, quand la nuit tombait tôt, quand le ciment gelait vite, nous nous enfermions dans les baraquements et tout se mélangeait : ce que j'apprenais dans mes livres d'étude et ce que disaient mes compagnons. Voyages à travers le pays et voyages à travers ma tête. Minutieuses, laborieuses courses conduisant toutes deux à la mort.

Mes études et mon initiation se mêlaient de façon absolument nécessaire... La charpente... ça relie la terre au ciel... dans les sciences qu'on dit exactes, il y a des tremplins qui projettent l'imagination vers l'infini... Les compas n'enjambent pas que du papier et les équerres mesurent des angles ouverts... A la matière se mêle l'esprit. Certaines idées et les mots qui les transportent changent le regard que l'on pose sur le monde. Un œil s'inscrit dans la charpente de l'univers donnant au travail un sens, une direction, un but. Un œil de charpentier. Les anciens ne marchaient pas qu'avec leurs pieds sur les routes de France, ils connaissaient les moyens de les parcourir autrement et ils me les transmettaient. Le fait de savoir plus de science qu'eux, à cause de mes études, ne me rendait pas plus savant qu'eux.

Aujourd'hui ils sont réunis pour me recevoir officiellement. Je croise leurs regards et nos rencontres sont claires, car dans nos esprits sont inscrites les mêmes voies, avec les mêmes embranchements, les mêmes carrefours. Nous sommes là pour célébrer nos destins désormais identiques. C'est une grande fête grave.

Tout est en ordre. Tout est bien fait. Tout est beau.

Je suis habitué à l'organisation de ces hommes. Je sais quels soins ils prennent à entretenir leurs outils, quel mal ils se donnent pour apprêter une pièce de bois. Avec eux j'ai appris à ranger, à serrer, à faire les choses l'une après l'autre, à planifier mon ouvrage, à employer les méthodes les plus efficaces pour couper, scier, marteler, raboter, clouer... J'ai appris aussi les règles du temps, les règles de l'effort, les règles de l'économie, les règles du repos, les règles de l'espace.

Elles sont bonnes. Les règles des compagnons sont bonnes. Quand on les applique le travail se fait mieux, le corps souffre moins et l'ouvrage est bon.

A la vérité, ce qui trouble Jean-Maurice en ce jour de fête, ce qui le décontenance, lui fait battre le cœur, c'est la découverte de l'amour que les hommes se portent entre eux. Jusqu'à ce jour il a vécu sa vie d'homme dans un univers rude où il a rencontré des camarades, des copains, des salauds, des durs à cuire, des mauviettes. Il a vu des hommes se battre dans de méchantes querelles d'ivrognes, il en a vu s'empoigner dans les mêlées du rugby, il en a vu se flanquer des bourrades d'amitié ou même s'embrasser de joie, raidement. Il a vu des gestes de consolation, de condoléance, ou de récompense, flatter l'épaule, le bras ou la nuque.

Mais ce qu'il voit ici, cette capacité qu'ont ses compagnons d'agencer l'amour, il ne le soupçonnait pas. La splendeur de la salle de cérémonie l'émeut, le soin apporté à la décoration le touche. Pour cette célébration ils ont mêlé de l'intime au grandiose. Dans la beauté sévère du lieu se nichent partout de la joliesse, de la confidence, des caresses du cœur. Il ne savait pas que les hommes étaient si proches des hommes. Il n'avait jamais vu l'amour, perçu les signes de l'amour, qu'avec des femmes. Et voilà qu'il y en a plein ici.

Jean-Maurice sent qu'il entre à l'intérieur d'un cocon sécrété par ses semblables pour le protéger. Tout à l'heure ils lui donneront sa canne et il pénétrera dans leurs rangs, dans l'exigence de leur passion, dans le don qu'ils lui font d'eux-mêmes et dans celui qu'il leur fait de lui-même. Il n'existe pas de plus grande sécurité, de meilleure chaleur que celles de ses compagnons..

Avant d'être conduit dans la salle et, ensuite, tandis qu'on le menait vers le centre du temple, alors qu'il entendait qu'on verrouillait soigneusement les portes derrière lui, Jean-Maurice ne pensait qu'à contenir son émotion.

Il avait mal dormi. Les onze années qu'il avait vécues depuis son départ de La Rochelle lui étaient revenues cette nuit, sous forme de souvenirs rapides qui s'emmêlaient, l'excitaient, le faisaient se tourner et se retourner sur le lit du studio qu'il avait loué depuis peu dans le quartier des Batignolles. Il se demandait comment il avait pu vivre tout ça. Ernestine lui avait tant manqué au début. Oui, la discrète Ernestine lui avait manqué. Même Jeanne et même ses sœurs lui avaient manqué. Mais il avait sa vengeance à accomplir, il avait à prouver à son père de quoi il était capable. Et puis les journées de travail l'avaient absorbé, avaient comblé le manque, avaient effacé l'image de sa mère qui subsistait comme un reflet tout au fond de lui, précis ou informe selon les jours, les humeurs. Figée en tout cas, immuable ; ni le temps ni les événements ne pourraient modifier cette personne enfouie en lui et qu'il n'oublierait jamais, sa mère.

Ce matin en se préparant il était nerveux, comme s'il allait passer un examen. Impression, au fond, que c'était aujourd'hui qu'il pourrait se présenter devant Théodule. Mais il avait dit : « Je reviendrai quand je serai ingénieur » et il tiendrait sa parole ; il retournerait là-bas dans deux ans.

En entrant dans la salle il s'en voulait de s'être laissé aller à ces mièvreries, à ces petites pensées, à ces mesquins règlements de compte privés. Aussi, pour corriger ce manquement s'était-il comporté avec une certaine brusquerie. Il avait peu parlé aux compagnons qui le préparaient, il jouait à celui que rien n'émeut, qui est maître de lui.

Il était donc entré là avec le désir de contraindre son cœur et son esprit à la rigueur. Il avait marché jusqu'au milieu de la salle. Il avait aperçu sa canne et il avait vite détourné son regard pour ne pas se laisser amollir.

Et voilà que l'amour des hommes l'a empoigné, l'a

surpris. Un amour qui ne fait pas monter les larmes aux yeux, qui n'attendrit pas. Un amour qui tient serré celui qu'il embrasse, celui autour duquel il s'enroule, le maintenant droit, l'empêchant de se perdre, de se dénaturer.

Avec quel zèle les compagnons avaient astiqué les chandeliers et comme ils les avaient bien disposés ! Quels bons charpentiers du rêve ils faisaient ! Quels architectes du merveilleux ! Bal des bougies, farandole de leurs flammes gaies. Mais feux à cause de leur nombre, incendies, volcans même ! Pour célébrer la naissance du frère aimé.

Les compagnons ont suspendu des étendards noirs brodés d'or et d'argent aux quatre colonnes qui soutiennent la galerie circulaire où les hommes se tiennent serrés les uns contre les autres, penchés vers leur nouveau frère, sérieux, parés. Avec quelle ferveur ils contrôlent les rythmes des questions, des répons, des silences, pour faire de ce rite une cathédrale, une maison protectrice.

Jean-Maurice les sent heureux d'être encore plus nombreux grâce à lui. Il ne connaissait que leur force, il n'imaginait pas leur fragilité. Et à cause de ça, de cette fragilité, de ce secret enfin partagé, il éprouve de la tendresse pour eux. Il se laisse aller, comblé, à la fraternité.

Ils forment une famille. Ils sont entre eux, rien qu'entre eux. Et c'est vrai qu'ils se ressemblent. Non seulement ils sont vêtus de la même façon, non seulement leurs gestes sont identiques, mais surtout ils pensent pareil. Ils connaissent les mêmes dangers, les mêmes difficultés et ils s'assemblent pour les affronter et s'entraider. Pas seulement les échafaudages qui s'écroulent, les patrons malhonnêtes, l'emploi irrégulier, la misère, mais beaucoup d'autres choses plus vastes et plus floues, encore plus contraignantes : la charpente des saisons, l'instable équilibre du bien et du mal, la Femme, la Famille...

Ils connaissent la même solitude.

Jamais mon père ne m'a parlé de sa lente initiation, de son cheminement, de toutes ces années de besogne et d'étude. Mais sa canne est là, chez mon frère, et dans un tiroir de mon bureau je possède une liasse de papiers, de très vieux papiers : des attestations, des certificats. Feuilles jaunies, imprimées d'une typographie démodée, se terminant par des signatures grandiloquentes. Tout cela témoigne du travail exécuté par l'apprenti, l'ouvrier, le charpentier, le chef d'équipe, le dessinateur, puis, enfin, par l'ingénieur SAINTJEAN Jean-Maurice.

Les années ont passé, mon père a marché, il a appris, il s'est qualifié.

De tous ses titres, le seul dont il ait été vraiment fier c'était celui de compagnon. Ça, il me l'a dit.

Entre-temps Théodule est mort mais Jean-Maurice ne le sait pas.

Depuis le départ de son fils, Théodule a changé. D'abord il a cru à une fugue et il a attendu le moment où le « gamin » rentrerait tout penaud. Au début, quand il était seul dans son bureau et qu'il pensait à ça, au retour de Jean-Maurice, le rire faisait tressauter son estomac et il disait tout haut : « Après ça, il marchera droit. »

Mais le fils n'est pas revenu et un calme triste a tapissé de plus en plus épaissement les murs de la famille et surtout ceux de l'Entreprise.

Les rapports de Théodule et d'Ernestine ont évolué. Dès les premiers jours de leur mariage, Ernestine s'était révélee une bonne gestionnaire, elle savait organiser et prévoir, et leurs longues discussions du soir étaient devenues indispensables à son époux. Ernestine, avec son petit visage et sa petite stature, était une solide conseillère, et même une visionnaire en quelque sorte. Elle voyait clairement l'avenir de l'affaire ; quelquefois mieux que Théodule qui s'enlisait dans des détails, n'avait pas d'instruction et ignorait ce qu'est une fortune. Il arrivait de si bas que son aise présente lui paraissait suffisante. Ernestine, elle, voulait plus, pas par avidité, par jeu et par habitude de l'argent...

Après le départ de Jean-Maurice les choses ont continué de même mais, petit à petit, et quoi qu'elle en dise, Ernestine s'est détachée de l'Entreprise, son attention est devenue moins aiguë, moins subtile, son intérêt a pris un aspect plus théorique. Elle faisait les comptes, comme d'habitude, et puis ses réflexions, comme d'habitude, mais, au fond, elle ne disait plus rien, elle ne prenait plus d'initiative et, du coup, l'Entreprise n'évoluait plus, elle ronronnait doucement.

Jamais Ernestine n'a dit à Théodule qu'elle avait donné à son fils une pièce de cinquante francs-or. Elle a gardé ce secret pour elle toute seule et si, plus tard, bien plus tard, elle a pensé que c'était par cette pièce que Jean-Maurice avait pu devenir lui-même, devenir ingénieur, et que c'est, finalement, à cause de cette pièce que Théodule est mort, elle n'en a jamais rien dit à personne, même pas à son fils. Elle restera jusqu'à la fin de sa vie une petite souris noire, effacée, mais vigilante.

Au cours de l'été qui a suivi le départ de Jean-Maurice, Théodule et Ernestine ont marié leur fille. Beau mariage. Couronnement de la vie de Théodule qui avait enfin une bonne raison d'étaler sa fortune. Banquet de noce, réception dans le jardin. Le maire était là et le préfet avait envoyé son représentant. Marini paradait. Marianne portait une robe de satin qui venait de Paris. En somme, tout ce qu'il fallait pour faire un bon et beau mariage. L'escapade de Jean-Maurice... on faisait comme si c'était une peccadille. On n'en parlait pas.

Ensuite l'absence du fils a creusé un trou de plus en plus profond au centre de la famille. Tout le monde l'évitait. Il n'y avait rien là, en apparence. Pourtant Théodule, comme attiré par ce vide, a trébuché, il est tombé dedans et y est mort. Il était bien vieux alors, ce fut donc une mort comme une autre...

Théodule avait une maîtresse, une belle veuve, d'origine sicilienne elle aussi, qui exerçait le métier de sage-femme. Haute, large, sérieuse, Théodule l'avait conquise parce qu'elle était respectée de toute la ville ; dans les grandes familles de La Rochelle aucune nais sance ne pouvait avoir lieu sans elle. Elle vivait dans l'intimité des notables. Il était fier de cette conquête. Elle s'appelait Cassandra.

Elle venait parfois le soir, à l'Entreprise, après la fermeture des bureaux. Mais le plus souvent elle venait le dimanche. Seul le gardien connaissait le secret, Théodule avait acheté son silence. Et si Ernestine, à la longue, s'est doutée de quoi que ce soit, elle ne l'a pas laissé paraître. Elle n'a jamais fait remarquer à son mari que, certains jours, vraiment, il était en retard et que, de ce fait, le dîner était trop cuit. Pas une seule fois.

Théodule faisait l'amour à Cassandra avec une sorte de ferveur. Il ne savait rien faire d'autre avec elle. Cette femme l'impressionnait et, en la baisant, il s'imaginait qu'il s'appropriait son pouvoir, son savoir, sa notoriété. Elle, elle se laissait faire, simplement parce qu'elle aimait ça, faire l'amour avec Théodule, de temps en temps.

Pour le vieux matamore sicilien, Cassandra est une source de joie. Quand elle est là, ses tourments disparaissent. Il pense souvent : « Heureusement qu'il y a Cassandra, heureusement qu'elle existe celle-là. » Il se réconforte en imaginant le large bassin de sa maîtresse, ses longues jambes fortes, ses seins lourds et l'odeur d'humus de sa transpiration. Il marmonne dans sa barbe : « Cette jument-là, elle a vraiment le don de donner à un homme conscience de sa force. » La seule petite ombre au tableau, c'est que Cassandra ne parle pas, elle ne dit pas ce qu'elle pense. Mais, après tout, Théodule, il s'en fout qu'elle ne parle pas, il se dit même que, peut-être, elle ne pense pas.

Et puis elle a une grande qualité, Cassandra, elle n'est jamais en retard. Quand elle donne une heure elle s'y tient, à cinq minutes près.

Un dimanche d'août de l'année 1910, un dimanche où il fait très lourd, Théodule tire sa montre d'or — cadeau de son gendre — hors de son gousset. Il la regarde au creux de sa main : quatre heures et demie. Cassandra a dit cinq heures, il est temps d'y aller. Il se lève, annonce à la cantonade : « J'ai un dossier à préparer pour demain... Je serai de retour dans deux heures, ça sera pas long. » Ni Ernestine, ni ses filles, ni Marini, ni les visites dominicales, n'objectent rien à cette déclaration. Personne n'a rien à objecter aux décisions du patron d'ailleurs. Il a dit ça par politesse. Il est son maître.

Il va lentement vers l'Entreprise en traversant le jardin. Depuis qu'il vieillit il y fait deux ou trois stations, histoire de souffler. Une sous le figuier, près du petit bassin où nageaient des poissons rouges du temps que Jean-Maurice était enfant ; maintenant il ne contient plus rien, parfois de l'eau de pluie et des feuilles mortes. Une autre du côté des fleurs à couper, rangs de glaïeuls, carrés de violettes. Une dernière encore, au fond du verger, qui lui permet de faire une rapide estimation des futurs pots de confiture. Enfin, la porte du fond — celle où Jean-Maurice mangeait son goûter.

Ce dimanche d'août est étouffant. Le mûrissement du

jardin tout entier, dans cette chaleur, peut-être la dernière de l'année, apparaît au maître comme un jaillissement, presque une agression. Les abeilles bourdonnent, s'entêtent, s'affolent autour des raisins, des poires et des pêches enfermées dans leurs sachets de papier huilé qui ne parviennent cependant pas à contenir le parfum des fruits à point. Tout est bon à cueillir, à manger, à récolter, à sentir. Mais Théodule n'a pas d'appétit. Ce jour-là, il ne sait pourquoi, il se sent plus proche du ciel opaque, pesant et menaçant, que de la terre ouverte à la joie de la maturité, confiante, livrée à l'importance de l'avenir.

D'ordinaire il traverse le jardin sans vraiment le voir, ne notant au passage que ce qui cloche ; un râteau qui traîne, de la mauvaise herbe dans l'allée, la peinture de la porte de communication qui s'écaille, et le soir, au dîner il en fait la remarque. Mais c'est rare ; le jardin, domaine d'Ernestine, est parfaitement entretenu. Une fois l'an, seulement, le jardin fait l'objet d'une véritable conversation, à la saison des reines-claudes, les fruits préférés de Théodule. Là, à table, la bouche pleine de la chair juteuse des prunes, il s'inquiète des confitures et fait l'éloge des talents de jardinière d'Ernestine. Il pose des questions sur les semis, le repiquage, la taille. Il recommande à sa femme de soigner encore mieux les hortensias du perron qui se voient de la rue et l'autorise à acheter quelques nouveaux plants de rosiers. Son épouse adore les roses et, à l'époque de leur floraison, elle confie à la gardienne le soin d'en arranger un vase dans le bureau de son mari, à l'Entreprise, où elle-même ne met jamais les pieds. Théodule, lui, les roses...

En ce dimanche d'août, les asters commencent à fleurir. Pour une fois, Théodule les voit. Il sait que leurs petites fleurs annoncent l'automne. Leurs hampes bleues et mauves, couleur du ciel après les grandes marées de septembre, lui font reprendre hâtivement sa marche vers le mur du fond. Il se met à marmonner tout haut : « Les jours passent mauditement vite. On a à peine le temps de l'entamer que l'année est déjà finie. »

Il préfère ne pas penser à ça, à l'âge... Et à Jean-Maurice qui est parti depuis dix ans maintenant. Il referme la porte de communication sur lui, s'y adosse. Il est essoufflé. Ça lui pince toujours le cœur de penser à son fils. La vue de l'Entreprise au repos ne l'apaise pas. Au contraire, il lui faut de l'ouvrage, il lui faut du bruit et du mouvement, il lui faut des rendez-vous, des ordres à donner, des marchés à traiter, pour que ça aille bien, pour ne pas... Ce silence, ce creux, cet après-midi de dimanche où les heures ne comptent pas, sont lourds à supporter. Théodule se remet en marche et, d'un geste du bras, il envoie balader la pesanteur du vide : « C'est le temps... il est à l'orage. » Il jette un coup d'œil sur les ateliers. Il porte un gros trousseau qui ne le quitte jamais avec toutes les clefs, pour ouvrir toutes les portes. Cinq minutes avant l'heure il entrouvre le portail du côté de la rue des Récollets et il va s'installer dans son bureau.

Il n'attend pas, Cassandra ne tarde pas à venir. Elle entre, elle sourit. Elle se débarrasse de son chapeau et de son sac sur un siège — en hiver elle enlève son manteau et le renard argenté que Théodule lui a offert. Après, tout en embrassant son vieil amant sur le front, les joues, les coins de sa moustache, elle se dévêt. Elle n'a jamais été gênée par ça, par le fait qu'elle se mettait nue. Au début lui s'en étonnait; il se demandait comment cette femme si digne pouvait se déshabiller sans la moindre vergogne et sans coquetterie. Maintenant, il en a pris l'habitude et, pour dire le vrai, ça le fait bander. C'est devenu une cérémonie à laquelle il tient beaucoup et qui doit se dérouler dans le silence. C'est un rite qu'elle a imposé, mais il y a si longtemps, et il s'est si souvent reproduit, que maintenant Théodule considère non seulement qu'il en est le centre, mais même que c'est lui qui l'a suscité... Lui... ou son estomac, ou ses moustaches, ou le pénis gonflé entre ses jambes... il ne sait pas trop, mais c'est pour lui, rien que pour lui, que Cassandra se conduit comme elle se conduit, ça, il en est certain.

Ensuite elle s'installe sur le sofa, toujours souriante, quelquefois elle rit un peu, d'un rire de gorge. Elle le regarde. Elle s'allonge ou s'assied, elle croise ses jambes ou les laisse écartées. Elle n'est pas indécente et elle s'arrange pour rendre confortable et avenant ce meuble raide qui n'est là que pour constituer un ensemble avec les six chaises, les deux fauteuils, et la table. Elle attend.

Ils ne parlent pas. Pourquoi parleraient-ils ? Chacun de leurs mouvements est bavard, chacun de leurs déplacements. Et puis il y a les respirations, le désir de Cassandra qui se dit dans ses prunelles, dans le retroussis de ses lèvres ; et Théodule qui sacre parfois en enlevant son caleçon, parce qu'il perd l'équilibre, parce que la hâte le prend. Ils s'amusent d'eux-mêmes alors, de leur empressement à entrer dans le plaisir et aussi de leur goût de profiter de l'instant. On dirait même qu'ils veulent mettre de côté, un peu, le plus longtemps possible, la gravité de la jouissance.

Parce que, au moment où Théodule s'y met — quand Cassandra passe du désir au besoin — alors, tout vieux qu'il est, ça y va ! Il n'y a plus le moindre sourire, plus aucune légèreté dans leurs rapports, plus la moindre complicité. L'empoignade est terrible, c'est un affrontement de forces, une succession de chocs. Ils transpirent, ahanent et se plaignent. Le plaisir de Théodule est lent à venir, on dirait qu'il le traque, le guette. Il craint de le perdre en route. Affolé il lui court derrière. Il y a comme de la peur dans sa poursuite ; mais Cassandra n'en sent que mieux s'épanouir la volupté. Leurs regards sont creux, creux, ils se transmettent dieu sait quels mystères. Jusqu'à ce qu'ils soient comme foudroyés. Ensuite ils demeurent pantelants, épuisés, regardant vaguement par la verrière, au-dessus des toits des ateliers, le ciel qui rosit ou noircit selon les saisons.

Ce dimanche d'août, donc, où il fait lourd et où, comme souvent le dimanche, Cassandra a rejoint Théodule dans son bureau, ce dernier, après avoir fait l'amour, au lieu de s'étendre tout suant au côté de Cassandra, s'est redressé d'entre les jambes de sa maîtresse, a poussé un gros cri et est tombé à la renverse. Le poids du haut vieillard l'a entraîné dans une chute maladroite, une sorte d'éboulement de terrain argileux. Il a roulé sur lui-même, bousculant deux chaises. Finalement le corps s'est arrêté. Il y a encore une jambe qui a continué son chemin seule, s'arrêtant enfin contre le plancher, écartée de l'autre.

Cette scène avait fait un grand bruit. Non seulement le cri de Théodule au commencement — une sorte de monstruosité vocale à la fois sourde et aiguë — mais aussi le choc de l'homme pesant heurtant le sol — le sofa était assez haut — et surtout les deux chaises qui sont allées valdinguer dans la pièce heurtant d'autres meubles. Dans le même temps que le corps roulait, Cassandra se levait, elle regardait épouvantée ce qui était en train de se passer. Et quand, en dernier, la jambe de Théodule s'est arrêtée, cognant pesamment le parquet du talon, dans les secondes qui ont suivi, elle a poussé à son tour un braillement étonnant, inattendu de la part de cette femme réservée. Un glapissement pointu, entrecoupé de glou-glous qui n'en finissaient plus.

La femme du gardien était dans sa loge, à veiller ses petits qui avaient les oreillons. Dans ce calme après-midi de dimanche, le cri du patron, d'abord, l'a fait sursauter, puis les autres bruits l'ont fait courir dans le couloir, jusqu'à la grande porte de la direction. Elle l'a entrouverte juste après le hurlement de Cassandra. Elle a vu Monsieur Saintjean par terre, nu, les jambes écartées, son sexe humide, rabougri, que le soleil couchant faisait luire. Elle a vu l'estomac gonflé du maître et le fouillis de sa barbe qui cachait en partie son visage. Inerte. Et debout, dressée, haute, nue elle aussi, une femme d'une cinquantaine d'années qui restait sans bouger, comme en transe.

La femme du gardien, un instant stupéfaite, saisie par le spectacle qui s'offrait à elle, a tout à coup pris ses jambes à son cou. Elle avait la clef de la porte de communication avec le jardin. La voilà courant comme une folle, en savates, serrant son fichu contre ses seins de nourrice. Eh, mon dieu, quel désastre !

La voilà devant Ernestine, devant la parenté et les visites, tout à trac, sans prendre la peine de se calmer ou d'arranger ses vêtements : « Le maître, dans son bureau... il a crié... il est par terre... il est tout nu... »

Ernestine la fait taire : « J'y vais. » Vivement elle s'adresse à Marini : « Allez chercher le docteur Beaulieu, qu'il vienne tout de suite. » Marianne s'est levée aussi : « Je vais avec vous. — Non, laisse-moi, je connais ton père, il n'aime pas qu'on s'affole autour de sa santé. »

En un rien de temps elle est au bureau.

Cassandra, dans l'intervalle, a mis son jupon et sa guimpe qu'elle n'a même pas pris le temps de boutonner. Elle est à genoux devant Théodule, presque à quatre pattes. On voit sa poitrine qui pend.

Ernestine n'est pas étonnée par la présence de cette femme. Elle a toujours su que son mari avait une maîtresse et, dans le fond, elle est contente que ce soit Cassandra. Des fois elle avait imaginé que ce pouvait être une putain du port et, alors, Théodule la dégoûtait. Mais elle décide que Cassandra est un bon choix.

Tout cela passe en une seconde dans la tête d'Ernestine. Ce qui la mobilise le plus c'est Théodule, dans l'état où il est, comme mort. Elle s'approche de lui, reste debout, le regarde de haut. Elle ne l'a jamais vu dans une telle nudité. Même si, au début de leur mariage, il avait l'habitude de se promener nu, c'était dans leur chambre, il y avait des tapis, des rideaux, des draps, une lumière tamisée. Mais là, au bureau, sur le plancher, dans la lumière crue de la verrière, dans cette pièce qu'elle connaît mal, qui, pour elle, est un pays étranger...

Le cœur lui bat.

— Elle dit :

— Que s'est-il passé ?

On dirait que Cassandra n'est pas gênée par la présence de Mme Saintjean. Elle est bouleversée, elle est loin de la réalité. Pour elle aussi l'essentiel c'est le corps de Théodule, son inertie. Elle a tâté son pouls, écouté son cœur, professionnellement. Elle croit qu'il est mort. Elle a une grande peine. Elle n'entend pas.

Ernestine répète :

— Que s'est-il passé ? Il a eu un malaise... il a buté contre quelque chose ?

— Non, il était sur le sofa avec moi. Il a eu un spasme, il est tombé en arrière.

— J'ai fait chercher le docteur.

— Quel docteur ?

— Le docteur Beaulieu.

Le médecin des familles de ce quartier bourgeois. Cassandra travaille souvent avec lui pour les accouchements difficiles. A ce nom elle se redresse, elle dit : « Il faut l'habiller », sans se rendre compte qu'elle-même n'est guère en tenue pour recevoir le docteur Beaulieu. Dans le désordre de la pièce elle cherche le caleçon de Théodule et se met en demeure de l'enfiler sur les grandes jambes de son amant. Elle n'y arrive pas. Ernestine la regarde faire, elle n'esquisse pas un geste pour l'aider.

Qu'est-ce qui lui prend à Ernestine ? A l'intérieur de son être c'est l'alarme, l'affolement, mais à l'extérieur c'est la froideur, presque l'indifférence. Elle ne comprend pas ce qui lui arrive. Le temps ne compte pas, ni le lieu, ni les gens, ni même elle-même. Elle est dans une bulle d'existence, une bulle qui ne crèvera jamais, qui flotte comme ça depuis toujours et pour toujours, avec une lueur sur sa surface, quelque chose d'irisé qui est l'image d'Ernestine, son image, pas elle.

Un brouhaha dans le couloir, des pas rapides et nombreux, des voix : « C'est par là, c'est par là. »

Arrivent Marini, le docteur, le gardien, la gardienne.

Ils voient Théodule étendu de tout son long, très pâle, les yeux enfoncés. Ils voient Cassandra, les seins à l'air, qui est parvenue à enfiler les pieds de l'homme dans le caleçon et le remonte péniblement jusqu'à mi-cuisses. Ernestine, debout, a l'air de surveiller le travail.

Ce spectacle impose le silence aux arrivants. Leur groupe ahuri reste planté à la porte. Très vite le médecin se ressaisit, il se dirige vers le bureau où il pose sa trousse de laquelle il tire un stéthoscope. Il s'agenouille auprès de Théodule après avoir jeté sur Cassandra un regard incrédule et scandalisé. Il ausculte longuement.

Au bout d'un moment il dit :

— Il n'est pas mort. Il a eu une attaque. Il faut se dépêcher. Je vais lui faire du camphre.

Il prend dans sa trousse une boîte métallique oblongue et brillante, il l'ouvre, saisit une seringue en même temps qu'il dit à Cassandra : « Préparez-moi l'ampoule. » Elle se lève Avec des gestes professionnels elle scie un petit bout de verre et tend l'ampoule ouverte au docteur Beaulieu.

Pendant la piqûre, que le médecin pratique lentement, Cassandra cherche à se rhabiller, mais ses vêtements sont de l'autre côté de la pièce. Il faudrait qu'elle passe devant tout le monde comme si c'était normal. Elle ne le peut pas. Elle se reboutonne en tout cas et tire ses cheveux en arrière. Il lui reste une épingle emmêlée à ses mèches grises et ondulées. Elle forme une lourde torsade qu'elle fixe au-dessus de sa nuque.

La piqûre est faite. Le docteur reprend le stéthoscope, ausculte encore longtemps avec application.

— Le cœur reprend un peu. Il ne doit pas tarder à revenir à lui. Il faut le transporter à la maison.

— Ce ne sera pas facile, dit le gardien, le maître est grand et lourd. On pourrait peut-être le mettre sur une civière qui sert à transporter les briques.

— Bonne idée, dit le docteur. Faites vite, on n'a pas de temps à perdre. Monsieur Marini, aidez-moi à l'habiller, je vous prie.

Cassandra attend qu'on lui donne un ordre, mais personne nc lui demande rien, personne ne fait attention à elle. C'est comme si elle n'existait pas. Alors elle en profite pour se vêtir, s'arranger un peu. En une minute elle est prête. Elle reste là, son sac et son chapeau à la main. Elle a envie de pleurer. Elle voudrait que Théodule revienne à lui, qu'il aille mieux. Elle lui a si souvent dit de se ménager mais il ne l'écoutait pas. Voilà où il en est maintenant.

De plus en plus elle est une intruse, l'inattention de ces gens la sépare complètement de Théodule.

Le médecin demande à Ernestine :

— Il a quel âge votre mari, madame Saintjean ?

— Il va avoir soixante-seize ans en septembre.

Le docteur n'ajoute rien. Cassandra pense : « On ne lui aurait jamais donné cet âge-là. Quel bel homme ! » Elle n'a plus rien à faire ici. Elle baisse les yeux et passe la porte. Elle entend la voix d'Ernestine qui dit à la gardienne : « Raccompagnez cette personne jusqu'à la rue. »

Dans le bureau, les hommes en train d'habiller Théodule constatent ainsi le départ de Cassandra. Marini lance : « Et fermez bien la porte derrière elle »... il va pour continuer mais sa belle-mère lui cloue le bec : « Je vous en prie... » Ernestine n'a jamais aimé son gendre.

Il faudra une semaine à Théodule pour mourir. Sept jours pendant lesquels les asters ont fleuri tout à fait, haie bleue entre le verger et le potager. Le temps est resté à l'orage : le ciel plombé, l'air poisseux. Quelques petites pluies venues avec les marées n'ont pas rendu l'atmosphère plus légère, au contraire, elles ont entretenu une ambiance d'étuve dans la maison ; les odeurs du figuier et de la verveine se sont mêlées de façon écœurante.

Une semaine où Théodule est resté dans un coma léger. Il somnolait plutôt et parfois se mettait à parler maladroitement de sa jeunesse et de son fils. Il accrochait les mots, bredouillait. Au début Ernestine ne comprenait pas tout ce qu'il disait, puis elle s'est habituée et elle est devenue la seule capable d'interpréter ces gargouillis. Elle ne voulait pas bouger de la chambre. Elle restait là, à l'affût de ce que son mari pouvait exprimer. Elle n'autorisait l'entrée de la pièce qu'à Jeanne et aussi, un peu, à ses filles, mais très peu. Elle préférait qu'elles restent en bas, à recevoir les visites.

Elle a fait monter la chauffeuse du salon, avec son pouf. Elle passait ses journées à demi allongée face à son mari, ne le quittant pas des yeux, attentive à ses moindres manifestations, et quand il sortait de son inconscience pour mâchonner des mots, elle se penchait vers lui, tout près de sa bouche. Curieuse, indiscrète.

Elle avait pris un chapelet qu'elle tripotait sans arrêt. Plutôt pour respecter les convenances que par esprit de piété, car Ernestine n'aimait guère les bondieuseries et n'allait à l'église que quand c'était nécessaire, afin de faire comme tout le monde.

Elle si active, si affairée, n'a pas bougé de la chambre pendant les sept jours qu'a duré l'agonie de Théodule.

Elle pense à cet homme, de vingt-cinq ans son aîné, ce matamore qu'elle a épousé joyeusement. Elle a de la tendresse pour lui. Elle pense à toute sa vie avec lui, à leurs enfants, à l'Entreprise. Elle pense surtout à leur fils. La pièce de cinquante francs-or n'arrête pas de rouler dans sa tête. Qu'aurait fait Jean-Maurice s'il n'avait pas eu cette petite fortune en poche au départ ? Est-ce qu'il aurait pu s'en aller pour toujours ?

Si, au début, elle n'avait pas parlé à son mari de cette pièce, c'était par crainte de s'entendre traiter de gaspilleuse, c'était pour qu'il ne lui dise pas qu'elle gâtait trop son fils et que c'était à cause de ça qu'il avait une tête de cochon. Ensuite cette pièce d'or est devenue un important secret, une sorte de tabernacle, un espace sacré et clos dans sa mémoire où il n'y avait de place que pour son fils et elle. Face aux autres. Face à Théodule surtout... Contre Théodule ? Peut-être bien. Elle n'imaginait pas pourquoi elle aurait pu être contre Théodule. Elle n'avait rien à lui reprocher. Il avait agi comme il devait agir, comme elle désirait qu'il agisse, comme un mari. Elle n'avait à se plaindre de rien, pas même de Cassandra — qui d'ailleurs venait de perdre sa réputation et n'aurait plus qu'à quitter la ville. Pas de blâme contre Théodule, pas d'accusation, rien. Et pourtant maintenant, dans leur chambre à tous les deux, seuls tous les deux, lui à l'agonie et elle bien vivante, elle avait l'impression d'avoir remporté une incompréhensible victoire, fruit d'une longue guerre, d'un interminable siège.

Quand Théodule est mort, en respirant un peu plus fort que d'habitude, comme dans un soupir profond, Ernestine est restée encore longtemps avec lui avant de prévenir les autres. Elle a caressé son visage, elle n'a pas eu à baisser ses paupières, il dormait déjà. Elle a caressé ses mains, son ventre. Elle a eu envie de faire l'amour avec lui encore une fois. Elle était sereine, calme et amoureuse pour toujours de ce cadavre. En paix.

Pendant que le train roulait j'éprouvais une grande excitation, j'avais en poche mon diplôme d'ingénieur des Ponts et Chaussées tout neuf et un billet de train pour La Rochelle. Un aller simple. Je n'avais pas dans l'idée de rester définitivement là-bas, mais je n'avais pas non plus dans l'idée de revenir à Paris. Avec mon titre j'étais certain de trouver du travail n'importe où. Et, surtout, il fallait d'abord que j'accomplisse mon service militaire. Je pensais à ma famille comme je ne l'avais jamais fait. Et à ma maison comme je ne l'avais jamais fait. Je passais en revue tous les lieux que j'avais habités au cours de ces douze années, depuis les baraquements de chantier jusqu'à mon studio des Batignolles. Dans certains de ces endroits j'étais resté longtemps, je les avais aménagés à mon goût, je me les étais appropriés en quelque sorte, mais aucun n'était devenu ma maison. Ma maison était à La Rochelle. Au fur et à mesure que je m'en approchais j'avais hâte de la voir, de retrouver son odeur.

Le train est arrivé en début d'après-midi. Il me tardait de retrouver tout le monde et en même temps je l'appréhendais. J'ai décidé de laisser ma valise et ma canne à la consigne et d'aller chez moi à pied. C'était un chemin qui me faisait traverser toute la ville.

J'ai revu mon collège et la plaque du carrefour avec mon nom écrit dessus. D'abord j'avais fait un détour par le port pour voir ses deux vieilles tours. Je trouvais ma ville natale belle, paisible. J'étais heureux de redécouvrir sa lumière, son rythme, ses grisés, ses bleutés. Je reconnaissais les magasins à peine modernisés. Elle n'avait pas beaucoup changé.

Et puis ça a été l'avenue Guitton et le numéro 28. La maison intacte, pas belle, mais j'étais incapable de la juger. C'était ma maison. J'avais la gorge serrée.

Qu'est-ce que je fais : je sonne ? Je passe par-derrière ? A cette heure mon père doit être à l'Entreprise et ma mère occupée avec son linge, ou dans le bureau, avec ses comptes, ou sortie. Dans ce cas il n'y aura que Jeanne et je lui ferai peur.

Je passe par-derrière. Dans le fond, je crains que quoi que ce soit ait changé. Je ne le souhaite pas.

Je contourne la maison. Je vois en enfilade le jardin, le verger au fond, les poiriers en espaliers qui grimpent maintenant presque jusqu'au haut du mur de séparation, les toitures de l'Entreprise... Tout est magnifique. Je pense au zèle de ma mère pour ses fruits, partagée entre le désir de les voir mûrir plus et celui de nous les voir manger. Je pense à ça et ça me donne envie d'embrasser Ernestine.

Je dépasse le coin de la maison et je les surprends, sur ma gauche, sous le figuier qui est toujours aussi florissant, toutes les femmes de chez moi, en groupe. Ma mère, mes sœurs, Jeanne, et la vieille cousine de Rochefort. En rond, installées sur les chaises de la cuisine, elles ravaudent du linge blanc tout en bavardant. Aucune ne m'a vu tant leur conversation les absorbe. Il faut dire aussi que je suis venu tout doucement. Mes sœurs ont changé, elles ont vieilli, pas les autres. Leur groupe sombre. Est-ce qu'elles sont en deuil ? Elles sont comme je voulais qu'elles soient, comme elles étaient dans mon souvenir. J'en ai vu des femmes ces dernières années ! Je me suis bien amusé avec elles, elles étaient belles et vivantes, mais je n'aimerais pas que ma mère ou mes sœurs leur ressemblent. Et si j'ai une femme un jour, je n'aimerais pas, non plus, qu'elle ressemble aux femmes des Batignolles.

C'est un après-midi d'été, j'aurai vingt-sept ans cet automne et le roi n'est pas mon cousin. Ah, la vie est vraiment belle !

J'avance doucement encore mais, malgré mes précautions, je fais craquer le gravier sous mes chaussures. C'est Jeanne qui lève la tête la première, puis toutes les autres me dévisagent, se tournent vers moi. Il y a un moment de silence où elles se demandent quel est cet étranger qui arrive par là, les bras ballants. Puis le visage d'Ernestine se remplit d'un bonheur splendide, elle se lève — elle est toute petite —, elle dit : « C'est toi, Jean-Maurice ! » Les autres me regardent, incrédules. C'est que je n'étais qu'un gosse quand je suis parti. Mais comme j'avance vers ma mère en riant, parce que je suis si heureux qu'elle m'ait reconnu, si heureux de voir sa joie, elles se mettent à pousser des exclamations, des cris, elles se lèvent, elles font tomber leurs chaises. Déjà Ernestine est dans mes bras. Elle est minuscule ma mère. Je retrouve son parfum, ce mélange de lavande et de lessive fraîche qui émane d'elle. Je ne sais pas si elle pleure parce qu'elle a mis son visage contre ma veste, elle me serre contre elle, elle répète : « Mon fils, mon fils... » Les autres tournent autour de nous. Jeanne déclare : « T'es devenu un homme pour de vrai. Seigneur comme t'es grandi, Jean-Maurice ! »

En quelques instants c'est une véritable fête qui s'organise autour de moi. Elles ont tiré la table de jardin qui est déjà couverte d'une nappe à carreaux rouges et blancs — la nappe des pique-niques, je la reconnais — et dessus s'accumulent du vin de groseille, une bouteille de pineau, de la limonade fraîche, un gros gâteau doré, et une tarte aux poires, la spécialité de Jeanne. Tout ça m'a manqué, je suis bien obligé de le reconnaître. Maintenant que je les vois toutes ensemble, que je sens l'odeur de la tarte, que je goûte à la fois au petit vin de groseille et au pineau — qui vient des vignes du grand-père Drapeau — je reconnais que ça m'a manqué et que si je n'y ai pas pensé pendant tout ce temps, c'est que je voulais aller au bout de mon affaire.

Je les dépasse d'au moins une tête. Même la cousine de Rochefort qui est pourtant une perche. Ma mère m'a installé à la meilleure place et elle s'est assise à côté de moi. Elle n'arrête pas de remplir mon verre et mon assiette. Ce n'est pas elle qui parle le plus et pose le plus de questions. Mes sœurs et Jeanne, elles, ne cessent de jacasser. Et pourquoi je me suis laissé pousser la moustache et pas la barbe ? Et si c'est la mode à Paris de porter un veston comme le mien ? Et si le train était plein ? Et combien de temps ça m'a pris pour venir de Paris ? Et comment ça se fait que je n'aie pas de bagages ? Et combien je mesure ? Aucune question sur mon métier, sur ma situation. Elles me font rire. Je suis content qu'elles soient à ce point provinciales. Au passage j'apprends que Marianne a deux enfants qui sont en ce moment en vacances chez les grands-parents Marini. « Et, à propos, Marini, ça va ? — Ça va bien, il vieillit comme tout le monde. » J'apprends que Marguerite est toujours vieille fille. J'apprends que les nièces de Jeanne, elles, sont mariées et mères de famille.

Eh oui, le temps passe...

On dirait que nous jouons une comédie, que je suis parti la semaine dernière, que c'est un goûter de fête comme un autre. On dirait que nous voulons rester à la superficie de l'événement, nous en gaver, en profiter. Comme on profite des derniers beaux jours de l'automne, quand le soleil est encore chaud et les récoltes bonnes à rentrer.

Personne ne pose de questions importantes, personne n'ose savoir. Ni elles, ni moi. Moi, c'est au père en premier que je veux annoncer que je suis ingénieur. Mais elles, elles ne parlent pas du père.

A un certain moment, à cause de l'ombre ajourée du figuier sur la nappe, de son étirement, j'ai su que l'heure du goûter était passée depuis longtemps et qu'il fallait aborder les choses sérieuses. J'ai dit :

— Je vais aller faire un tour à l'Entreprise pour voir le père.

Ma mère a posé sa main sur mon bras et elle a dit calmement :

— Il est mort.

Je me doutais que quelque chose de ce genre était arrivé, mais j'avais plutôt pensé à la faillite ou à la maladie. La mort ! Bêtement, j'ai demandé :

— Il y a longtemps ?

— Ça va faire deux ans dans trois semaines.

Il n'y avait pas de peine dans la voix de ma mère, pas de froideur non plus. Le silence qui s'était établi était simple et clair. La mort du père était normale, fatale, respectable et, en outre, digérée depuis longtemps. Pour moi c'était nouveau, c'était comme si ça venait de se passer.

Je baisse la tête, je regarde mes mains sur mes cuisses. Mes mains justement. Si les femmes avaient vu dans quel état elles étaient, mes mains, il y a encore deux ans ! Elles comprendraient mieux l'émotion qui me paralyse. Elles sauraient ce qu'a été ma vie pendant mon absence.

Voilà que je m'apitoie sur mon sort et qu'une colère violente contre mon père se forme en moi. Lui, il m'aura tout volé, il se sera foutu de ma gueule jusqu'au bout. Mort ! Mort sans savoir ce que j'étais devenu. Mort sans savoir que j'avais pris ma revanche. C'est bien de lui !

Pour rompre le silence qui se prolonge, une de mes sœurs, je ne sais même pas laquelle, dit :

— Nous devons aller au cimetière bientôt, nettoyer sa tombe. Parce qu'on fait dire une messe pour le deuxième anniversaire de son décès. Tu peux venir avec nous si tu veux.

Il ne manquerait plus que ça maintenant ! Aller me recueillir sur la tombe de mon père, ce serait un peu fort !

— Je n'irai pas au cimetière !

J'ai parlé avec rancune. Pourtant elles ne peuvent pas comprendre. Pourquoi les choquer ? Après tout, je n'ai pas donné de nouvelles, à part quelques cartes postales à ma mère sans jamais indiquer mon adresse. Une dizaine de cartes en douze ans, où je ne disais rien, seulement que j'étais en bonne santé. Elles ne peuvent pas savoir. Elles ne savent ni l'humiliation du départ, ni mon application à accomplir ma vengeance. Elles ne savent pas que mon diplôme d'ingénieur, maintenant que mon père est mort, perd tout son sens. Ce n'est plus qu'un diplôme. Lui seul aurait pu jauger le poids de ce titre-là parce qu'il avait été ouvrier lui-même et qu'il aurait compris l'effort que ça représente d'en arriver où je suis Il m'aurait admiré, il aurait admis qu'il n'avait pas eu raison de se moquer de moi. Elles, elles ne peuvent pas comprendre, elles ne savent pas comment ça travaille sur un chantier. Elles sont incapables de partager ça avec moi. Alors, comme pour m'excuser de mon refus sec de tout à l'heure, j'ajoute :

— A quoi bon !

Les voilà rassurées. Elles se mettent à débarrasser la table. Elles doivent penser : Nous sommes assez mécréants dans la famille. Le cimetière, la messe... c'est pour rester correct... effectivement, ce n'est pas tellement la place d'un homme. Jeanne a le mot de la fin : tout en enlevant la nappe et en la repliant soigneusement dans ses plis, elle dit :

— Tel père tel fils.

Je ne sais pas pourquoi ça me fait plaisir qu'elle dise ça. Alors que... enfin bon... je me lève. Ernestine comme une complice me tapote le dos. Sa voix est calme pour annoncer :

— Je ferai chercher ton bagage à la gare dans la soirée, et, en attendant, tu vas reprendre possession de ta chambre qui n'a jamais servi à qui que ce soit pendant tes douze ans d'absence.

Elle me console. Je pense qu'au moins il y a eu ça : cette porte obstinément fermée à côté de celle de mon père, jour après jour, ce refus entêté, vertical et sombre, de faire ses trente-six volontés ; dans sa propre maison cette pièce aux volets clos, vacante... J'imagine l'entêtement roué d'Ernestine pour ne jamais céder ma chambre, malgré les enfants de Marianne, malgré les séjours de la parenté. Au moins, je n'aurais pas travaillé pour rien.

Je ris et j'offre mon bras à Ernestine, un peu cérémonieusement.

J'ai un caractère sérieux mais pas chagrin. Mon père était mort, il était mort. Je ne pouvais rien faire à ça, je n'allais pas me rouler dans ma déception. Car, en dehors du fait que cette mort me frustrait de ma vengeance, elle ne me touchait pas. Et puis, avec mes compagnons, j'avais appris à dominer les événements, à les assimiler, à en tirer leçons et profits.

Je n'avais plus de père et ce qui découlait immédiatement de cette constatation c'était que j'étais libre, je n'avais plus de comptes à rendre à personne qu'à moi-même, et de ça, je faisais mon affaire, uniquement mon affaire.

Ainsi, une fois passé un petit moment de contrariété, c'est une véritable euphorie qui s'est emparée de moi, et un grand plaisir de vivre. Théodule m'avait volé ma vengeance, c'est Marini qui allait payer les pots cassés... Il devait bien y avoir un problème d'héritage, de succession, comment l'avait-il résolu sans moi ? J'allais le terroriser ce gros couillon. Ah, je vais passer un bon été.

Le soir, autour de la table du dîner, quand nous nous sommes revus pour la première fois, Marini et moi, il ne savait pas comment se comporter. Il ne savait plus s'il me disait « Tu » ou « Vous ». Il ne savait pas s'il devait se conduire en aîné ou en égal. C'est qu'il avait quinze ans de plus que moi Marini, il n'était plus tout jeune. D'après ce que j'avais compris, il était le patron de l'Entreprise depuis la mort de mon père. Mon apparition bouleverserait certainement sa vie. J'étais quoi pour lui ? Un associé, un actionnaire ? Qu'est-ce que je voulais ? Il devait se creuser le ciboulot. Il ne savait rien de moi.

Nous n'avions, jusque-là, parlé que du voyage, de ma santé, des santés en général.

Après la soupe qui était bonne, avec des croûtons dorés et croustillants, comme seule Jeanne sait les faire, Marini a décidé qu'il allait jouer le rôle de l'aîné bienveillant. Et c'est d'une voix sucrée un peu condescendante qu'il a demandé :

— Alors, raconte-nous un peu, Jean-Maurice, qu'est-ce que tu fais, ou qu'est-ce que tu comptes faire ?

Il venait de passer sa serviette entre deux boutons de son gilet parce que Jeanne nous apportait les moules. Moi, j'avais envie de m'amuser. J'ai pris l'air de celui qui réfléchit avant de répondre, alors que je savais très bien ce que j'allais répondre. J'allais tout simplement dire la vérité. Mais, en le tisonnant, le Marini.

— Je vais faire mon service militaire.

Stupeur autour de la table.

— Ton service militaire ?

— A ton âge !

Moi :

— Ben, j'ai bénéficié de sursis jusqu'à maintenant.

Marini, méfiant, le ton coulant mais un peu sévère .

— Comment ça ?

Moi, humblement :

— Ben, j'ai essayé de faire des études, j'ai été étudiant en quelque sorte.

La seule personne dont je ne voulais pas me moquer, c'était ma mère, mais elle me regardait tranquillement. J'avais l'impression que la chose importante pour elle c'était que je sois là, en bon état, pas malheureux apparemment. Marini, lui, me regardait avec une sorte de méfiance mêlée de compassion et de lassitude, il devait se dire : « Qu'est-ce que c'est que ce combinard qui me tombe sur les bras ? » Et c'est avec une voix faussement amicale qu'il a laissé tomber son sarcasme :

— Eh bien, tu en as fait de longues études, Jean-Maurice.

— Oui.

— Et ça t'a mené à quoi ?

Avant de répondre je voulais m'assurer que Jeanne était là. Oui, elle était là, devant le buffet, à faire semblant de ranger je ne sais quoi pour ne pas perdre un mot de la conversation. Je voulais qu'elle entende ce que j'allais dire. C'était le moment de leur offrir mon cadeau à ma mère et à elle.

— Ça m'a conduit à être depuis dix jours ingénieur des Ponts et Chaussées.

Un obus tombant en plein milieu de la table n'y aurait pas mis plus de désordre que ma simple phrase. Jeanne pleurait de joie, Ernestine s'était levée et m'embrassait le front, mes sœurs écarquillaient les yeux, la cousine de Rochefort ouvrait tellement la bouche qu'on pouvait voir son dentier. Quant à Marini, lui, il était sidéré et son regard n'arrivait pas à prendre un équilibre. Les questions devaient rouler comme des billes dans sa stupéfaction : « Est-ce qu'il allait me chiper ma place, mon p'tit beau-frère ? Est-ce qu'il allait falloir vivre dans son ombre après avoir vécu dans l'ombre du beau-père ? Est-ce que... Est-ce que... Est-ce que c'est vrai d'abord cette histoire d'ingénieur ? »

Moi, pour river mon clou encore plus fort et pour désarçonner encore plus Marini qui allait juste remonter à sa surface, j'annonce :

— Et puis surtout, depuis deux ans, je suis compagnon charpentier. Ma canne est à la consigne, elle ne va pas tarder à arriver.

Le bonheur d'Ernestine ! La fierté de Jeanne ! La déconfiture de Marini ! Ça valait le coup !

Après on a sorti le champagne. Tout le monde s'est levé pour venir trinquer avec moi. Ernestine jubilait à sa manière, c'est-à-dire que ses yeux brillaient comme des lampions.

Une fois de retour à sa place, Marini s'est cru obligé de prononcer un discours. Il est resté debout, il s'est rengorgé pompeusement, sans se rendre compte que sa serviette maculée par la sauce des moules pendait encore de son gilet, et il a commencé à parler des mérites du travail.

Je me demande bien quel travail il a fait dans la vie celui-là, à part de séduire ma sœur et d'encaisser les héritages, celui de ses parents et puis celui de mon père...

Le voilà maintenant qui enchaîne sur le thème : bon chien chasse de race, ou quelque chose comme ça. Le fantôme de Théodule entre dans la pièce. Il ne sait plus à quoi s'accrocher, le pauvre Marini. Apparemment, il n'a pas compris et il ne comprendra jamais que, dans notre famille, il y a des sujets qu'on n'aborde pas. Tout le monde, ici, soupçonne que je suis parti à la suite d'une querelle avec mon père — à quel sujet cette querelle ? mystère. Il n'y a qu'Ernestine à le savoir et elle n'a pas vendu la mèche, alors, si, en l'occurrence, il fallait parler du patron, c'était à moi de le faire, à personne d'autre.

Aussi, à un moment où Marini reprend son souffle, Ernestine se met-elle à applaudir, coupant son gendre en pleine envolée. Tout le monde l'imite et Marini comprend qu'il a fait une gaffe... C'est pas grave.

Dès le lendemain je suis allé à l'Entreprise. J'étais très curieux de la revoir. Elle a motivé ma vie au départ, autant que ma famille. Je les confondais. Dans mon esprit nous étions tous liés à l'Entreprise et c'est autour d'elle que tournait notre avenir. Je savais qu'un jour elle serait entre mes mains, ce qui me rendait fier et craintif, car, pour ça, il fallait que je sois très capable. Mon père n'était pas avare de phrases dans le genre : « Un homme c'est pas une mauviette », ou « Tu gagneras ton pain à la sueur de ton front », ou « Pour savoir commander il faut savoir travailler. »...

Je ne suis pas passé par la rue des Récollets, comme Marini que j'ai vu partir ce matin, le ventre en avant, fleurant la savonnette. Je ne voulais pas faire une entrée de patron. Je suis passé par la porte du verger, comme dans mon enfance.

La plupart des ouvriers étaient nouveaux mais il restait quelques anciens. J'ai pensé qu'il valait mieux ne pas me faire reconnaître tout de suite. Je préférais regarder leurs ouvrages. J'ai observé les ateliers. Personne ne m'a rien demandé. J'ai découvert que l'atelier destiné à la grosse ferronnerie était devenu une briqueterie. Une innovation de Marini, j'ai pensé.

Une heure m'a suffi pour comprendre qu'il n'y avait aucun chantier important en train à l'entreprise. Rien que des poutres et des poutrelles en série, pour de la construction mineure.

Après, je suis allé vers un des charpentiers que j'avais connu dans mon enfance et je me suis présenté :

— Je suis Jean-Maurice Saintjean, tu me reconnais ?

Le vieux m'a regardé en plein visage :

— Bon sang !

— Je suis compagnon charpentier depuis deux ans.

— Tu as marché ?

— J'ai marché partout.

Il était content et pour me le prouver, il m'a flanqué

une bourrade qui m'a fait plus plaisir que tout ce qu'on m'avait donné jusqu'à maintenant.

— Sur quel chantier que t'es ?

— Je suis plus sur un chantier. J'étais dans un bureau d'études. J'ai passé des examens et je suis ingénieur maintenant.

— C'est bien.

Il m'a dit ça comme l'Ancien me l'aurait dit. Son approbation pesait le poids exact de mon diplôme : la reconnaissance d'un fameux travail.

— On aurait besoin de toi ici.

— Ça a pas l'air extraordinaire ce que vous faites.

— De la routine, de la bricole... J' me fais vieux, c'est plus l' temps de changer de place pour moi... C'est plus comme avant...

Il n'en dirait pas plus, il en avait déjà beaucoup dit et il avait compris que c'était pas la peine de me faire un dessin.

J'avais dans l'intention d'aller visiter les travaux extérieurs de l'Entreprise, mais, après cette visite, j'y ai renoncé. A quoi bon aller voir s'élever des bicoques, des petits pavillons, des écuries... pas la peine.

Ma décision s'est imposée d'elle-même, elle n'a eu aucun mal à s'installer dans mon esprit. Il n'y avait plus de revanche à prendre pour moi, plus personne ici à qui prouver que j'étais capable ; je ne revendiquerais pas la suite de mon père, j'avais autre chose à entreprendre. Ça ferait de la peine à ma mère mais je saurais m'arranger avec elle. Quant à Marini, eh bien, qu'il marine ! Il la connaîtra plus tard ma décision ; après mon service militaire. En attendant, qu'il mijote dans la trouille de perdre sa place.

J'ai fait semblant de m'intéresser à l'affaire. J'ai regardé les livres de comptes, des bilans, des devis.

C'était une toute petite entreprise de travaux publics dont la principale activité était de fournir du matériel. Elle allait bien avec Marini qui n'avait jamais su faire qu'une seule chose : vendre des briques et de la chaux. Pour m'en mêler il aurait fallu que je foute tout en l'air. Quelles complications familiales ça aurait créées ! Et puis, quel enterrement ! Non, je n'avais pas envie de ça.

J'avais beaucoup de temps libre et envie d'en profiter. C'étaient mes premières vacances depuis mon enfance. Impression d'être encore très jeune, d'être le fils d'Ernestine. Impression aussi d'être en équilibre entre deux mondes, celui des ouvriers et celui des bourgeois.

Le soir, j'allais dans la ville, du côté du port. J'avais l'habitude des bistros mais je savais que ma mère n'aurait pas aimé que je fréquente ces établissements à La Rochelle, alors je ne faisais qu'y passer.

J'ai pris l'habitude d'aller me baigner aux heures de la marée haute. Ça commençait à devenir à la mode les bains de mer. Une mode qui était arrivée jusqu'à La Rochelle où, sur les galets, derrière le port, on avait construit quelques cabines pour les baigneurs et les baigneuses.

C'est là que j'ai repéré une jeune femme très belle. Son mari était, paraît-il, un haut fonctionnaire, elle avait deux bébés que gardait une nourrice. Je n'ai pas mis longtemps à faire connaissance avec elle et, sous prétexte de lui apprendre à nager, je la voyais tous les jours. J'ai béni Ernestine et les leçons de natation qu'elle m'avait fait donner dans mon enfance. Depuis, j'ai pratiqué ce sport dès que je le pouvais, dans les rivières et sur les côtes de la France. J'aime nager. Je voyais la jeune femme barboter et s'enhardir dans l'eau un peu plus loin que les autres. C'est par galanterie et, soi-disant, pour lui éviter les dangers de la noyade que je lui ai proposé mes services de maître nageur...

On aurait dit une petite fille. Il ne nous a pas fallu longtemps pour deviner que nous avions envie de bien autre chose que de leçons de natation.

Comment faire ? J'ai loué un appartement en plein centre de la ville, là où il est normal qu'une femme aille faire ses emplettes. C'était la première femme de la « société » que je rencontrais. Dans le fond, ça n'a pas été plus compliqué qu'avec les filles faciles des Batignolles ou d'ailleurs que j'avais séduites. A peine un peu ardu, au commencement, parce que j'avais peur de ne pas savoir m'y prendre avec elle, et puis après... Je me demande même si elle n'était pas plus cochonne que les autres. Elle en voulait et elle en revoulait. On passait du bon temps. Cette femme-là avait le cul bouillant comme une chaudière.

J'en ai eu d'autres cet été-là, je n'avais pas loué ma garçonnière pour rien. Les femmes de la haute n'étaient pas farouches malgré les apparences. C'était réconfortant. En même temps je pensais que les femmes des compagnons ne se conduisaient pas comme ça. Et puis les maris... Je me disais que ce serait pas demain la veille que je me marierais.

Pendant les deux années qui suivent son retour à La Rochelle, Jean-Maurice accomplit son service militaire, il prend, en quelque sorte, de longues vacances. Incorporé dans le génie, à cause de son diplôme, il exerce pour la première fois son métier d'ingénieur tout « en accomplissant ses devoirs de citoyen ». Au début, son âge inhabituel lui évite les avanies réservées aux jeunes recrues. Puis, comme il est un ouvrier, un vrai, mais aussi un ingénieur, un vrai, ses officiers, ne sachant pas sur quel pied danser avec lui, le mettent à part. C'est ainsi que, dans je ne sais quelle garnison, il se trouve préposé à l'enseignement de la conduite des vélocipèdes ! Ses seules élèves étaient les trois filles du colonel... Ah, les femmes ! Toujours les femmes avec lui... J'ai en ma possession son diplôme de « vélocipédiste breveté ». C'est aussi au cours de son service militaire qu'il fait la connaissance de sa première automobile et qu'il obtient son « permis de conduire les véhicules à pétrole ». Petite carte rose, rangée dans le même tiroir que son brevet de vélocipédiste, ornée d'une photo d'identité sur laquelle il a un visage maigre et ce regard fixe que donnaient les éclairs de magnésium. Je possède encore une photo de mon père en uniforme, képi en tête, juché hardiment sur une très vieille voiture qui tient à la fois de la charrette et de la jeep.

A en juger par le rire qui illumine son visage sur cette image, j'imagine que cette période a dû être gaie, une grande récréation qui a duré des mois et des mois.

Mais la guerre est venue.

Cette guerre, la Grande, mon père l'avait faite au plus creux du cyclone ; dans les tranchées. De cela, ma mère elle-même n'en disconvenait pas. Il l'avait faite « comme un homme » et, dans ce cas précis, je n'avais pas à rougir de lui. C'est peut-être pour ça que je n'ai pas oublié ce qu'il me racontait. Mais, même en parlant de la guerre, il trouvait le moyen de rire...

Moi, la guerre, quand j'y entre, ça ne me change pas tellement question confort. J'ai passé plus d'années dans des baraquements de chantiers que dans ma piaule des Batignolles. Et comme, par-dessus le marché, j'enchaîne directement la guerre sur mon service militaire...

J'ai vingt-neuf ans, j'ai l'habitude de vivre avec des hommes. Je sais les commander et m'astreindre à une discipline. La discipline est nécessaire, ça ne se discute pas. La discipline militaire est bête, c'est comme ça et ça ne peut pas être autrement. Nous, dans le génie, nous n'avons pas trop à en souffrir.

A partir du moment où le front s'est stabilisé et où les deux armées, la française et l'allemande, ont dû rester face à face comme deux boucs, je peux dire que non seulement je n'ai pas quitté le front mais même que j'ai été à l'avant du front puisque, les tranchées, c'est nous qui les faisions.

Dédale, labyrinthe avec des artères principales et des artères secondaires, des carrefours, des casemates souterraines, des ramifications, des tours de guet, des entrées, des sorties. A faire rapidement et solidement dans n'importe quel terrain : argileux, crayeux, sablonneux... je crois que, depuis, je suis capable de résoudre n'importe quel problème d'étayage. Quand ça s'écroulait, c'était de notre faute. Et quand il pleuvait ça s'écroulait souvent... La gadoue était devenue mon élément. Je travaillais dedans, je mangeais dedans, je dormais dedans. J'étais habillé de gadoue. Quand on voyait arriver un gars qui avait l'air d'un tas de boue en marche, on pouvait être sûr que c'était un sapeur, un gars du génie. Nous étions en état d'alerte vingt-quatre heures sur vingt-quatre. Les rondins s'imbibaient de pluie ou d'humidité, ils pourrissaient et à un certain moment, au moindre choc, ils cédaient, laissant la terre s'ébouler sur les hommes au repos dans une casemate, ou devant les sentinelles qui se trouvaient subitement à découvert. Alors les insultes des fantassins nous tombaient dessus aussi dru que la pluie, et les officiers de tirailleurs nous menaçaient du conseil de guerre et d'être des tire-au-cul... On les comprenait, on les laissait dire. A la vérité on n'y pouvait rien, seulement remblayer et mettre d'autres rondins qui pourriraient bientôt, c'était fatal.

Les troupiers, souvent, étaient des Nord-Africains ou des Sénégalais qui toussaient sans arrêt, qui brûlaient de fièvre. Beaucoup d'hommes étaient malades, rongés par des bronchites et des rhumes qui n'en finissaient jamais. Moi je tenais le coup, j'étais habitué à vivre à la dure sous nos climats, ça me changeait pas. C'était pas rare d'en voir un s'endormir en travaillant, la pioche ou la masse à la main, debout, avec la pluie qui lui tombait dessus. Il s'en rendait même pas compte. « Eh, réveille-toi, c'est pas l' temps de dormir. » Le gars continuait à roupiller, fallait le secouer comme un prunier. Ça m'est arrivé plus d'une fois d'en faire autant.

Au cours du second été des tranchées, un colonel qui n'était pas de mon régiment a convoqué quelques hommes, presque tous des ingénieurs, comme moi. Cette réunion avait une allure mystérieuse. Elle se passait juste à l'arrière des lignes, dans une sorte de manoir réquisitionné par l'état-major.

C'était une belle journée calme et ensoleillée, on n'entendait presque pas le canon, de temps en temps des coups de feu, rien. Pas d'attaque en perspective, ni d'un côté ni de l'autre. En fait de bruit c'étaient les abeilles qui avaient pris le relais des fusils, et les mouches.

Nous n'étions pas nombreux, une quarantaine au plus. Nous nous connaissions tous peu ou prou. Le colonel nous a fait asseoir dans une salle qui avait été visiblement préparée à notre intention.

On nous a d'abord servi du café au lait avec des tartines beurrées. Je m'en souviens. Servis sur une nappe blanche. Il y avait longtemps que ça ne m'était pas arrivé. Après, le colonel nous a parlé d'une nouvelle technique de détection des pièces d'artillerie ennemies. Par le son ! c'était ingénieux et pas compliqué. Il s'agirait pour chacun d'entre nous de choisir un homme de notre section et de nous installer comme ça, deux par deux, dans des trous d'obus, entre les deux fronts, à une cinquantaine de mètres de distance les uns des autres. On allait commencer l'expérience sur un kilomètre : vingt groupes et une relève de vingt autres. Si les résultats étaient bons, on étendrait le réseau.

Chaque groupe d'hommes serait équipé d'un bidon ; une sorte de cylindre creux, en zinc, sur lequel était articulé un stylet mobile. Les bidons et leur stylet seraient reliés entre eux par un fil que nous aurions à faire courir d'un trou à l'autre. Les déflagrations des obus produiraient des ondes sonores qui feraient vibrer le fil et déclencheraient des mouvements du stylet, plus ou moins amples selon que les pièces qui tiraient seraient plus ou moins rapprochées. Ces mouvements s'inscriraient alors sur une bande de papier fort millimétré. Tout ce matériel allait nous être fourni. Connaissant la localisation de nos propres pièces il ne serait pas difficile, en étudiant les graphiques, de distinguer nos pièces des pièces ennemies, de calculer alors les distances auxquelles se trouvaient ces dernières, et de signaler leur position à notre artillerie qui les canarderait sans avoir à tâtonner. Simple comme bonjour.

Le colonel ne nous avait pas convoqués pour nous demander notre avis mais pour créer tout de suite les premières « sections de repérage par le son ». Tout cela devait être tenu secret. Nous sommes restés deux jours au manoir avec des instructeurs qui nous ont montré le maniement du matériel. C'était rudimentaire mais on voyait bien que ça pouvait être efficace.

Pour faire équipe avec moi j'avais choisi Langlois, un petit charpentier que j'aimais beaucoup, un compagnon lui aussi.

La troisième nuit nous sommes montés en ligne et nous nous sommes installés dans nos trous, établissant exactement le roulement que nous avions prévu au manoir. Nous avons organisé le premier réseau.

Là, j'ai connu l'enfer.

La relève s'opérait dans l'obscurité. Mais bien souvent elle ne pouvait pas se faire tellement ça canonnait. C'est arrivé plus d'une fois que je reste deux ou trois jours de suite dans mon trou, avec Langlois heureusement, mais avec rien à bouffer, sans pouvoir bouger, à recevoir la pluie et la terre qui nous tombait dessus en même temps que des éclats d'obus. Pendant certaines périodes c'était à devenir fou, les attaques succédaient aux attaques et le reste du temps l'artillerie donnait sans arrêt. Notre matériel fonctionnait bien mais il était fragile. Les réparations ne pouvaient s'effectuer que de nuit pour ne pas se faire repérer par les boches. Les autres trous n'étaient qu'à cinquante mètres de nous, pourtant je crois que j'ai dû faire des kilomètres à plat ventre dans la merdouille à chercher où le fil était coupé, à m'enfoncer dans la bouillasse pour ne pas être repéré à chaque fois que ces salauds — que ce soit les nôtres ou les autres — envoyaient des fusées lumineuses pour examiner les positions.

Dans les moments d'accalmie on entendait les hom mes qui chuchotaient de chaque côté de nous, dans leurs tranchées. A certains endroits les lignes étaient si proches l'une de l'autre que les soldats se parlaient entre eux, les Français avec les Allemands. J'en ai même vu qui se lançaient des cigarettes. Nous, on avait l'air de cons au milieu. Fallait pas faire savoir aux Allemands qu'on était là. Ces coins, pour nous, étaient les plus dangereux, il était presque impossible de ne pas être vus pendant qu'on réparait, on se faisait canarder comme du gibier, à bout portant, par les mêmes types qui rigolaient tout à l'heure avec les nôtres. Il fallait, pour pouvoir travailler tranquilles, que des camarades créent une diversion plus loin, simulent une attaque. Ça leur cassait les pieds, ils auraient préféré dormir, ils nous traitaient de rats, de taupes.

Après, au moment des gaz asphyxiants, ces mêmes coins d'enfer sont devenus des paradis. Les boches ne lâchaient pas de gaz par là : ils auraient tué les leurs autant que les nôtres. Alors, au moins, on n'avait pas à craindre cette saloperie.

Les sections de repérage par le son s'étaient multipliées, mais on avait toujours autant de mal à se faire relever parce que, dans nos rangs, ça mourait comme des mouches. J'ai reçu tout un tas de médailles à cette époque, la croix de guerre et la Légion d'honneur, avec des palmes et tout le bataclan... ça ne changeait pas grand-chose à ma situation. Je crevais de peur sans arrêt mais j'avais pris l'habitude de la peur comme j'avais pris l'habitude de la boue. Fallait vivre avec. Le plus terrible c'était les nuits après les attaques, quand il y avait des blessés qui hurlaient tout autour de nous. Nous ne pouvions rien faire pour eux. Et les jours de chaleur alors, quand les cadavres se décomposaient à toute vitesse... ça puait !

Et puis une nuit, dans un secteur plutôt calme, mais où il fallait porter sans arrêt le sacré masque à gaz, parce que les lignes étaient éloignées, juste après qu'on eut pris la relève Langlois et moi, un obus nous est tombé quasiment dessus. On dit que deux obus ne tombent jamais au même endroit, ce n'est pas vrai. Celui-là est tombé en plein dans le cratère où nous étions.

Le bruit et la lumière ont été si forts que je ne me rappelle que de ça, de cet éblouissement, de ce fracas. Impression d'être moi-même un feu d'artifice, de m'envoler, lumineux, et puis de m'éteindre dans le néant. L'aube est arrivée avec le début d'une fameuse attaque allemande suivie d'une contre-attaque française tout aussi fameuse. C'était plus de la pluie qui tombait mais de la mitraille et des gaz. J'ai su par la suite que j'étais resté deux jours enterré là, mais moi, sur le coup, j'étais conscient de rien. Le temps ne m'a paru ni court ni long. La terre tremblait sans arrêt, ça me paraissait normal.

Par moments j'étouffais, j'avais l'impression d'un poids énorme qui pesait sur moi, d'être enterré vivant, ça me filait les jetons. Après je me suis rendu compte que c'était Langlois qui m'était tombé dessus et ça me rassurait plutôt qu'autre chose. Je pensais qu'il aurait pu se bouger un peu et je lui disais : « Tasse-toi, Langlois. Tasse-toi, bon dieu, tu m'étouffes. » Mais il arrivait pas à bouger.

Ensuite, ceux qui m'ont secouru m'ont raconté que j'étais au fond du trou ; Langlois, mort, était littéralement couché sur moi, et par-dessus nous, il y avait des tonnes de terre. On nous avait laissés pour morts. En fait, le corps de Langlois m'avait servi d'abri, créant une poche d'air où je pouvais respirer un peu. Les copains qui ont pris notre relais dans le trou d'à côté m'ont entendu vaguement sacrer après Langlois. Ils se sont dit : y en a un de vivant là-dedans ; ils ont prévenu les brancardiers et la nuit d'après ils sont venus me chercher.

J'avais rien de cassé mais mes poumons avaient flambé. Mon masque avait été arraché au moment de l'explosion et s'il n'y avait pas eu toute cette terre au-dessus de moi et l'uniforme trempé de Langlois contre ma bouche, tout ça qui faisait filtre, je serais mort asphyxié. Tandis que là, je n'étais pas tout à fait asphyxié. Mes poumons étaient pas mal brûlés mais ils fonctionnaient toujours.

Cet événement a déterminé toute la suite de ma vie.

J'ai d'abord passé quelques jours dans un hôpital de campagne et puis on m'a transporté à Verdun dans un service de gazés. Enfin, quand mon état s'est amélioré, on m'a transporté à Bordeaux dans un hôpital militaire où n'étaient soignés que des pulmonaires.

J'avais confiance. Les différents médecins que j'avais

vus m'avaient rassuré : « Vous êtes solide, vous avez une bonne constitution. Vous garderez toute votre vie des difficultés respiratoires, mais vous vous y ferez. Il y en a qui ont perdu un œil, une jambe, ou un bras ; vous, vous avez perdu une partie de vos poumons. C'est une chance incroyable que vous ne soyez pas mort, vous vous en tirerez. »

Pour vrai j'allais mieux, je respirais mieux. Je pouvais me lever et sortir dans les jardins, au bras d'une infirmière. Je me débrouillais pour faire mes promenades accompagné des plus jolies. Au bout de quelques semaines j'aurais pu me passer de leur assistance mais je la réclamais en riant, prétextant que leur présence m'était indispensable. Elles riaient aussi, elles n'étaient pas dupes. C'était un jeu galant, bien agréable. Les infirmières entendaient nos cauchemars, elles savaient que nous avions beaucoup à oublier. Moi c'était Langlois — son souvenir — qui me pesait le plus.

Six mois plus tard j'aurais pu sortir mais je faisais un peu de fièvre le soir, je manquais d'appétit, je toussotais. Avec ce que mes poumons avaient pris, ce n'était pas extraordinaire. Pourtant ça durait un peu trop. Les médecins ont fait pratiquer d'autres analyses et on a découvert le pot aux roses : j'avais attrapé la tuberculose. Les bacilles de Koch, ce n'était pas ce qui manquait dans l'hôpital où j'étais. Beaucoup d'Africains avaient contracté la tuberculose en venant se battre en France et il y en avait plein autour de moi.

On m'a expédié vers un sanatorium de l'armée, dans les Alpes. Et là, j'ai guéri très vite. Le bon air et les soins intensifs avaient enrayé la maladie. Ouf ! je l'avais échappé belle ! C'étaient mes poumons pourris par les gaz qui m'avaient fait attraper la tuberculose, ce n'était pas ma nature. J'étais sûr que ma nature refuserait toujours cette maladie.

Toutefois, avant de rejoindre mon corps, les médecins m'avaient mis en garde : « Faites attention, Saintjean, vos poumons sont en mauvais état, vous resterez fragile de ce côté-là. Essayez de ne pas prendre froid, de ne pas entrer en contact avec des tuberculeux. Ce qui vous est déjà arrivé peut se reproduire. »

C'était entendu. Je ferais attention.

Mais j'avais trente-deux ans, on était à la fin de 1917 et j'avais envie de vivre. J'avais confiance dans ma constitution et pas l'intention de m'installer dans la maladie. J'ai refusé de me considérer comme un handicapé.

Etant donné mon dossier médical, il n'était plus question de me renvoyer sur le front, j'étais trop fragile. C'est comme ça que je me suis trouvé un beau matin avec un ordre de mission pour aller construire des hangars à dirigeables, en Algérie.

J'étais fou de joie. Moi qui avais tant envie de voyager, de connaître du pays ! Et puis j'allais dans un pays chaud, ce serait bon pour mes poumons.

Baraki, ai-je assez rêvé autour de ce nom ! J'étouffais — mais d'impatience cette fois — dans ma chambre de caserne, à Port-Vendres, en attendant un bateau. Rêves d'oasis, de palmeraies, de Sahara, de bédouins, de femmes aux yeux noirs de khôl, de la Croix du Sud dans la nuit... Rêves que j'empilais dans les beaux grands hangars que j'allais construire. Une structure uniquement métallique.

Ma vraie vie allait commencer, je le pressentais

Mon père va traverser la mer qui baigne nos racines d'Occidentaux depuis le commencement des temps. Mon père va enfin aborder ma terre natale. Le rideau s'ouvre pour lui sur la Méditerranée. Il va rencontrer les passions à vif, les sanglots, les fêtes, les larmes, les vociférations, l'alanguissement des bonheurs, les ventres chauds et vite mûris des femmes, les corps nus des enfants, les visages griffés de la mort.

Mon père débarque à Alger.

Baraki c'est tout près d'Alger.

Il arrive au début de l'année 1918. A l'époque où les mimosas et les amandiers sont en fleur, à l'époque où les grosses averses avivent le rouge de la terre, à l'époque où le ciel est bleu roi, où la mer est verte et où les sommets du Djurdjura sont enneigés. Son bateau entre dans la baie au plus creux de laquelle niche ma ville qui empile ses maisons blanches et ocre dans son amphithéâtre escarpé. Des bois d'eucalyptus, de pins et d'arbres fleuris festonnent les crêtes des falaises.

Il ne sait pas que cette ville va devenir sa ville, bien plus que La Rochelle où il ne retournera guère.

Maintenant qu'il est arrivé là c'est comme s'il venait se jeter dans mes bras.

Les hangars de Baraki, il les a construits et je les ai vus : des hangars. Ils ferraillaient au milieu de terrains que la garrigue et les mauvaises herbes avaient envahis. A ma connaissance ils n'ont jamais servi. Les différentes catastrophes survenues aux zeppelins firent changer les projets de l'armée française qui abandonna très vite l'idée d'employer des dirigeables comme engins stratégiques.

Le chemin des dimanches passait non loin de Baraki et il m'est arrivé plus d'une fois d'entendre les grandes personnes parler de l'imbécillité de ces constructions. Ma mère chaque fois précisait : « C'est Saintjean qui a construit ces hangars. » Ça faisait rire ses amis. Moi, dans le fond de l'auto, je léchais le sel que l'eau de mer en séchant avait laissé sur ma bouche.

Aujourd'hui je connais le destin de Saintjean sans connaître sa vie et j'ai le désir de moduler un long chant, une lente incantation par laquelle je dirai ma peur et mon impatience face à lui. Ma joie d'être sa fille est aussi grande que ma terreur de l'être.

De toutes les ouvertures de mon corps sortent des serpentins de cris, d'odeurs, de vibrations, de sources, de vents, pour célébrer les cérémonies des familles et les rituels des gens.

Ma peau a des millions de pores qui sont tous pavoisés. Ma bouche, mon nez, mes oreilles, mon sexe, hissent des étendards. Je vois mon corps, ainsi signalé, vibrant, vivant. Mes yeux regardent ces projections sinueuses de ma personne s'emmêler à mon père. Mes yeux nous regardent tous les deux, liés par les lacis de mes pensées, de mes projets, de mes idées, de mes rêves, de mes machinations Mon esprit constate nos solitudes inextricables.

Une fois démobilisé, je n'ai pas eu le goût de rentrer en France.

L'Algérie me plaît. J'ai à la fois envie d'y rester et de voyager. Ma santé est bonne malgré l'humidité de la ville. Mais je dois admettre une fois pour toutes qu'il m'est impossible de ne pas tenir compte de mes poumons. Pour un rien je suis oppressé, le moindre courant d'air me fait tousser, ce n'est pas rare que je me sente fiévreux. Pourtant je n'ai pas l'intention de vivre en malade.

La raison voudrait que je m'installe dans un bureau d'études. Ça ne serait pas difficile à trouver, mais ça ne me dit rien. Je suis plutôt tenté par la scierie qu'on m'a proposée, une affaire saine. Uniquement du bois de charpente. Si je l'achète je la ferai évoluer et puis je créerai un secteur de bois exotique. Je voyagerai pendant les mois les plus humides et les plus froids, j'irai en A.-O.F. et en A.-E.F. chercher de l'ébène, en Asie pour du santal, en Amérique pour de l'hickory, en Australie, au Pérou, en Russie...

En 1919 l'Algérie vit au rythme de ses moissons et de ses vendanges. Le labourage, les semailles, le sulfatage, la récolte, sont les temps forts de la vie des colons. La main-d'œuvre est gratuite, ou presque. Pour un homme entreprenant il y a tout à faire, tout à gagner ici. Jean-Maurice le sait, il n'est pas nécessaire d'être sorcier pour le savoir. Il décide de s'installer. Il est cabochard et joueur. Il a toujours misé sur ses coups de tête et sur le hasard. Jusqu'ici ça lui a plutôt réussi.

Ça ne l'empêche pas d'être sérieux. Alors, pour la scierie il commence par faire un tour d'horizon : est-ce que le projet est rentable ? Oui, il l'est. Sur place on a besoin de bois pour la construction qui reprend fort après la guerre. Quant au bois précieux, c'est simple, rien n'existe ni ici ni en France, tout est à créer. Les Français vont le chercher là où il est, au fur et à mesure de leurs nécessités. Lui, il va créer un comptoir permanent où les bois rares du monde entier seront stockés ; les Français n'auront qu'à passer commande. Il faudra quelques jours à peine aux cargos pour livrer la marchandise dans les ports de la côte française, à Marseille, à Sète, à Port-Vendres, à Port-de-Bouc... Tout est à organiser, tout est possible.

Pour quelques sous l'affaire est conclue. Depuis la mort de Théodule, Ernestine a soigneusement mis de côté la part des revenus de l'Entreprise qui revient à son fils. Ça ne fait pas une fortune mais ça lui suffira pour démarrer.

Si Théodule n'était pas mort je n'aurais jamais acheté cette scierie. Je serais rentré avenue Guitton ou bien je me serais lancé dans quelque chose de plus sérieux, de plus noble, mais aussi de plus ennuyeux. Ma scierie m'amuse comme un jouet. D'ailleurs, pour l'instant, elle n'est qu'un jouet, avec deux scies électriques. Mais, laissez-moi le temps de me retourner et vous verrez ce que vous verrez, Théodule n'en reviendrait pas.

Dans le fond je suis redevenu ouvrier mais je travaille pour mon compte, ça fait la différence.

J'aime ça arriver le matin très tôt. Mes six employés sont assis devant le portail. Enroulés dans leurs djellabas, on dirait six tas de chiffons. Ils me font le salut militaire : « Bonjour, m'sieur Saintjean. » J'ouvre la scierie. Ça sent bon. J'aime l'odeur du bois. D'abord je passe un vieux pantalon, je reste torse nu parce qu'il fait très chaud en ce moment. Et puis — je crois que c'est à cause de mes poumons — je transpire beaucoup. Je vais mettre les scies en route, j'organise le travail de la matinée avec les hommes, ensuite je vais au bureau vérifier les commandes, les livraisons. Pendant que je règle mes affaires j'entends la stridence des scies, c'est comme ça que je connais la cadence des ouvriers. Elle n'est pas assez rapide. Je leur apprendrai à décomposer leurs mouvements et à les économiser pour aller plus vite.

Les Etats-Unis me fascinent. Pendant la guerre j'ai utilisé du matériel américain et j'ai été époustouflé par la finition parfaite de ces outils de série. Depuis, j'ai acheté les livres de Henry Ford et je rêve d'appliquer ses théories, inspirées de Taylor, sur l'organisation du travail.

Quelque chose a changé en moi, quelque chose d'important. Le compagnonnage me manque. La guerre m'a séparé des compagnons. Cette séparation s'est faite sans que je m'en rende compte, parce que, dans le génie, il y avait beaucoup de compagnons et je n'avais pas l'impression de les perdre de vue, j'avais l'impression de vivre dans l'esprit des anciens. Langlois était un compagnon... Mais en fait je n'avais plus de réunions de compagnons, plus de nouvelles des uns et des autres, de mes compagnons à moi. Je pensais que tout ça rentrerait dans l'ordre après...

Après il y a eu mes poumons, les hôpitaux, le sana, et pour finir l'Algérie. Tout ça m'a isolé. J'ai écrit plusieurs fois à mes compagnons de Paris et ils m'ont répondu, mais ce n'est plus pareil...

Depuis que j'ai ma scierie j'ai essayé de me comporter en compagnon avec mes ouvriers, mais ils n'y comprennent rien. Ce sont des Arabes, ils n'ont pas du travail la même conception que nous. Ni du travail, ni de la famille, ni de l'ordre, ni de l'économie, ni du temps, ni de l'univers... Je me surprends des fois à agir comme n'importe quel patron.

Quand j'y pense : depuis que je suis ingénieur, j'ai fait mon service, après il y a eu la guerre... rien que l'armée autour de moi. C'est un hasard mais c'est comme ça. Avant j'avais les compagnons et puis tout d'un coup j'ai eu des militaires.

Il y a des jours où l'Ancien me manque. Il avait des idées sur les bons et les mauvais patrons, sur les bons et les mauvais ouvriers. Je ne crois pas que les hommes qui travaillent pour moi soient de méchants bougres. Je ne sais pas m'y prendre avec eux. Par moments je ressemble à Théodule... Tant pis, je fais ce que je peux.

A la vérité, ce qui m'intéresse c'est que mon affaire marche, qu'elle fructifie. J'ai pas foutu le camp de chez moi à quinze ans, et trimé comme un fou, et mangé de la vache enragée pendant des années et des années, pour finir par avoir une petite scierie que je dirigerai comme un émule de Baden-Powell. C'est pas mon idéal. Ce que je veux c'est une usine, une grosse usine... et voyager.

En 1920, aux colonies, c'est la belle époque. Les Français jouissent de la victoire. La métropole boit du vin d'Algérie, elle a besoin du fer de l'Ouenza, des phosphates de Tébessa. Ça roule pour la colonie, les colons font de l'argent ! Les hommes, couverts de médailles, sont repartis pour un nouveau siècle de colonisation, et les femmes sont belles.

Belles !

Belle ! Jean-Maurice n'a jamais rien vu de si beau que Mimi Lacombe ! Une jeune fille avec une masse de cheveux ondulés blond-roux, sagement coiffés en chignon, des yeux verts, une peau blanche piquetée de taches de rousseur. Il aime ça les rousses, l'odeur des rousses. Elle est lumineuse, incandescente et pourtant réservée, très réservée. Elle va avoir vingt ans, presque une petite fille encore.

Jean-Maurice cherche des associés.

La scierie est partie en flèche. Déjà il a acheté six nouvelles scies. Maintenant il lui faut un terrain et démarrer en grand, créer son comptoir de bois précieux. Il lui faut de l'argent. Il faut qu'il trouve des capitaux et qu'il fonde une société.

L'or, ce n'est pas ce qui manque dans les coffres des colons méfiants. Mais ce sont des culs-terreux, des besogneux, des paysans, pas des hommes d'affaires. Ils ne connaissent que la terre et n'investissent que dans la terre. Le business n'est pas leur fort. Le charme et les avantages de Jean-Maurice ne jouent pas sur eux.

Heureusement pour lui (ou malheureusement...) il fait la rencontre de M. Lacombe. Un Français de France, un ancien inspecteur des douanes, qui a épousé une riche héritière d'Algérie. Avec lui on peut causer, il n'a pas la mentalité des colons, et il dispose de la grande fortune de sa femme qui est une jouisseuse et une joueuse, qui brûle la chandelle par les deux bouts. Elle ne parle que de tables de baccara, d'opéras, de villes d'eau, des grands couturiers, des modistes parisiens et de restaurants à la mode. C'est une personne rieuse, vive, amoureuse de son mari. Elle ressemble à ses éventails parfumés qu'elle ne cesse d'agiter, d'ouvrir et de fermer. Comme eux elle est multiple, colorée, parfumée, amusante, rafraîchissante.

Drôle de monde. Jean-Maurice séduit mais il est séduit à son tour. Et puis cette Mimi, leur fille, comme elle est belle !

M. Lacombe, quant à lui, classe les hommes selon leurs diplômes. Probablement parce que les siens, quoique honorables, ne sont pas très brillants... Celui d'ingénieur des Ponts et Chaussées l'enchante. Bien sûr, ça ne vaut pas Polytechnique, mais c'est presque aussi bien. « En tout cas ça vaut Navale », assène-t-il à sa femme qui en pince pour les marins... Elle, elle ne voit que l'uniforme et les bals qui se succèdent à l'amirauté ou au palais du gouverneur, chaque fois qu'un bâtiment de la Marine nationale mouille dans le port d'Alger. Et ça n'arrête pas !

Des robes du soir, elle en a cinquante, et plus. Sans compter celles de Mimi qui viennent maintenant s'ajouter aux siennes. Il y en a plein une immense penderie qui tient tout un côté de la lingerie, une penderie à six portes, uniquement pour les vêtements de réception !

Après tout, ça la regarde, c'est son argent qu'elle dépense. Tout de même, les bals c'est bien beau, mais ce n'est pas avec ça qu'on entretient une fortune. Et, justement, c'est le rôle de M. Lacombe, la gestion de la fortune de sa femme. Alors, de temps en temps, il élève le ton pour freiner le gaspillage : « Si ça continue, nous coucherons sur la paille ! »

La fortune de Mme Lacombe est uniquement composée de vignobles. Or l'agriculture ne passionne pas son époux. Lui, il est un citadin. Il met un pince-nez parce qu'il est myope comme une taupe. Ses cheveux frisés sont séparés en deux par une raie au milieu et forment des touffes ailées au-dessus de son grand front. Il est long, mince, il porte bien l'habit. Il a souvent des gilets blancs et des vestes un peu longues qui le font ressembler à Paganini, ou à D'Annunzio...

Toute la ville d'Alger connaît son grand nez fin parce que sa femme raconte à qui veut l'entendre : « Moi, j'ai toujours rêvé d'avoir un mari avec un certain nez. C'était tout ce que je demandais à un homme : ce certain nez... J'étais prête à l'attendre le temps qu'il faudrait. Au besoin je ne me serais pas mariée. Et puis un jour, à un bal du gouverneur, j'ai vu entrer le nez. J'en suis tombée follement amoureuse et j'ai épousé celui à qui il appartenait. C'était Louis ! »

Les gens rient de bon cœur en entendant cette histoire, mais ils ne se moquent pas, car les Lacombe forment un couple amoureux et généreux qui reçoit beaucoup et bien. Ils roulent victoria et viennent d'acheter une magnifique automobile, une limousine noire avec un tableau de bord en citronnier, une voiture qui sent le cuir quand on y pénètre. Ils ont, pour aller avec l'engin, un chauffeur, Kader, qui arbore l'uniforme de sa nouvelle profession : une longue blouse blanche au col et aux revers bleus, ainsi qu'une casquette à longue visière qu'il enlève pour ouvrir les portières. Ils dépensent sans compter, les Lacombe... Il n'y a pas de raison pour qu'ils ne le fassent pas, l'argent ce n'est pas ce qui leur manque, et pourquoi viendraient-ils à en manquer ? Aucune raison pour que la vigne cesse de donner des grappes sur les milliers d'hectares de leurs terres.

Jean-Maurice n'a jamais connu ça. Même chez lui, à La Rochelle, où l'aisance matérielle était large, il n'a jamais vu un luxe pareil, une si grande facilité à dépenser, une telle insouciance de la valeur des choses.

Ce qui rendait stable l'économie de sa famille c'était l'épargne, les comptes mille fois faits et refaits, les budgets serrés.

Quel bouleversement dans sa vie ! Sa solitude est envahie par de nouvelles règles, de nouveaux codes. Par où les prendre ? Qu'en faire ? Ah, il est loin du compagnonnage ! Il est attiré d'abord et pour finir il plonge, sans trop s'en rendre compte, dans la vie créole.

Il constate qu'il a du charme et il en profite. Il s'adapte sans mal aux manières d'ici. Il doit paraître. Finies les garçonnières de jeune homme et les piaules d'ouvrier. Il loue un grand appartement au 24 de la rue Michelet, en plein centre élégant de la ville. Et il s'habille ! Il découvre qu'il aime ça, s'habiller. Il se fait faire des costumes, il commande des chemises de soie marquées à ses initiales ; il choisit des cravates, des chaussures, des mouchoirs... ! Il n'en revient pas de voir son magnifique reflet dans la glace à trois faces qu'il a installée dans sa salle de bains.

Il s'inscrit au Raquet'Club, le club sportif du gratin algérois. Il est encore un athlète malgré ses trente-cinq ans et ses poumons brûlés. Mais de cela, de ses poumons, il ne dit rien à personne, c'est une tare inavouable. La guerre s'éloignant, il sait qu'il sera de moins en moins un héros et de plus en plus un malade... Dans ses tenues de flanelle blanche il devient vite la coqueluche des dames et le partenaire recherché des messieurs. Il joue très bien au tennis. Et il apprend à jouer au bridge. Consciencieux comme il l'est il achète des manuels : *Comment pratiquer le bridge, le Bridge en cinquante leçons et cent exercices...*

C'est M. Lacombe qui a obtenu l'admission de Jean-Maurice au Raquet'Club. M. Lacombe en pince pour cet ingénieur français. Et, dans la soirée, après avoir admiré comme tout le monde les exploits de Jean-Maurice sur le court central, il se passionne pour les projets de la grande scierie et pour le comptoir de bois précieux dont le nouveau champion du club l'entretient. Voilà un homme qui a de l'avenir ce Saintjean, et quel travailleur ! Il visite la scierie, c'est une belle petite entreprise en plein essor. La réussite s'y sent à plein nez.

M. Lacombe n'est pas un gentleman-farmer, il est un homme de bureau. Maintenant qu'il prend de l'âge et que les opéras européens perdent de leur attrait parce qu'il les connaît trop, il aimerait bien tâter des affaires, affaires sérieuses, affaires d'hommes, qui ne sentiraient pas la vinasse. L'avenir de Saintjean le tente. Il le reçoit de plus en plus souvent chez lui. Il a son idée derrière la tête...

Mimi Lacombe m'attire et je ne sais pas résister à cette attirance que je trouve, pourtant, anormale. Je ne comprends pas ce qui me prend. Oui elle est belle, oui elle est jeune, oui elle est riche, oui elle est pure, oui elle est innocente, oui elle est sage, oui elle est fine, c'est beaucoup et ça devrait constituer une réponse suffisante aux questions que je me pose sur la fascination qu'elle exerce sur moi… eh bien non, ça ne me suffit pas, il y a quelque chose d'autre, quelque chose de pas normal, quelque chose de lourd dans le désir que j'ai d'elle. Quelque chose de morbide. Voilà, le mot est lâché, je tourne autour de lui, je le refuse, je ne veux pas l'exprimer et pourtant je suis bien obligé d'admettre que plus j'aime cette jeune fille, plus je pense à la mort. Pourquoi ? Parce que j'approche de la quarantaine et qu'elle n'a pas vingt ans ? A cause de mes poumons, de ma tuberculose ? Je ne sais pas. Il y a plus que ça. Impression absurde que ce n'est pas moi qui porte ma mort, que c'est elle qui la porte. Je suis insensé. D'où me vient cette impression ? Je suis fou. Mimi me fait bander comme aucune femme ne m'a jamais fait bander.

Hier j'étais en discussion avec son père, dans le salon, chez eux. Il faisait chaud, les portes-fenêtres étaient ouvertes et les persiennes à moitié tirées. Elle est arrivée par le jardin. Elle portait une brassée de longues fleurs. Elle aime les fleurs, elle en raffole. Chaque fois que je viens chez les Lacombe, j'en apporte un bouquet mais je n'ai pas l'impression qu'elle apprécie les fleurs que j'achète. Je vais pourtant chez Mme Philipard, la meilleure fleuriste de la ville, et je choisis toujours les fleurs les plus chères : des roses, des glaïeuls, des œillets, des lilas, selon la saison...

Elle est donc arrivée avec ses fleurs plein les bras, elle a ouvert en grand les volets. Elle était à contre-jour. Elle ne savait pas que nous étions là et elle a été surprise par notre présence. Elle portait une capeline blanche qui n'était pas en paille mais en tissu raide et transparent si bien que son visage paraissait à la fois éclairé et voilé. Elle avait une robe légère, à bretelles, verte, ses bras nus étaient pleins de taches de rousseur. Et des sandales. La transpiration collait sur sa nuque et ses tempes de courtes mèches ondulées plus sombres que ses boucles rousses qui moussaient sous son chapeau. Elle restait comme ça dans le soleil, sans bouger, je voyais les formes de son corps à travers le tissu de sa robe. Pendant un instant on n'a plus entendu que les cigales. J'avais tellement envie d'elle que j'en ai éprouvé un malaise. Je crois qu'elle a senti mon désir parce qu'elle s'est mise à rougir. Elle a baissé les paupières. Elle a pris un air perdu, effrayé. Son père a dit :

— Eh bien, entre, Mimi, ne reste pas comme ça en plein soleil. C'est M. Saintjean, tu le connais. Tu ne nous déranges pas.

Elle est entrée, elle est venue vers moi, elle m'a tendu la main et m'a salué d'une petite révérence, comme si j'étais un vieux monsieur. Elle semblait éperdue et moi j'étais gêné tant je bandais, tant j'avais l'impression que tout le monde le voyait. Sa lèvre supérieure était couverte de petites gouttes de sueur…

Ensuite elle a traversé le salon et elle est partie dans la maison. Son père a dit en riant :

— Il me semble que ma fille ne vous déplaît pas, mon cher Saintjean.

J'étais sous le coup de cette vision, de ce passage. L'émotion était grande et me rendait fragile, vulnérable. Je ne sais pas ce qui m'a pris ; mon être entier était secoué par Mimi, mon esprit autant que mon corps. J'ai craint que le père, ne voyant que mon trouble extérieur, me prenne pour un salaud. J'ai pensé ça du père, parce que je pensais ça de moi-même : un salaud, un bouc, un obsédé, un vieux beau… Alors, comme pour m'exorciser, comme pour faire entrer cette anomalie dans les normes, j'ai dit :

— Si vous m'y autorisiez, je lui ferais la cour… je me permettrais de vous demander sa main… j'aimerais l'épouser.

Comme ça, tout à trac, alors que je ne m'y attendais pas moi-même, que je ne m'étais pas préparé à cette demande en mariage. On aurait dit que c'était un automate qui répétait ces phrases toutes faites. Ce n'est pas que je ne voulais pas les dire, non, je voulais les dire. Mais je ne savais pas que j'allais les dire à ce moment-là, ce jour-là ; elles me surprenaient moi-même.

M. Lacombe a ri, ou plutôt il a eu une sorte de gloussement :

— Je prévoyais un peu votre déclaration, mon cher Saintjean… je ne la rejette pas. Il faut y réfléchir. Il faut que j'en parle à ma femme… Evidemment il y a la différence d'âge, mais cela n'est pas grave… Il y a plutôt votre situation… Vous imaginez facilement, mon cher Saintjean — et je ne désire pas vous blesser en disant cela —, que ma fille peut prétendre aux meilleurs partis de la ville et même d'ailleurs. Mais... euh... enfin... laissez-nous réfléchir... Vous avez fait les Ponts et Chaussées, c'est un atout sérieux...

Je le trouvais couillon. Un vrai couillon. Ses deux touffes de cheveux frisés en haut du crâne, ses moustaches en guidon de vélo, son binocle qui pendait au bout d'un cordon de soie. Un beau-père d'opérette !

Je me passais la corde au cou sans même comprendre pourquoi. Et le mieux, c'est que j'en avais envie.

J'attends et j'appréhende la réponse des Lacombe. D'une part je suis fou de peur à l'idée de ne pouvoir épouser Mimi. D'autre part, si ma demande est acceptée, j'ai l'impression qu'une ère difficile commence pour moi, quelque chose qui m'effraie, que je crains, je ne sais pas quoi.

A la vérité il y a une tromperie dans toute cette histoire. Un mensonge que j'entretiens, dont je ne veux pas envisager les conséquences : ma maladie, la tuberculose...

Le professeur Capucci qui me suit à Alger est formel : « Vous avez une forme latente de tuberculose, avec de longues périodes de rémission. Mais, tôt ou tard, vos bacilles de Koch reviennent, vous ne pouvez rien faire contre ça. — Est-ce que je suis contagieux ? — Dans ces périodes-là, vous l'êtes, vous devez prendre des précautions sérieuses. — De quel genre ? — Toujours les mêmes, vous les connaissez : repos importants, examens fréquents, ne pas laisser à la portée des autres les cuillères, les verres, les fourchettes, les mouchoirs, dont vous vous servez... et puis, avec les femmes... dans vos rapports privés... — Quoi ? — Eh bien, imaginez... votre salive... faites attention ! »

Et moi qui viens de demander la main de Mimi Lacombe. Elle si jeune, presque une enfant, tellement innocente !

...

Mgr Leynaud en personne a célébré la messe du mariage de Mimi avec Jean-Maurice et il a transmis aux jeunes époux à peine unis la bénédiction papale.

Grand jour donc.

Les Lacombe ont loué tous les salons de l'hôtel Saint-Georges ainsi que ses jardins afin de recevoir somptueusement le Tout-Alger au « déjeuner intime », puis au cocktail suivi d'un bal et d'un souper.

Jean-Maurice n'a invité personne de sa propre famille. La Rochelle est trop loin pour lui, depuis trop longtemps... Il a prétexté le grand âge de sa mère (Ernestine n'est pourtant pas si vieille) et la difficulté insurmontable que représenterait pour ses sœurs, surchargées de famille (Marguerite n'est même pas mariée...), un tel voyage. Les Lacombe n'ont pas insisté. Ils ne tiennent pas tellement à recevoir ces Français de province, probablement godiches et mal attifés. A vrai dire Jean-Maurice n'a prévenu personne. Il entre seul dans cette vie, absolument seul. Pourquoi fuit-il les siens ?

Il ne renie pas son passé et, même, il aime son passé plus que jamais, mais son passé ne va pas avec le présent ; il ne désire pas les mêler. Pourquoi ? Il ne le sait pas, il ne le comprend pas. Il n'a aucune honte, au contraire, de ce qu'a été sa vie. Mais voilà, il y a la maladie, cette sale maladie. Personne ne sait, ici, qu'il est tuberculeux. Alors il lui semble qu'en se coupant de ceux qui sont au courant, il se coupe de la maladie elle-même, il la nie. C'est que la tuberculose, même attrapée à la guerre, ce n'est pas comme une jambe coupée ou même une gueule cassée, elle est plus répugnante, elle fait peur, elle est dangereuse. Motus, donc, et bouche cousue...

Il s'est fait faire une jaquette à Paris et il a découvert, ravi, devant sa glace à trois faces, que ce vêtement lui va bien. Décidément, Jean-Maurice est élégant, c'est une chance.

Les dernières semaines se sont écoulées interminablement, rongées pourtant par une hâte anxieuse. Il n'a pas d'amis, il n'a pas eu le temps de s'en faire. Seulement quelques relations d'affaires, quelques connaissances de tennis ou de bridge. Son seul confident, la seule personne avec laquelle il peut parler est son médecin. Il va le voir souvent. Il reste longtemps avec lui. Pour l'instant sa santé est bonne : il n'a pas de bacilles de Koch. Mais la caverne de ses poumons ne se referme pas. Ses bronches sont brûlées, racornies, durcies, ravagées par les gaz, les tissus de ses poumons n'ont plus aucune souplesse. Il y a peu d'espoir pour que, dans de telles conditions, le trou se comble et se cicatrise.

Certains soirs il en pleure, c'est pas d' chance.

Il pense à tout ça, il ne peut pas s'en empêcher, tandis que Mimi, recueillie, à côté de lui, murmure les répons de sa messe nuptiale. Lui, est tout à fait incapable d'une telle pratique. Il n'a jamais fait l'enfant de chœur, jamais fréquenté aucun patronage. Son ignorance des rites qui se déroulent devant lui, jointe à son appréhension du futur, le rendent encore plus réservé, plus sérieux. Il est ému. L'assistance le remarque et en est touchée, parce qu'elle interprète cette émotion comme une marque d'amour, de ce bel amour qui se dessine avec deux pigeons roucoulant sur la même branche, ou avec une chaumière, à la cheminée fumante, inscrite dans un cœur, de ce bel amour qui se chante et s'écrit avec des toujours et des jamais et des je t'aime.

Jean-Maurice est pourtant loin de ça. Il est en proie à une peur profonde, essentielle, qu'il n'a jamais ressentie auparavant ni sur les chantiers les plus dangereux où il a travaillé, ni même au plus terrible de la guerre. Cette toute jeune fille blanche auprès de lui, qui est en train de devenir sa femme, il en a une crainte qui ressemble à de la panique.

Il fait semblant de marmonner avec elle, il regarde le remue-ménage incompréhensible des diacres, des sous-diacres et des archidiacres, l'archevêque, avec sa crosse, qui va s'asseoir sous son dais et se relève pour officier. Et chaque fois il faut qu'on lui remette sa mitre et qu'on la lui enlève. Chaque fois il faut que ses servants la plient comme un accordéon ou arrangent les deux pans brodés qui tombent dans son dos. Quelle affaire ! Et lui, Jean-Maurice, avec son habit neuf et son huit-reflets — dont il ne savait pas quoi faire tout à l'heure — qui lui ont coûté les yeux de la tête ! Qu'est-ce que c'est que cette mascarade dans laquelle il entre ? Tout ça uniquement pour avoir le droit de s'enfoncer ce soir dans le corps de cette femme-lys voilée de dentelles, habillée de satin, chaussée de satin, gantée de satin, couronnée d'oranger ! Uniquement pour pouvoir pénétrer dans cette candeur, dans cette pureté, dans cette nacre !...

Le voilà qui bande maintenant ! Il ne manquait plus que ça.

Ah ! retrouver l'enfance, la protection de la mère, se cacher dans son ventre, échapper à tout ça ! Retrouver les compagnons, leur monde de garçons, leur amitié brutale !

Toute la journée de Jean-Maurice passera dans cette

absurdité faite du bonheur de posséder bientôt Mimi et de la frayeur que lui inspire cette possession. Il n'en revient pas de l'intimité qui s'installe entre eux deux. Il a suffi de cette cérémonie pour qu'elle cesse d'être la fille de ses parents et devienne sa femme. Maintenant, dans les salons caquetants et fleuris, sur les terrasses ombragées par les palmiers, pour un oui ou pour un non, elle vient vers lui, lui fait une confidence, le prend par le bras en un geste d'abandon, lui donne à garder un objet qu'on vient de lui offrir, repart et toujours revient vers lui.

Il a l'impression que la fièvre lui monte à la tête, que ses poumons vont éclater. Chaque fois qu'elle le rejoint il a envie de l'entraîner dans un bosquet du jardin, qui sent le jasmin et les roses thé, et de lui dire : « Mimi, je suis tuberculeux. Mimi, j'ai seize ans de plus que vous. Mimi, je suis un enfant. Mimi, je sens que vous êtes plus forte que moi. » Mais il ne le fait pas. Au contraire, il parade, il pérore, il charme et il protège sa jeune femme du regard, de la main, du bras, de la parole. Il faut que tout le monde ait l'impression que la petite a trouvé un mari fort et beau qui saura aussi la garder comme un père garde son enfant...

Enfin seuls !

Les Lacombe ont mis leur nouvelle voiture à notre disposition pour notre voyage de noces. Dans deux jours nous partons pour l'Italie et ce soir nous allons chez moi... chez nous.

Quelle réserve tout à coup entre Mimi et moi, quelle pudeur ! Elle est allée se changer dans une des suites de l'hôtel louées pour que les dames et, éventuellement, les messieurs de la famille, puissent se rafraîchir, se reposer, ajuster leurs maquillages ou leurs toilettes. J'en ai profité pour me changer aussi.

Nous venons de filer à l'anglaise.

Tout s'est déroulé ainsi que le veulent les traditions.

Cette situation est intimidante. Au moins je conduis, c'est déjà ça de pris, ça me donne une contenance. Cette machine que je manipule comme il me plaît me distrait et me rend confiance. Mimi apprécie beaucoup le fait que je sache conduire une automobile. Voilà au moins une faveur que je devrai à l'armée. J'y ai perdu mes poumons mais j'y ai gagné mon permis de conduire... L'un compense l'autre... Enfin... mieux vaut prendre l'histoire comme ça... Bon, passons.

Et puis, heureusement que ma belle-mère qui pense à tout, mais surtout à la « fine gueule » comme elle dit, m'a fait livrer du champagne — la meilleure année de Dom Pérignon, paraît-il — que j'ai mis à frapper depuis ce matin ; j'ai besoin de me griser un peu. Cette journée m'a éreinté. Quel charivari, quelle agitation, quelle pagaille !

A quoi pouvait penser mon père tandis qu'il emmenait Mimi pour leur nuit de noces ? Ma mère a, plusieurs fois, fait allusion à cette nuit devant moi. Chaque fois elle lançait une sorte d'anathème : « Quelle horreur ! »

Une vierge ! Je n'ai jamais eu de vierge dans ma vie. A priori, je ne suis pas comme certains que ça attire, moi, ça me flanquerait plutôt la trouille. Oui, dépuceler Mimi, ça me fait penser à mon propre dépucelage et ça me flanque la trouille, il n'y a pas à dire...

... Le bordel à Amsterdam. On avait terminé un chantier à la frontière belge. C'était l'hiver. Je ne sais plus très bien comment je me suis trouvé embarqué dans cette expédition. Un chargement de briques, je crois, qui faisait l'aller et retour... La Hollande ! J'avais envie de voir... il gelait à pierre fendre.

... Des bordels, il y en avait des rues entières dans ce port, avec des femmes en devanture, comme à l'étalage.

Ce n'est pas moi qui l'ai choisie, c'est elle qui m'a choisi. On était tous ensemble, les camarades. Ils rigolaient. Moi, j'osais même pas regarder. Mais je voulais y aller, j'en éprouvais le besoin. Le besoin, pas le désir. Quelque chose comme un besoin de chier qui s'imposait à moi et ne me questionnait pas sur mon désir, c'était impératif.

Je ne sais même plus comment elle était. Ni jeune, ni vieille, ni belle, ni laide. Une femme. Ça n'a pas duré plus de cinq minutes en tout et pour tout.

J'avais dix-huit ans... depuis le temps que j'avais envie d'entrer dans un trou... quand j'y pense ! Je me rappelle pas comment ça s'est passé. Je ne comprenais même pas ce qu'elle racontait. Elle m'a aidé, elle m'a guidé, c'était pas compliqué. J'ai commencé à la scier comme si j'avais fait que ça toute ma vie. En même temps que je la tringlais comme une locomotive, en même temps que la jouissance montait sans même me faire plaisir, j'avais une douleur, un déchirement dans la bite. Et puis j'ai joui. Et j'avais honte que ce soit ça jouir dans une femme. Quand je me suis retiré j'étais plein de sang, c'était horrible. La bonne femme a vu ça, elle a attrapé mon zizi, comme si c'était une andouillette, elle l'a inspecté. J'avais envie de lui foutre des baffes. Elle a découvert la cause de cette hémorragie et elle jargonnait en me montrant une plaie qui s'était faite sous mon gland (après, à l'armée, j'ai appris que j'avais un phimosis et que je m'étais opéré tout seul ce soir-là !).

En riant, elle s'est mise à lécher mon sang, je crois que je lui plaisais bien, moi, ça me faisait rebander et ça me dégoûtait. Elle s'amusait... Je l'ai envoyée balader, je me suis reculotté en vitesse, j'avais réglé ma passe, je suis sorti.

Dehors, il faisait un froid terrible, le canal était gelé. Je m'en souviens. Le froid plus l'émotion, un grand dégoût est monté en moi et j'ai dégueulé, la tête appuyée contre le mur d'une maison. Je renvoyais toute cette cochonnerie, toute cette déception. Après, je me suis mis à marcher et tout le temps je pensais : c'est qu' ça, c'est rien qu' ça !

Par la suite ça s'est arrangé, heureusement. J'ai rencontré des filles gentilles qui y mettaient du sentiment. Petit à petit je me suis mis à vraiment aimer les femmes, j'ai aimé leur faire l'amour.

Il enlève une de ses mains du volant et, tout en conduisant, dans l'ombre, il cherche la main de Mimi qui se laisse prendre. Oh, le bonheur !

Une fois rendus chez eux, Mimi se conduit comme une maîtresse de maison accomplie. Son premier geste est d'envoyer au lit les quatre sœurs qu'elle a engagées comme servantes. Elles attendaient avec curiosité et s'empressaient autour d'eux.

« Un peu d'intimité », a-t-elle dit sérieusement une fois les sœurs expédiées dans leurs chambres. Elle est charmante. Jean-Maurice l'aime à la folie. « Je vais chercher du champagne », annonce-t-il en riant et en baisant les mains de sa petite femme. Elle rit aussi.

Pour l'instant tout se passe comme dans les romans, comme au théâtre. Mimi en est satisfaite.

Ils se mettent à leur aise ; Mimi ôte la veste de son tailleur de lin rose. Jean-Maurice, quant à lui, passe sa veste d'intérieur, cadeau de sa belle-mère — encore elle —, en soie sauvage couleur rubis, avec des revers, des manchettes et une ceinture noirs. Mimi en profite pour défaire son chignon ; ses cheveux blond-roux moussent sur ses épaules et autour de son visage. Elle est belle.

Ils sont beaux.

Jean-Maurice verse le champagne dans deux coupes et lui-même se met à faire le Russe, soi-disant, c'est-à-dire qu'il avale d'un trait le contenu de sa coupe. Normalement, ensuite, il faudrait qu'il la jette par-dessus son épaule, mais comme il s'agit d'une pièce du « magnifi que service en baccarat » offert par la marraine de Mimi, il se contente de pousser un « olé » pas très slave quand tout est bu. Mimi, elle, sirote son champagne comme il sied à une jeune femme bien élevée. Jean-Maurice expédie une deuxième, une troisième, une quatrième coupe à sa manière russo-ibérique. Il est en pleine forme.

Mimi, au fond de son fauteuil, est en train d'imaginer l'installation des derniers cadeaux, reçus in extremis ce matin même.

— Nous mettrons sur cette table la lampe de Gallé que Mme Brantôme nous a offerte. Vous ne trouvez pas qu'elle ira bien là ?

Jean-Maurice est d'accord. Il s'est découvert récemment un goût prononcé pour la décoration, il cligne de l'œil droit, fait mine d'estimer l'effet que produira la lampe à cet endroit... En fait, il est de bonne humeur et a envie de s'engager dans une situation plus sérieuse :

— Et si nous passions au « tu », ma Mimi, tu ne trouves pas que nous serions plus à notre aise ?

Mimi n'avait pas envisagé cette éventualité. Elle ne tutoie que ses frères et quelques amies d'enfance. Les couples qu'elle connaît se disent « vous ». Est-ce que, entre eux, seuls, ils se disent « tu » ? Elle n'en sait rien En tout cas elle n'a pas envie de cette familiarité. Ne sachant pas répondre, elle se pince un peu.

Jean-Maurice vient s'asseoir sur le bras du fauteuil où Mimi est installée. Il prend le visage de sa femme dans une de ses mains : « Nous n'allons pas continuer les salamalecs, tu es ma femme maintenant, Mimi. » Il se penche vers elle, il va… non, il ne peut pas l'embrasser… alors, il secoue son menton. Puis, tout à coup, il glisse sa main libre dans l'échancrure du corsage où il découvre un joli sein ferme. « Depuis le temps que j'avais envie de toucher ces petites cailles que cachent si bien tes robes », dit-il, hilare.

Mimi n'aime pas ça ; d'après elle, son mari ne devrait pas se tenir comme ça. Elle ne sait pas exactement comment il devrait se tenir mais sûrement pas de cette manière. Un gentleman ne se conduit pas ainsi, elle en est certaine bien qu'elle n'ait jamais rencontré un gentleman de sa vie… En même temps, son instinct lui dit qu'elle est entrée dans le processus du mariage à proprement parler, dans ce secret si bien gardé, dans ce mystère auquel sa mère a fait allusion tout à l'heure quand elle a chuchoté, au moment du départ : « Laisse-toi faire, ce n'est qu'un mauvais moment à passer. » Mimi, surprise, l'a interrogée du regard, mais sa mère n'a rien dit d'autre et elle a détourné les yeux.

Elle est décontenancée par le comportement de Jean-Maurice. De l'amour, elle ne connaît que ce que lui ont appris les poèmes de Marceline Desbordes-Valmore ou ceux, un peu plus lestes, de Paul Géraldy. Elle a lu aussi quelques romans édifiants ou à l'eau de rose, tout ce qui, en fait de littérature, est autorisé à une jeune fille bien élevée. Là-dedans, elle n'a jamais vu un homme s'emparant carrément du sein d'une femme, et en riant par-dessus le marché... D'autre part, il y a dans sa mémoire, flottant dans une eau trouble et repoussante, quelques plaisanteries de ses frères et des réflexions entendues à droite ou à gauche, invraisemblables, ignobles, et pour lesquelles pourtant elle a éprouvé de la curiosité. Mais ce sont là des souvenirs qu'elle n'aime pas et qui l'effraient.

D'un geste brusque, comme si la main de Jean-Maurice était un crapaud, elle la repousse et se lève pour se tenir debout, raide, devant la cheminée.

Jean-Maurice se dit que les vierges sont charmantes mais que ce n'est pas facile de s'y prendre avec elles. Il n'a rien fait ni dit de méchant. Simplement il rendait hommage aux seins de Mimi, voilà tout. Elle est farouche, sa petite épouse, elle est merveilleuse.

Deuxième bouteille de champagne. Jean-Maurice n'a pas l'habitude de boire, il n'aime pas ça. Mais ce vin-là lui fait du bien et le rend gai. Pour du bon champagne, c'est du bon champagne, elle avait raison, la belle-mère... Que Mimi est désirable comme ça, effarouchée, devant la cheminée, avec le feu qui bouge entre ses chevilles minces.

Il s'avance vers elle la bouteille à la main.

— Bois un peu, Mimi, détends-toi. Laisse-toi faire, fais-moi confiance.

Elle accepte de prendre un peu plus de champagne, elle a très peu bu. Elle voudrait que les choses aillent bien et elle est prête à faire certaines concessions. Et puis son mari vient d'employer la même formule que sa mère : « Laisse-toi faire. » Jean-Maurice et sa mère sont des personnes qui ont de l'expérience et qui l'aiment, qui ne peuvent pas lui vouloir de mal, elle doit les écouter.

Elle n'est pas contente d'elle en ce moment et c'est avec un ton volontairement soumis qu'elle dit :

— Vous avez raison, je vais reprendre un peu de champagne. Cette journée m'a rendue nerveuse.

Pourtant cela ne suffit pas, alors elle ajoute avec un air de petite fille coquine :

— Mais je ne sais pas où est ma coupe... trouve-la.

Jean-Maurice est tellement heureux de ce tutoiement que, du coup, il a les larmes aux yeux, il la prend dans ses bras, il la berce : « Ah, ma Mimi, ma Mimi ! » Il la serre contre lui, très fort : « Ma Mimi, ma Mimi. » Il se colle à elle, il voudrait l'englober, l'enrober, la laquer de lui. Qu'elle entre dans sa structure, qu'il l'absorbe, qu'elle soit lui. Il lui fait des petits baisers dans la nuque, à la naissance des oreilles, sur les paupières, sur les narines, sur le menton au coin des lèvres... pas trop. La bouche, la bouche ! Les lèvres. Attention ! Les lèvres qui s'ouvrent. Y pénétrer ! Jean-Maurice ne le peut pas. Ça l'exaspère, quel supplice. Il lâche Mimi, il s'assied dans un fauteuil, il est abattu.

Mimi ne comprend rien à ce qui se passe. A-t-elle été encore maladroite ou bien est-ce que c'est ça faire l'amour ? Il s'est passé quelque chose en elle pendant qu'il la serrait si fort, un émoi, un trouble, un mouvement d'elle qu'elle ne connaissait pas et qui n'était pas déplaisant. Sa mère et Jean-Maurice avaient raison, elle n'avait qu'à se laisser faire.

La voilà pleine de contrition. Elle va vers lui pour le consoler, pour s'excuser. Les mains de Jean-Maurice sont très belles, longues et fortes. Elles ont une forme étrange : les doigts ont l'air de se séparer de la paume au lieu de la prolonger, ils s'incurvent en une ligne simple mais délicate, il a les mains cambrées. « C'est à cause du rugby, lui a-t-il expliqué la première fois qu'elle l'a remarqué. Je me suis fait talonner les mains vingt fois et je me les suis cassées autant de fois en plaquant. » Les hommes sont drôles ! On dirait que ça leur plaît de se faire du mal.

Elle s'agenouille devant lui, comme elle l'a vu faire sur certaines gravures, ou à l'opéra, dans *Manon,* elle prend les deux belles mains et elle y pose son visage, doucement. Elle ne sait pas quoi dire. Il faudrait qu'elle lui dise qu'elle l'aime, mais ces mots ne passent pas. Pourtant elle l'a voulu ce mariage, elle n'y a pas été contrainte. Evidemment ses parents, surtout son père, étaient pour, mais si elle avait été contre ils n'auraient pas insisté. Elle a même été bien fière, ces dernières semaines, de parader au bras de Saintjean qu'elle venait de rafler aux dames et aux demoiselles de la ville, qui en étaient toutes folles. Elle était l'élue de Saintjean et elle en tirait une grande joie. N'empêche qu'elle ne parvient pas à dire qu'elle l'aime.

— Je suis maladroite, je vous demande pardon. Ne m'en veuillez pas.

Encore le vous qui revient et l'éloigne de lui. Pour Jean-Maurice, le tu est le langage des amis, de ceux qui s'aiment. On ne dit vous qu'à ses supérieurs, aux étrangers. Comment va-t-il s'y prendre avec Mimi ? Et s'il avouait ? S'il parlait de la maladie, s'il disait qu'il va lui faire l'amour sans la toucher... ou presque ? Il faudrait tout de même qu'il lui indique les précautions à prendre. Il ne le peut pas. Elle est trop innocente. Elle est trop ignorante. Et si elle refusait, si elle fuyait ! Il la perdrait. Tout Alger serait au courant de son mensonge, de sa lâcheté. C'en serait fait de son usine... Non, il ne peut rien avouer.

Il ne sait pas quoi faire. L'effet du champagne se dissipe. Alors il prend son ton de maître pour dire :

— Allons nous coucher. Nous sommes fatigués.

Il veut boire encore mais il veut boire seul.

La proposition est abrupte. Mimi se n'y attendait pas. Après tout, peut-être qu'il a raison, que c'est la meilleure solution ; « demain il fera jour », comme aurait dit sa mère. Elle entend son mari lui dire :

— Va te mettre en tenue de nuit. Tu me préviendras quand tu en auras terminé avec la salle de bains.

Elle obéit. Quelque chose lui dit que ça ne devrait pas se passer comme ça, mais elle aime mieux ne pas y penser.

Une fois seul, Jean-Maurice enlève ses chaussures, déboutonne ses vêtements. Il en a marre. Il s'est flanqué dans un de ces guêpiers ! Il finit la deuxième bouteille et en ouvre une troisième. Il est soûl.

Pendant ce temps Mimi s'apprête. Elle suit les recommandations de sa mère. Elle prend un bain parfumé : « Une femme doit toujours sentir bon. » Elle se savonne avec une savonnette qui sent le santal. Elle se frictionne avec une eau de toilette de Guerlain qui embaume : « Frictionne-toi partout, ma chérie, partout. » Elle mettait une insistance incompréhensible, Mme Lacombe, dans ce « partout ». Est-ce qu'elle ne se frictionne pas toujours partout ? Mimi pense surtout à ses aisselles et à ses pieds qu'elle n'a d'ailleurs pas malodorants, mais qu'elle frictionne particulièrement ce soir. Elle a un doute, une hésitation... non, quand même, sa mère ne voulait pas dire ça... Ce sont ses frères qui disent des sottises.

Elle se regarde dans la glace. Elle a des seins ravissants, Mimi, hauts et gonflés, roses, tendres, avec de tout petits bouts dressés, à peine un peu plus roses que sa peau. Son bassin s'arrondit sous la taille et se creuse de nouveau aux hanches pour s'articuler aux jambes qui sont longues et fines. Son nombril, au centre, est comme un bouton, comme un minuscule manège, comme une serrure de coffret à bijoux. Mimi sait qu'elle est belle. Elle est contente.

Sur le lit elle prend sa chemise de nuit et le déshabillé que la femme de chambre a préparés. A côté de ses vêtements bien disposés, elle voit le pyjama de soie de Jean-Maurice, bleu marine, presque noir. Quelle drôle d'idée ! Elle n'a jamais vu son père dans un pyjama pareil. Mais dans *l'Illustration* elle a remarqué une réclame de cigarettes avec un homme qui portait une tenue de ce genre. C'est moderne, pense-t-elle.

Elle retourne à la salle de bains. Elle enfile sa chemise de nuit qui est en crêpe de Chine, avec un bustier ajouré au travers duquel on devine ses seins. Elle pense aux petites cailles dont parlait Jean-Maurice tout à l'heure. Elle était bête. Maintenant elle accepte qu'il les touche. Elle passe son déshabillé qui est somptueux. Il n'y pas d'autre mot. En crêpe de Chine lui aussi, entièrement bordé d'une large bande de dentelle. Il s'évase derrière pour former une courte traîne. Elle brosse ses cheveux à l'endroit, à l'envers, jusqu'à ce qu'ils crépitent, jusqu'à ce qu'ils soient luisants et gonflés, jusqu'à ce qu'elle ait une magnifique crinière rousse, de ce roux si beau qui est le sien et qu'on appelle le blond vénitien. Elle est splendide, elle est prête.

Elle va dans le couloir. La porte du salon est ouverte Elle appelle :

— Jean-Maurice ! Jean-Maurice, la salle de bains est libre !

Vite, elle repart dans la chambre où elle ne sait que faire. Se mettre au lit tout de suite ? S'asseoir devant la coiffeuse ? Elle est là, devant le lit, tournant le dos à la porte.

Jean-Maurice, qui n'a pas fait de bruit en venant parce qu'il est en chaussettes, la surprend comme ça. Il est ivre. Sa gomina a craqué en deux endroits. Sa chevelure ordinairement si bien plaquée est partagée en trois tranches raides. Sa chemise est ouverte sur sa poitrine légèrement velue. Il a défait ses bretelles, elles pendent derrière lui. Il tient son pantalon d'une main pour ne pas qu'il tombe. D'ailleurs, à peine entré il le lâche et apparaît alors en caleçon, avec ses grandes jambes de sportif. Il est beau quand même.

Mimi a peur de lui, elle dit sévèrement :

— Vous êtes ivre.

— Ben oui, je suis soûl, et après ? Je n'ai pas le droit de me soûler la gueule le jour de mes noces peut-être ?

Il a une sorte d'accent des faubourgs qu'elle ne connaît pas. Elle se déplace vers la porte de la salle de bains parce qu'elle sait qu'il y a là une autre issue donnant sur le couloir.

Il la voit faire et lui barre le passage.

— Eh bien quoi, tu ne vas pas t'envoler maintenant que je te tiens ! Tu n'as jamais vu un homme ? Tu vas en voir un, ma fille. Et un vrai, ma petite donzelle.

Elle fait un mouvement de côté. Il attrape son déshabillé et l'attire vers lui. Le vêtement craque à une emmanchure.

— Oh pardon ! C'est pas grave. De toute manière, faudra bien les enlever tes falbalas, hein ma belle ! Il faudra bien te mettre à poil !

Dans sa soûlerie il se rend compte qu'il est en train de tout saccager. Il se rappelle Amsterdam, sa nausée... mais il ne peut pas s'arrêter. La situation est trop compliquée, il ne sait pas comment la résoudre. Il décide de s'y prendre avec Mimi comme avec les autres. Elles ont toutes apprécié, il n'y a pas de raison pour qu'elle n'apprécie pas, elle aussi. Faudra qu'elle s'y fasse, c'est tout.

Il l'empoigne et les voilà qui tombent tous les deux par terre. Elle se débat. Elle s'est déjà battue avec ses frères quand elle était plus jeune. Elle sait s'y prendre, la petite garce, avec ses dents et ses ongles.

— Eh bien, en voilà des manières, pour une jeune fille bien élevée.

Il se moque d'elle parce qu'il est tellement plus fort qu'elle. Ça l'amuse de la voir en colère comme ça. Il rit. Il en profite même pour la déshabiller tout à fait. La belle dentelle, le beau crêpe de Chine, tout ça, ce n'est pas très solide. Avec le champagne, il ne sait plus trop comment il agit et la bagarre l'a excité au point qu'il en devient maladroit : il laisse Mimi s'échapper.

Elle ne sait pas où aller. Bêtement elle grimpe sur le lit. Elle est là, debout, elle ne peut pas crier, elle ne peut même pas parler tellement elle a peur de cet homme. Une peur immense, viscérale, ancienne, incompréhensible. Lui, il n'a jamais rien vu de plus beau que sa femme. Il est plein d'amour pour elle. Il se redresse en s'excusant :

— Mimi, pardonne-moi. J'ai trop bu et tu es si belle que tu me rends fou.

Il est au pied du lit, nu lui aussi et, incroyablement, il pleure.

Elle se dit qu'il perd la tête. Oui, il a raison de dire qu'il est fou, il est fou, elle a épousé un fou ! Elle ne sait plus comment faire pour se cacher, elle s'empare du dessus de lit qu'elle essaie de draper autour d'elle. Il l'en empêche.

— Laisse. Tu es si belle comme ça. Ne te cache pas. Laisse-moi te regarder.

Elle le déteste, elle le hait, elle a un dégoût profond de

lui et, en plus, cette terreur puissante, archaïque qui l'a envahie. Elle tremble. Elle n'ose plus rien faire, elle ne peut même pas appeler à l'aide. Elle est prise dans un piège ignoble. Elle ferme les yeux.

Lui croit qu'elle se calme. Il la regarde. Il l'adore, il l'adule, il la vénère. Sa femme !

Elle s'est recroquevillée sur le lit. Elle cache son visage dans ses bras. Elle ne veut plus le voir, elle ne veut plus rien voir. Il n'arrête pas de demander pardon, de dire qu'il l'aime, que jamais il n'a aimé quelqu'un comme ça. Qu'il la rendra heureuse, qu'il lui fera une vie de reine, qu'elle est une reine, qu'il s'excuse d'avoir bu autant, qu'il regrette sa brutalité.

Elle n'écoute pas. Elle est perdue. Elle sent qu'il y a une distance infinie entre la femme qu'elle devrait être et la femme qu'elle est. Elle voudrait être protégée, mais qui peut la protéger ? Tous se sont ligués contre elle, tous l'ont conduit là où elle est. Tous. Ils ne lui ont rien dit, ils ne l'ont pas prévenue, elle est désarmée, seule, ignorante, anormale.

Jean-Maurice est près d'elle à la supplier. Elle le regarde. Comme il est vieux, comme il est laid, la vieillesse est déjà toute inscrite dans ce beau corps de quarante ans. Comment a-t-elle pu croire être amoureuse de ce vieux ? Elle ne supporte plus sa présence.

— Allez-vous-en. Laissez-moi seule, allez dormir dans la chambre d'amis, dans le salon, où vous voudrez. Laissez-moi seule !

Il obéit.

Elle entre dans les draps et, la tête dans l'oreiller, elle sanglote. Elle appelle son enfance à l'aide, la petite fille qu'elle était, ses rêves, ses désirs, ses yeux, ses chagrins, sa force. Tout est si loin ! Elle en est séparée maintenant, pour toujours. Elle pénètre dans le monde des adultes par les portes d'un enfer.

Jean-Maurice l'a entendue pleurer. Il revient. Il est de nouveau près d'elle, de nouveau avec ses larmoiements minables, de nouveau avec ses excuses. Les poils durs de sa moustache déposent des baisers où ils peuvent, sur le bout de ses doigts, dans ses cheveux.

Alors elle se met à parler et elle-même n'en revient pas de ce qu'elle dit et du ton qu'elle prend pour le dire. Elle ne se reconnaît pas, elle se demande quelle est cette personne qui parle par sa bouche. Elle le traite de profiteur, de parvenu, elle parle de l'argent que son père a investi dans son affaire, de sa dot. Elle l'insulte, elle lui dit qu'il est vieux, un vieux cochon. Elle fait un compte exact des cadeaux, innombrables et précieux, qu'ils ont reçus pour leur mariage, de cette manne qui lui tombe sur la tête à lui, à cause d'elle, grâce à elle.

Il n'en revient pas, lui non plus, de la découvrir si mesquine, si calculatrice. Et puis il est vexé parce qu'il y a quelque chose de vrai là-dedans. Il la nargue.

Elle se redresse, elle va pour lui flanquer une claque. Il arrête son bras, il la secoue.

— Tais-toi, arrête.

Elle n'arrête pas. Elle est méchante volontairement. Elle le dénigre.

Il veut qu'elle se taise. Il essaie de lui mettre une main sur la bouche. Elle se débat de nouveau. Quelle péronnelle ! Il finira bien par la faire taire. Elle va apprendre de quel bois il se chauffe, il la dressera. C'est qu'elle est désirable cette pouliche, cette petite pute !

Il tire les draps, il la tient par les épaules, nue. De ses genoux il lui écarte les jambes. Elle fait rouler sa tête à droite et à gauche. Dans le regard de Mimi il y a une peur atroce, une panique qui excite Jean-Maurice, il ne sait même pas pourquoi, il n'a jamais été excité comme ça. Il lui semble avoir un pouvoir colossal. Il bande comme un fou maintenant. Il a entre les jambes une formidable trique. Alors, il y va. Bang, bang, bang. Elle ferme les yeux, elle croit qu'il est en train de la tuer. Elle se demande avec quelle arme. Il lui fait mal. Bang, bang, bang. Elle comprend, scandalisée, qu'elle ne mourra pas de ça. Des larmes passent à travers ses paupières serrées. C'est horrible ce qui lui arrive. Bang, bang, bang. Quelque chose cède en elle.

C'est qu'elle est serrée, la garce, il faut que j'y aille de toutes mes forces. Ça tient bon un pucelage. J'aurais jamais cru ça. Je la ferai jouir et après elle sera sage.

Il marmonne, il transpire, il respire fort.

Le rythme s'accélère. Il pousse une sorte de gémissement et après il s'affaisse sur elle en murmurant « mon amour, mon amour... », puis il reste inerte.

Elle attend. Il ne se passe plus rien. Elle se glisse hors de lui et va à la salle de bains. Du sang lui coule entre les cuisses. Elle se lave, elle se lave, elle n'arrête pas de se laver. Il lui semble que toute l'eau de la terre ne suffira pas à la nettoyer. Elle ne pleure plus. Elle sait que quelque chose, en elle, n'existe plus, quelque chose de joyeux, et qu'à la place s'est installée une dureté, une âpreté, un cal. Quelque chose de coriace, un côté de son caractère qu'elle ne soupçonnait pas et qui vient, spontanément, de se révéler. Quelque chose qu'elle n'aime pas, qui est aigre, méfiant, mais qui, pour l'instant, est le seul élément solide de sa personne, sa seule prise sur la vie.

Elle reste longtemps comme ça, assise sur le bidet. On pourrait croire qu'elle est prostrée, mais au contraire elle est en train de naître, elle se forme, elle devient adulte.

Quand elle se relève, elle n'a même plus honte d'être nue.

Elle rentre dans la chambre à coucher. Jean-Maurice est sur le lit en désordre, à plat ventre. Il est grand, fort et beau. Il dort. Mimi regarde son mari.

Jean-Maurice se réveille. En une seconde il reprend conscience. Les draps froissés. Les vêtements de Mimi déchirés et souillés. Son beau pyjama inutilisé. L'empoignade de la nuit. Sa conduite détestable. Mimi à l'abattage. Le lit est vide !

En un saut il est dans la salle de bains. Il voit dans les miroirs ses cheveux cartonneux de gomina, sa barbe qui a poussé en grisonnant. Il est vieux, il est moche. Je suis moche dehors et surtout dedans.

Mimi est partie. Mais qu'est-ce que j'ai fait !

Il endosse sa robe de chambre. Il a du mal à respirer. Mes poumons, mes poumons ! Qu'est-ce qui m'a pris ! Et le voyage de noces alors...

Il s'en va pieds nus dans le couloir. Pour chercher quoi ? Il ne le sait pas. Il n'a aucun espoir, il s'est perdu, il a perdu Mimi, il a tout perdu. Il jette, au passage, un coup d'œil dans son bureau et dans les deux salons en enfilade. Tout est parfaitement rangé. Les lis et les roses, les lilas et les œillets du mariage sont disposés dans de grands vases, partout, sur les meubles. Fleurs blanches, quelle dérision ! C'est du deuil et du sang qui devraient décorer cette maison qu'il a tant désirée et qu'il a ravagée en une seule nuit, en quelques heures. Il s'arrête prêt à étouffer... ses poumons, l'émotion...

Il repart. Dans l'entrée ses cannes sont rangées dans un haut vase de cuivre rose qui luit dans la pénombre. Cannes à pommeaux d'argent ou d'ivoire, cannes de bois précieux qui se recourbent pour se faire prendre. Cannes pour faire le dandy. Cannes pour faire le con, oui ! Il se laisse aller sur la banquette qui est là. Il prend sa tête entre ses mains. Mais qu'est-ce que j'ai fait ! Mais qu'est-ce qui m'a pris !

Et voilà que, de l'office dont la porte ouvre dans l'entrée — ou peut-être même de la cuisine qui est plus loin —, lui parvient la voix de Mimi. Elle donne des ordres pour le repas de midi et pour celui du soir. Un repas léger, une simple collation pour le déjeuner parce que « Monsieur se repose encore »... Elle a une voix de patronne : posée, experte, aimable, mais qui n'admet pas de commentaires. Elle a été élevée pour parler comme ça et, malgré sa jeunesse, elle sait s'y prendre.

Jean-Maurice n'en revient pas : elle est là ! Le bonheur l'habite. Ma Mimi, ma Mimi est là !

Pour lui tout seul il a un sourire très grand, tout nacré de ses belles dents.

Prestement, il retourne à la salle de bains. Il fait couler l'eau chaude dans la baignoire. Pendant qu'elle se remplit il aiguise son rasoir sur l'épaisse lanière de cuir qui pend près du lavabo. Il sifflote. On finira bien par savoir que je suis réveillé et que je veux mon petit déjeuner. Comme les femmes sont étranges ! Moi, après la scène de la veille j'aurais foutu le camp. Foutu le camp, c'est bien simple. Ah ! la vie est belle. J'arrangerai ça. Ça sera pas compliqué. Une fois à Venise je saurai effacer ce mauvais souvenir. Ouf, j'ai eu chaud !

Une année a passé. Mimi a mis au monde une petite fille, brune d'yeux, de teint, de cheveux, tout le portrait de son père. Mimi en est folle ; elle lui a donné le nom de sa meilleure amie : Odette.

Jean-Maurice paraît satisfait, son affaire marche bien. Mais il n'a pas avec sa femme les rapports qu'il avait rêvé d'avoir. Elle reste réservée, froide. Depuis leur nuit de noces calamiteuse, elle a adopté une attitude qui ne varie pas : elle est extrêmement courtoise mais distante. Rien n'y a fait, ni le voyage de noces où il l'a entourée de respect et couverte de cadeaux, ni les multiples prévenances dont elle a été l'objet au cours de sa grossesse. Pourtant il pense que ça va s'arranger : le bébé n'a que trois mois et Mimi l'adore, grâce à cette enfant ils finiront par trouver un terrain d'entente. Mimi voudra d'autres enfants, il en est certain. Et puis, cette petite fille lui ressemble tellement, à lui, si Mimi l'aime à ce point c'est que, dans le fond, elle l'aime aussi, lui...

Son problème, son véritable problème, c'est sa santé. Le mensonge sur sa santé. La prison dans laquelle il s'est enfermé à cause de sa santé, et son incapacité absolue d'en sortir, de cette prison. Il n'envisage aucune solution à ce dilemme. S'il disait la vérité, il perdrait tout. Tout :

son affaire, son enfant, sa femme. Alger est une petite ville. Une fois sa forfaiture découverte par Mimi ou sa belle-famille, il ne faudra pas vingt-quatre heures pour que tout le monde soit au courant et lui tourne le dos. Il ne trouvera plus aucun appui ni amical ni financier; personne n'a envie de se mettre mal avec les Lacombe ici. Brûlé, il serait brûlé, il n'aurait plus qu'à s'en aller.

Il ne cesse de réfléchir à ça et il s'y perd : « Pourtant, je suis un homme, bon dieu de bon dieu ! J'aurais voulu les y voir sur les chantiers, tous ceux qui me jetteraient la pierre. Et dans les tranchées, alors, j'aurais voulu les y voir tous ces planqués. Et au lit, tiens, je voudrais bien voir de quoi ils sont capables... »

Jean-Maurice s'isole. On le dit absorbé par ses affaires, sa famille : un modèle d'homme. Chez lui, il ose à peine approcher sa petite fille, tant il a peur de lui passer ses bacilles. Il ne sait jamais s'il en a ou s'il n'en a pas. Heureusement, la froideur de Mimi le dispense d'effusions trop grandes avec elle. Certaines nuits, rares, il la prend à la va-vite, brutalement, parce qu'il n'en peut plus de se contenir. Elle se laisse faire, froidement. Il sait que ce n'est pas ça, faire l'amour, que c'est une misère ce qui se passe entre eux, mais, elle, elle l'ignore, elle croit que c'est ça faire l'amour. Il en chialerait, il voudrait tellement pouvoir l'aimer comme il l'aime.

La seule personne qu'il rencontre, en cachette, à laquelle il se livre, est son médecin, le professeur Capucci. Pourtant chaque visite est un crève-cœur. Il apprend petit à petit qu'il n'a pas grand-chose à attendre des nouvelles découvertes de la science, ses poumons sont secs et durs, on ne parvient pas à les comprimer avec de l'air. Seul un séjour prolongé en haute montagne pourrait peut-être stabiliser durablement son état. Il existe des guérisons, surtout dans des cas comme le sien, des cas accidentels ! Mais à quel prix : le repos complet, la surveillance constante, le sanatorium... ce n'est pas possible. « Et l'argent que ça coûterait, qui le sortirait ? Si je vais en sana, j'abandonne l'affaire. Et l'argent, professeur, où je le trouverai ce pognon ? Il faudrait que j'avoue... »

Son mensonge le ronge autant que la tuberculose, peut-être même plus. Il a menti, il a été lâche, LÂCHE ! Il se cherche des excuses, il en trouve mille, ça ne l'avance à rien parce que c'est dans sa virilité qu'il est atteint, dans l'idée qu'il a de ce que doit être un homme, un vrai homme, tel que les compagnons lui ont appris qu'il devait être. Il n'aurait pas dû mentir, il aurait dû rester seul ou trouver une femme capable d'endurer la vérité. Il n'aurait jamais dû épouser Mimi et faire affaire avec son beau-père. Ou l'un ou l'autre : pas les deux Dans son mensonge il a engagé la totalité de sa vie, la totalité de ses capacités, de ses aptitudes, de ses espoirs : Mimi, l'entreprise, tout y est. Il n'y a pas la moindre parcelle de son avenir qui ne soit engluée dans sa lâcheté. Pas la moindre parcelle. Il enrage, il ne l'admet pas : « C'est à la guerre que je l'ai attrapée cette saloperie, elle n'était pas dans mon corps. Je suis sain, je suis un homme sain. Et puis, qu'on me foute la paix ! »

Le professeur Capucci l'écoute, il ne peut rien faire. Il est touché par ce bel homme capable dont il connaît la solitude et le courage, mais il ne peut rien faire. Rester son confident, l'écouter, lui servir de déversoir ; c'est tout. Professionnellement il ne peut que des broutilles. Le climat d'Alger est trop humide, il n'est pas bon pour son patient.

— Voulez-vous que j'en parle à votre épouse ? Je peux dire que vous venez de contracter la maladie.

— Non, je suis en bonne santé pour le moment. Et si

quelqu'un doit lui parler un jour, ce sera moi. Personne d'autre. Je ne suis pas un lâche... je guérirai tout seul.

Parfois il est désespéré. Les radiographies montrent les cavernes, nébuleuses sombres dans la grande image de son torse d'athlète. Chaque fois qu'on fait un nouvel essai de pneumothorax, c'est un échec. Ses poumons sont rongés par les gaz. Les bacilles se sont installés dans ses bronches grignotées. L'air ne pénètre pas, les lobes ne se laissent pas comprimer, les tissus en sont compacts, sclérosés.

« Il a les poumons comme des éponges sèches : durs et pleins de trous ! » hurlait ma mère.

C'est une des premières choses que j'ai sues dans ma vie. Avant de savoir qu'il y a quatre saisons, avant la table de multiplication, avant de comprendre que ma grand-mère était la mère de ma mère, je savais que mon père avait les poumons comme des éponges sèches, et que c'était épouvantable. Mais j'anticipe.

Donc, il devait compter sur son organisme, sur sa capacité de fabriquer des cellules saines, souples, qui remplaceraient les mauvaises, se laisseraient comprimer par un pneumo et permettraient ainsi d'écraser les cavernes, ces chaudières à bacilles. Certains jours il se disait qu'il y arriverait, son moral était bon, de nouveau son sourire apparaissait sur son visage, on voyait ses belles dents blanches. Il fallait qu'il parle, qu'il avoue mais il remettait sans cesse au lendemain.

Quand il venait se coucher, Mimi dormait déjà, le matin il n'avait que le temps de faire sa toilette, d'avaler son petit déjeuner en quatrième vitesse et de crier : « Au revoir, à ce soir ! » à la cantonade. Il courait dans les couloirs, par les portes ouvertes il apercevait sa belle maison, Mimi qui s'amusait avec son bébé. Dans le vestibule, la femme de chambre lui tendait ses gants, son feutre, sa canne... Il en aurait pleuré, chacun de ses départs ressemblait à une fuite.

Elle avait quel âge, Mimi, maintenant ? Vingt et un ans depuis deux mois. Vingt et un ans ! Quel gâchis ! Le jour de son anniversaire, M. Lacombe avait trouvé le moyen de lui dire : « Te voilà majeure, ma fille. » Majeure ! Majeure, cette petite fille qui est en train de rire avec son enfant ? Majeure, cette jeune femme qui ne sait même pas ce que c'est que l'amour ? Majeure, cette personne qui a été élevée pour mener une vie qui n'existe pas ?

Son mariage, la naissance de sa fille... Jean-Maurice a vieilli. Il y a une usure en lui, il a perdu quelque chose. Quoi ?

— Je ne suis plus un homme, professeur, je ne suis plus un homme.

— Allons, Saintjean, ne parlez pas comme ça. Vous êtes un homme, croyez-moi, et rudement solide même.

— Non, un homme c'est plus que ça, plus que ce que je suis. C'est pas seulement la maladie qui m'affaiblit, c'est autre chose. Par moments, j'ai envie de pleurer et je ne sais même pas pourquoi.

— Vous travaillez trop.

— Allons donc, du travail, j'en ai abattu plus que ça. Quand j'étais sur les chantiers du matin au soir, des douze et quatorze heures par jour, c'était autre chose que ce que je fais en ce moment, je vous le dis. Et dans les tranchées, alors !...

— On vieillit, on a moins de résistance. Et puis, ce n'était pas le même travail, vous aviez moins de responsabilités.

— Non, c'est en moi, c'est mon caractère. Je ne suis

pas aussi fort que je le devrais. Je me laisse déborder. Avec ma femme, par exemple, je ne suis pas à la hauteur...

— Oh, vous savez, les femmes... Je me demande quel homme est à leur hauteur ! Les Arabes, eux, n'ont pas tant de problèmes : quand elles font trop d'histoires, ils les balancent, et puis c'est tout, et puis ils en ont plusieurs... Chez nous, avec nos usages, nos lois, c'est plus compliqué... La famille, les enfants, l'héritage... C'est compliqué... Ce ne sont pas les jeunes femmes insatisfaites qui manquent dans notre ville... Croyez-moi, j'en entends dans mon cabinet... Avec un peu de discrétion, vous devriez pouvoir vous prouver à vous-même que vous êtes toujours un fameux gaillard... c'est déprimant une femme frigide.

— J'aime ma femme.

— Vous ne l'en aimeriez que mieux.

Il n'y a qu'à cet homme que Jean-Maurice parle. Il n'oserait pas se confier à quelqu'un d'autre, il a trop honte. Honte de sa maladie, honte de sa fragilité, honte de sa peur, honte de son mensonge, honte de sa tendresse : Mimi et son bébé l'attendrissent. Il a l'impression de se diluer dans cette affection. Il lui faudrait l'Ancien pour le remettre sur ses rails. Il a perdu le fil de sa vie d'homme.

Odette a maintenant dix mois. Il s'avère chaque jour davantage que cette petite fille est exceptionnelle, ceux qui l'entourent sont éblouis par son intelligence, sa robustesse, sa gentillesse, sa gaieté. Mimi a une passion pour sa fille. Elle s'en occupe entièrement, elle a refusé la nurse anglaise que Mme Lacombe avait découverte. Elle a sacré « bonne d'enfant » Dolorès, une des quatre sœurs espagnoles qui sont à son service.

Heureusement que la maladie de Jean-Maurice l'empêche de trop approcher Odette, sinon lui aussi se laisserait prendre par le charme de la petite. Il ne savait pas qu'un enfant pouvait avoir cet intérêt. Il est émerveillé, il proclame : « Ma fille est ma plus grande réussite. »

C'est lui qui s'inquiète le premier quand Odette tombe malade. Voilà quelques jours qu'elle a de la fièvre et qu'elle vomit. On est au mois d'août. Mimi pense que c'est la chaleur qui indispose l'enfant, que ce n'est pas grave, et elle trouve que Jean-Maurice exagère quand il veut convoquer un médecin, le professeur Capucci pardessus le marché, une des sommités médicales les plus connues de la ville. Elle ignore les relations qui existent entre son mari et le professeur. Elle ne sait rien. Mais l'amour que Jean-Maurice porte à sa fille la touche. Après tout, son mari n'est pas si mauvais que ça, en tout cas il est un bon père. Elle rit quand elle le voit s'affoler, un soir, à son retour du bureau, parce qu'il trouve que l'état d'Odette ne s'est pas amélioré :

— Mais voyons, Jean-Maurice, vous perdez l'esprit... elle n'a même pas vomi aujourd'hui, elle s'est amusée avec nous comme une folle. Il fait trop chaud, c'est tout, elle ne supporte pas la chaleur.

— Je préfère qu'elle soit vue par un médecin.

— Si vous voulez, mais Capucci ! Vous rendez-vous compte ? Il va vous rire au nez. D'ailleurs, il n'acceptera pas de se déranger pour ça, il déléguera un collègue.

— Nous verrons bien.

Il s'enferme dans la bibliothèque pour téléphoner et revient aussitôt.

— Capucci arrive.

— La petite vient justement de s'endormir.

— Tant pis, je veux qu'il la voie.

Il a un pressentiment : la luisance des yeux de sa fille, le rouge de ses pommettes qui succède ou précède une certaine pâleur... Ah, les poumons de Jean-Maurice sont au bord d'éclater, son cœur bat à tout rompre ! En même temps qu'il se maîtrise, qu'il dit à Mimi : « Je vais travailler un instant en attendant le professeur », il croit qu'il devient fou ; les pires craintes, les plus grandes peurs s'agitent à l'intérieur de lui. Odette n'a rien ! Odette est tuberculeuse ! Et si elle l'est, peut-être qu'avec la complicité de Capucci, je pourrais enfin avouer que moi aussi je suis tuberculeux, que c'est l'enfant qui m'aura passé le mal, qu'elle l'aura attrapé de quelque domestique... Il est lâche, il en est conscient, il se trouve infect, lamentable. La sonnette de l'entrée le délivre.

Pendant que Jean-Maurice reçoit le professeur avec mille excuses et mille explications — croit-elle —, Mimi vérifie que tout est prêt pour la visite. Dans la salle de bains : une serviette propre et une savonnette neuve, et dans la chambre de l'enfant, sur la commode, un napperon avec une petite cuillère en argent, un thermomètre, un flacon d'alcool à 90°, un linge de linon bien souple. Elle prend son bébé dans ses bras pour la réveiller, mais la petite dort lourdement, elle est bouillante.

Alors que Capucci l'ausculte, Odette ouvre les yeux. Son regard est terne. Elle voit son père, sa mère, Dolorès, et cet inconnu qui la tâte, la palpe, met sa tête contre sa poitrine, son dos, elle a soudain un drôle d'air étonné qui fait sourire Mimi. Ça dure longtemps. Enfin le professeur va se laver les mains et se retire dans le salon avec Jean-Maurice cependant que Mimi recouche sa fille et range le petit désordre.

— Qu'est-ce que vous en pensez ?

Le regard de Capucci épouvante Jean-Maurice.

— Je ne peux pas me prononcer. Il faut faire des examens.

— Vous êtes inquiet ?

— Oui, un peu, mais je ne peux pas me prononcer avant le résultat des examens. Vous comprenez, si je n'étais pas au courant de votre état...

— Vous pensez à quoi ?

— A une méningite tuberculeuse...

Ils entendent Mimi, au loin, qui parle à Dolorès puis qui entre dans le salon, heureuse. Ils se sont tus.

— Elle s'est endormie tout de suite, ça n'a pas fait long feu.

Elle se tait à son tour parce qu'elle est intimidée par ces deux hommes graves. Jean-Maurice se lance :

— Le professeur pense qu'Odette est tout de même plus fatiguée que tu le crois... qu'il faudrait peut-être... il faut des examens.

— Des examens ? Mais pour déceler quoi, professeur ?

— Oh, avec les enfants, vous savez chère madame, on n'est jamais trop prudent. Sous nos climats... Une simple prise de sang... j'enverrai mon assistant demain matin.

Les résultats des examens sont catastrophiques. A Jean-Maurice qui est venu immédiatement aux nouvelles, le professeur Capucci dit : « Elle en a, au plus, pour un mois. » Jean-Maurice se met à pleurer, c'est plus fort que lui, il ne peut pas se retenir. Capucci, gêné, lui tapote l'épaule, il tâche de le consoler : « Elle est vraiment ravissante, votre petite épouse. Je ne l'avais pas revue depuis votre mariage. La maternité l'a épanouie, cette femme-là est une mère, ça se voit... Le moment va être dur à passer. Je vous conseille de lui faire un autre enfant le plus vite possible. Un nouveau bébé chassera les nuages... Je suis navré de lui causer indirectement cette peine. »

Jean-Maurice pleure de plus belle. Mais sur quoi pleure-t-il ? Pourquoi pleure-t-il ? Et comment peut-il maintenant obéir à Capucci qui le presse : « Eloignez-les, la distance atténuera le choc. Le scandale sera moins grand. » Comment a-t-il pu accepter de faire déguerpir sa femme et sa fille en quatrième vitesse ? C'était urgent, c'était une question de jours ! Que fallait-il qu'il cache absolument ? Que devait-il protéger, à ce prix ? Lui ? Mais quoi en lui ?

Devant la déroute de Jean-Maurice, le professeur Capucci prend les choses en main et il les mène rondement. Il n'a pas du tout envie que la petite meure ici. On ne sait jamais, l'affaire peut lui retomber sur le nez, Alger est une ville de province, les ragots y vont bon train, les Lacombe sont très connus... Il se dépêche. A Jean-Maurice qui lui fait remarquer qu'il est trop tard, que la correspondance traîne, que la petite sera trop mal... le professeur rétorque : « Les télégrammes ne sont pas faits pour les chiens. »

Effectivement, quarante-huit heures plus tard tout est réglé.

Mimi se laisse facilement convaincre puisque c'est pour la santé de sa fille. Pour elle c'est une escapade. Elle s'excite, elle n'a jamais voyagé seule. Dolorès accompagnera la mère et l'enfant. Jean-Maurice dit qu'il va essayer de se dégager de ses obligations pour aller les rejoindre bientôt, dans trois semaines, peut-être... Quelle histoire ! Mme Lacombe s'en mêle, la maison se transforme en ruche pour préparer l'expédition. M. Lacombe, le lorgnon vissé sur le nez, supervise. Le départ de sa fille lui fait rater deux bridges. Installé dans le salon il déclare à chaque personne qu'il voit passer : « Quelle révolution pour un rhume ! »

Le matin du grand jour, le professeur Capucci remet lui-même à Mimi une grosse enveloppe scellée par trois cachets de cire : « Voici votre Sésame, chère petite madame, vous le remettrez sur place, en main propre, au docteur Andrieux, et tout ira pour le mieux. Bonnes vacances, profitez du bon air. »

Professeur R. CAPUCCI
20 rue Dumont-d'Urville
ALGER

au Docteur L. ANDRIEUX
Hôtel Les Hortensias
CAMBO

Mon cher confrère,

Suite à nos entretiens télégraphiques aux termes desquels vous avez accepté de prendre soin de l'enfant Odette SAINTJEAN, âgée de onze mois, je me dois de vous communiquer toutes précisions sur son état.

En premier lieu, veuillez trouver ci-joints les résultats des différentes analyses que j'ai fait pratiquer à Alger et à la suite desquelles j'ai aisément diagnostiqué une méningite tuberculeuse. Après les avoir considérés, vous ne pourrez vous-même émettre d'autre diagnostic, le cas est caractéristique.

L'enfant est perdue et je sais pertinemment que vous n'opérerez pas de miracle. Toutefois, si je vous l'adresse, alors qu'il n'y a aucun espoir de la sauver, c'est que son père, Jean-Maurice SAINTJEAN, âgé de trente-sept ans, mon patient, est un cas particulier qui mérite d'être traité avec un certain doigté. En effet, cet homme a contracté la tuberculose dans un hôpital militaire où il était traité après avoir été gravement gazé. Les lésions causées par l'hypérite sont irréparables et font qu'aucun traitement spécifique de la tuberculose n'est opérant dans son cas. J'ai essayé à plusieurs reprises de l'insuffler, en vain.

Si je prends tellement à cœur le cas de Monsieur SAINTJEAN, c'est qu'il a eu pendant la guerre une conduite héroïque et que, de nos jours, on a malheureusement tendance à oublier le sort de nos valeureux soldats auxquels nous devons cependant de ne pas être écrasés sous le joug germanique. Sachez qu'aux colonies, notre mère patrie nous est d'autant plus chère que nous en sommes éloignés, nous savons que nous sommes ses enfants, nous ne sommes pas des ingrats.

En outre, Monsieur SAINTJEAN est un homme de valeur et d'honneur. Il est typiquement le genre de métropolitain qu'il faut pour animer notre langueur créole. Il ne nous en vient pas assez de ces hommes-là. Ingénieur des Ponts et Chaussées, Monsieur SAINTJEAN a créé à Alger une entreprise de bois de charpente, de bois précieux et de charbon de bois qui, sous sa houlette, est florissante.

Sa faiblesse est d'avoir épousé la jeune femme que vous allez recevoir à Cambo avec le bébé. Issue d'une de ces riches familles de chez nous superficielle et égoïste, elle n'aurait certainement pas épousé mon patient le sachant atteint de tuberculose. Ainsi ignore-t-elle tout de l'état dans lequel se trouvent et son mari et son enfant. Elle est elle-même en parfaite santé et bien jeune. Je gage que le coup fatal qui va bientôt lui être porté l'amènera à assumer pleinement ses responsabilités d'épouse, ce dont, pour l'instant, d'après les confidences de mon patient elle ne s'est guère montrée capable. Ceci étant dit entre nous, bien entendu.

Voici donc la véritable raison pour laquelle je vous expédie la jeune Odette SAINTJEAN. Son décès et les causes de son décès ne vont pas manquer de provoquer ici un scandale qui portera le plus grand tort à Monsieur SAINTJEAN et à son entreprise. Il ne sera, en effet, après cela, plus question de cacher son mal. L'instant de vérité sera bien dur pour lui, croyez-moi. Cependant, l'éloignement atténuera le choc ; au moins, la rumeur publique ne s'enflera-t-elle pas des détails morbides qui ne manqueront pas de marquer la fin… Ainsi, l'« infamie » salira-t-elle moins mon pauvre patient qui n'a à se reprocher que de s'être battu pour nous.

Je suis certain que vous comprendrez mes scrupules et que vous ne m'en voudrez pas trop de me décharger sur vous de cette triste histoire.

En vous remerciant de la diligence dont vous avez fait preuve, laissez-moi vous dire que je souhaiterais vivement vous rencontrer un de ces jours. Par ailleurs, si l'envie vous prenait de faire un tour sur notre côte barbaresque — qui n'est pas si barbare que ça —, sachez que je vous y accueillerais volontiers et que c'est avec un grand plaisir que je vous ferais découvrir les charmes de notre vie coloniale.

Avec mes sentiments confraternels, acceptez, cher monsieur et ami, l'assurance de ma considération distinguée.

R. CAPUCCI.

Voilà, les jeux sont faits, le tour est joué, les dés sont jetés... Je me demande quelle expression de ce genre doit passer dans la tête de Saintjean alors qu'il regarde s'éloigner le bateau qui emmène Mimi, Odette et Dolorès, vers la France, vers Cambo, dans les Pyrénées, « là où il y a du bon air ».

Je n'arrive plus à penser « Il ». Depuis la nuit de noces, je n'y arrive plus. « Je » ne peut pas être « Lui », il s'y refuse. « Il » ne peut pas être « Elle », « Elle » ne peut pas être « Il ». « Madame Bovary c'est moi » est impossible, c'est une vantardise ! Je sens que je vais abandonner Saintjean et pourtant, j'ai tant besoin d'aimer mon père ! Mais comment faire ? Je ne veux pas l'aimer en fermant les yeux sur sa lâcheté, en l'excusant, en l'infantilisant ou en le magnifiant. Je ne veux pas l'aimer comme une femme aime un homme, je veux l'aimer tout simplement. Comment m'y prendre ? Que faut-il que j'aille déterrer en moi pour y arriver ?

Je ne parviens pas à être Jean-Maurice expédiant sa femme et sa fille au loin, s'en débarrassant afin de couvrir maladroitement ses mensonges. Je sais qu'il a menti par amour, mais qu'est-ce que c'est que cet amour-là ? Je sais qu'il a de la peine, mais quelle peine ? Comment s'élaborent cet amour et cette peine dans son corps d'homme ? Je ne peux pas penser à l'enfant comme le ferait un homme. Comment ça se vit un enfant pour un homme ? Pour moi, c'est dans le ventre que ça se passe, c'est viscéral.

Je ne peux pas rester sur le quai avec lui, je suis sur le pont avec elle, j'ai vingt et un ans. Je serre ma petite fille dans mes bras, je dis au revoir à mon mari de la main. Je crois que mon enfant a attrapé un microbe grippal dont elle guérira vite au bon air de la métropole. Je ne sais pas qu'elle va mourir, lui le sait.

Odette est morte hier soir.

Elle s'était endormie tard, après avoir passé une journée agitée, fiévreuse. Elle était inerte, très pâle dans son sommeil, on ne pouvait même pas la voir respirer, mais elle vivait. Pourtant, à un instant précis, alors que rien de notable n'était apparu sur le visage ou le corps de l'enfant, Mimi, qui ne la quittait pas, a su que c'était fini. Elle n'a prévenu ni Dolorès ni personne. Elle a pris son bébé avec elle, dans son lit, elle s'est lovée autour d'Odette. C'était tellement absurde ce qui leur arrivait à toutes les deux. Elle n'avait rien, sa toute petite. On ne meurt pas de rien. Mimi s'est endormie comme ça, avec sa fille dans ses bras, parce qu'elle était encore une enfant elle-même et que les enfants, des fois, s'endorment pour ne pas vivre ce qui leur déplaît. Demain, elles se réveilleraient et tout irait bien.

C'est le cadavre glacé qui, au matin, a fait ouvrir les yeux de Mimi. Que son enfant ait froid à ce point n'était pas admissible ! Elle s'est révulsée, elle a hurlé. Dolorès est accourue, les médecins, les infirmières. On a séparé Mimi d'Odette à laquelle elle s'agrippait, qu'elle voulait réchauffer. Mimi a eu l'impression qu'on l'entraînait au supplice, qu'on la poussait dans des corridors interminables... Finalement elle s'est retrouvée assise dans un joli petit salon en compagnie du docteur Andrieux et d'une infirmière qui lui faisait une piqûre.

L'Hôtel des Hortensias est, en fait, un sanatorium, une clinique, une maison de repos et aussi un mouroir. Le XIXe siècle a sécrété en quantité, sur les hauteurs européennes, ce genre de palaces sanitaires où les riches tuberculeux venaient se soigner et mourir en se donnant l'illusion d'être au casino ou à l'opéra. Leysin, dans les Alpes vaudoises, était le plus célèbre de ces cimetières d'éléphants dorés ; mais Cambo, dans les Pyrénées, avait aussi sa petite notoriété, et il avait en outre l'avantage d'être plus proche d'Alger.

Mimi, à l'époque où elle est arrivée à Cambo, n'avait jamais entendu parler de ces lieux de « villégiature », et comme rien ne ressemblait plus à un hôtel que ce sanatorium, elle n'a compris que le dernier jour que les Hortensias n'était pas un hôtel.

L'état d'Odette s'étant aggravé au cours du voyage, Mimi n'était guère sortie. Si elle était allée se promener dehors avec le haut landau qui avait voyagé avec elle, elle se serait rendu compte en considérant la façade sud de son hôtel que ce qu'elle prenait pour la « magnifique » terrasse de sa chambre, avec une vue « splendide » sur les sommets, était en réalité ce que l'on appelle une cure. Chaque chambre en possédait une, ce qui donnait à l'hôtel, vu de là, l'aspect d'une ruche ou plutôt d'un columbarium. Elle aurait découvert que beaucoup de ces cures étaient occupées dans la journée par des grabataires décharnés aux joues trop rouges et au teint trop blanc. Elle aurait vu, dans la partie des Hortensias la plus éloignée, celle qui était réservée à la tuberculose osseuse, les cures envahies par des lits de torture pleins de poulies et de manivelles où sont couchés les « mal de Pott ».

Mais elle n'a rien su de tout ça. Pour elle, le docteur Andrieux était le docteur de l'hôtel (un palace qui se respecte se doit d'avoir un médecin à demeure). Quant à l'infirmière, eh bien, c'était une infirmière, il en faut. Dolorès, elle, venait pour la première fois de sa vie à l'étranger, elle n'avait jamais habité un palace ni même un hôtel, et ce qu'elle a aperçu, les rares fois où elle est sortie faire des courses pour Mimi, ne l'a pas étonnée ; les riches sont toujours malades, ils en ont le temps...

A leur descente du train, une calèche les attendait, avec un joli cocher et un joli groom en livrée bleu-mauve (couleur des hortensias)... Mimi a trouvé ça désuet et charmant. L'air était bon. Ils avaient trotté un petit quart d'heure dans des avenues fraîches et verdoyantes où les hôtels succédaient aux hôtels, de plus en plus luxueux au fur et à mesure qu'on s'éloignait de la gare. Odette, nichée au creux des bras de sa mère, emmitouflée, intriguée par les chevaux, regardait de tous ses yeux ces lieux paisibles. Elle allait guérir vite. C'est donc avec un grand sourire et animée par une allégresse reconnaissante, qu'après avoir traversé le parc qui entourait son hôtel — apparemment le plus beau de tous — Mimi est descendue de la voiture, a grimpé les marches de marbre de l'entrée — surplombées d'une immense verrière tarabiscotée — et est entrée dans un hall rempli de palmiers en pot, et de miroirs. Elle a été accueillie par un concierge débonnaire, avec les clés de sa fonction brodées sur les revers de sa jaquette, par le directeur de l'établissement en personne, distingué, urbain, légèrement pète-sec, et surtout par le docteur Andrieux, aux bons yeux bleus, auquel elle a remis la grosse enveloppe du professeur Capucci, toujours scellée de ses trois cachets de cire rouge. Tout ce monde était tellement aimable qu'elle a eu un moment l'impression d'être une princesse de conte de fées. En tout cas, Capucci avait raison : tout irait bien.

Et puis, contrairement à ce que laissait prévoir la beauté des Hortensias, la santé d'Odette se détériora rapidement. Les jours et les nuits se confondirent, ne formant dans le souvenir de ma mère qu'une période épuisante, un magma d'appréhension et de fatigue où chaque heure pesait un petit peu plus lourd que l'heure précédente. Plus tard — quinze ans plus tard, vingt ans plus tard, trente ans plus tard... — je l'entendrai des centaines de fois raconter l'histoire de cette semaine. Afin de faire partager à son auditoire l'intensité de son malheur, elle voulait donner des détails : « Ce jour-là, j'avais cru qu'Odette allait mieux, elle s'était redressée toute seule dans son lit ; c'était le troisième jour, non le cinquième, non le... il faudrait que je demande à Dolorès... en tout cas, c'était le matin, enfin l'aube, ou peut-être le crépuscule... », elle ne savait plus. Il y avait cette semaine dans son être, où s'engloutissaient tous les jours qu'elle avait vécus avant et depuis. Ces sept journées épaisses et troubles formeront le bouillon de culture, la soupe, qui nourrira tout ce que, désormais, elle vivra, tout ce par quoi et pour quoi elle a pensé, dormi, marché, parlé, détesté et aimé, le restant de ses jours...

On a donc séparé Mimi d'Odette morte et, adroitement, on l'a entraînée dans un petit salon du rez-de-chaussée auquel on pouvait accéder par l'escalier de service et où on lui a fait une piqûre calmante. Une pièce apaisante, feutrée, qui sentait la violette et le désinfectant. Quatre profonds fauteuils de velours brun tassés autour d'une table basse ornée d'un pot de bégonias terminant leur grasse floraison pourpre.

Elle s'assied dans un des fauteuils qui, immédiatement, l'absorbe dans son moelleux ; elle est comme happée, comme prisonnière du confort, de la mansuétude du siège et aussi du remède qu'on lui a injecté. Le directeur est là, cérémonieux, contrit. Il a un costume sombre à raies grises. Mimi l'avait vu à son arrivée, il était alors vêtu de la même manière, mais aujourd'hui il lui semble qu'il est en deuil. Il a cet air affable et las qu'ont les patrons hôteliers pour s'adresser à leur clientèle difficile. C'est que la petite Mme Saintjean est complètement prostrée : elle ne voit rien, n'entend rien, ne sent rien. Tout cela n'est pas bon signe, on dirait une folle.

Le docteur Andrieux a d'abord essayé de lui parler mais il n'y est pas parvenu. Pourtant il fallait faire vite, alors il a pensé que le directeur pourrait peut-être l'aider. Après avoir confié Mimi à l'infirmière, il est allé le chercher. Rapidement il l'a mis au courant, il a parlé de la lettre de Capucci et, en traversant le hall, il a fait un grand geste, levant les bras et les laissant retomber, en signe de perplexité : « Bref, elle ne sait rien. » Le directeur agacé, tirant sur son veston, a dit : « C'est insensé ! Nous voilà dans de beaux draps ! Il ne faut pas qu'elle nous pique une crise. Vous avez de quoi la calmer ? — Oui, bien sûr. C'est fait. »

Il a l'habitude, le directeur, il est dans l'hôtellerie et, par la force des choses, il est aussi un peu dans les pompes funèbres. Ce n'est jamais réjouissant ces décès, mais ça fait partie du jeu, et d'ordinaire, il n'a pas à intervenir : les familles sont au courant. Mais cette histoire-là : « Il ne nous manquait plus que ça... » Il n'est pas content ; la réputation de son établissement tient justement au fait que la mort y est vécue à peine. Pas de drame, pas d'histoire. « Et son Espagnole ? Vous savez comment sont les Espagnoles... — J'ai laissé quelqu'un avec elle, dans le cas où... c'est une femme raisonnable. — Raisonnable, raisonnable, avec les Espagnols, on ne sait jamais. »

Avant d'entrer dans le petit salon il hésite, il s'arrête : « Mais enfin, comment est-ce possible ? Qu'est-ce qu'il avait à cacher votre professeur Machin-Chose ? » Le docteur Andrieux fait un geste résigné des épaules : « Trop long à expliquer. — Possible, mais nous n'allons pas porter la responsabilité à sa place, il faut la mettre au courant. — C'est pour ça que je suis venu vous chercher, moi je n'arrive à rien. »

Le directeur entre et reste debout devant Mimi que son fauteuil a presque entièrement engloutie, elle ressemble plus à un tas de vêtements abandonnés là qu'à un être humain. Il la considère comme un ulcère rongeant son hôtel, une gangrène, il est profondément choqué. Elle ne se rend pas compte, cette petite jeune femme insignifiante, de la pagaille qu'elle pourrait mettre ! Il faut y aller.

— Allons, voyons, madame Saintjean, soyez raisonnable, il vaut mieux que ce soit terminé, votre enfant ne souffre plus.

Mimi entend comme une accusation dans ces paroles, du coup, elle réagit :

— Elle ne souffrait pas. Je ne l'aurais pas laissée souffrir !

— D'une certaine manière elle souffrait…

— Mais de quoi ?

— Allons, voyons, vous devez bien le deviner, chère petite madame. Calmez-vous, reprenez vos esprits. Je comprends que c'est terrible, mais dites-vous que vous avez tout fait, que vous ne pouviez rien faire de plus, vous avez vraiment tout fait.

— De quoi est-elle morte ?

— Ne vous dressez pas contre le sort, madame Saintjean, ça ne sert à rien. Pensez à votre mari maintenant, sa santé est fragile, ce coup ne va pas l'améliorer.

— Mon mari, que risque-t-il ?

Maintenant que la brèche est ouverte, c'est au docteur Andrieux d'en profiter. Le directeur, sans se cacher de Mimi, le fait comprendre d'un geste du bras tout en exécutant un pas en arrière ; il agit exactement comme lorsqu'il a à présenter un interprète aux soirées musicales de l'établissement. Le docteur ne se laisse pas prier, il avance, prend la place du directeur face à Mimi et s'exécute. C'est un brave homme, mais lui aussi a sa réputation à garder. Il y va carrément :

— Madame Saintjean, la tuberculose, c'est grave. Vous le voyez bien, malheureusement.

— … La tuberculose…

Mimi est intimidée par ces hommes. Ils la traitent comme une enfant, elle a l'impression qu'elle vient de dire une bêtise, elle ne sait pas laquelle. Il y a un silence. Heureusement, le médecin reprend la parole, il parle en s'appliquant, il tâche de se faire comprendre, il cherche ses mots, il n'a pas l'habitude de s'entretenir des choses de la science avec une si jeune femme.

— Eh oui, la tuberculose, surtout que votre mari a les poumons sclérosés par les gaz. Selon ce que m'a écrit le professeur Capucci dans sa lettre de recommandation, on n'arrive pas à lui créer un pneumothorax... peut-être une thoracoplastie... Il faudrait qu'il entre en sanatorium... c'est un homme courageux, paraît-il...

— La tuberculose...

— Contre la méningite tuberculeuse nous n'avons, pour ainsi dire, pas d'armes. Il n'y avait pas une seule chance de sauver votre enfant. Mais la tuberculose pulmonaire, c'est une autre affaire... Nous obtenons des résultats intéressants.

— Si nous avions pris la maladie de ma fille dès le premier jour, est-ce que nous aurions pu éviter...

— Non madame, dès que la maladie est déclarée, c'est déjà trop tard.

— Comment éviter qu'elle attrape ça ?

Décidément, elle n'y comprend rien. Andrieux n'a pas envie de couvrir son confrère, tout professeur qu'il est. Hypocrite, il fait comme si Mimi savait :

— Le professeur Capucci a dû vous l'expliquer, n'est-ce pas : l'éloignement complet, mettre la petite en nourrice... c'était le seul remède contre la contagion. Je comprends qu'avec un cas comme celui de monsieur votre mari, vous ayez hésité devant un tel sacrifice, n'est-ce pas, il n'est pas constamment contagieux... Il y avait des risques. Personnellement, je ne vous les aurais pas laissé prendre... ça se discute... enfin... Ah, la guerre nous a fait un mal... Nous n'avons pas fini de la payer... et l'héroïsme de nos soldats... Sur quel front M. Saintjean a-t-il été gazé ? Moi, j'étais toubib dans le 25e...

Elle se moque pas mal de ce que raconte le « toubib », de sa guerre et de toutes les histoires des hommes.

Voilà, c'est comme ça que Mimi apprend tout : que sa fille est morte d'une méningite tuberculeuse, que Jean-Maurice est tuberculeux... Là, dans un petit salon douillet, face à deux hommes sérieux qui la trouvent bien touchante dans son deuil, mais qui n'ont qu'une idée en tête : se débarrasser de Mme Saintjean et surtout du cadavre de sa fille.

Pourquoi ne dit-elle pas qu'on l'a trompée ? Pourquoi couvre-t-elle la lâcheté de son héroïque mari ? Pourquoi se conduit-elle en épouse soumise et consentante ?

Mimi regarde par la fenêtre le massif d'hortensias bleus qui foisonne au centre d'une pelouse bien tondue, bien verte, alors que chez elle, en Algérie, en ce moment, tout est sec. Ces plantes étrangères, ces étrangers qui parlent, ce pays étranger, Odette qui est morte... Comment porter cette mort ? Comment la supporter ? Elle est seule. Elle n'imaginait pas qu'une personne puisse être aussi seule.

Alger lui manque profondément, ses parents aussi. Heureusement qu'il y a Dolorès ! Mimi s'enferme dans sa chambre avec l'Espagnole, et elles prient. Le plus souvent Mimi se tait pour écouter Dolorès qui gémit à haute voix, se plaint, se lance dans des litanies, des sortes d'incantations ; tous les saints y passent, toutes les saintes, les anges et les archanges. La Sainte Vierge surtout : « Aïe, aïe, aïe... Madre mia de mia de mi corazon, de mi alma... » Mimi la laisse faire, elle l'encourage même : quand Dolorès a l'air de s'apaiser, c'est elle qui prend à voix haute : « Sancta Maria, Mater dolorosa... » Peut-être n'aurait-elle pas su vivre cette journée sans l'interminable plainte de Dolorès. Peut-être se serait-elle jetée par la fenêtre, peut-être se serait-elle précipitée sous le train qu'elle a entendu à plusieurs reprises, qui ferraille et dont les montagnes alentour répercutent les sifflements.

Quand le docteur, le directeur, les croque-morts et le curé sont venus, Dolorès n'a pas interrompu ses incantations qui sont même devenues stridentes au moment où on a mis le petit corps d'Odette en bière.

Mimi a signé des papiers, des actes. Elle a appris qu'elle prendrait le train cette nuit même, que des couchettes étaient réservées pour elle dans le bateau du lendemain, que les siens étaient prévenus, qu'ils l'attendraient au port. On lui remettait des télégrammes, des tickets, des billets qu'elle ne voyait même pas. Elle n'était attentive qu'à la mélopée de Dolorès, elle ne voulait pas sortir de cet étang de bruits, de rythmes qui lui rappelaient son pays, la berçaient, lui donnaient une consistance, la tenaient attachée à sa vie, remplissant la pièce complètement, y englobant le cercueil blanc, les fleurs blanches, les gens qui entraient et sortaient, les meubles, même la lumière, même le soleil. La voix de Dolorès était sa terre, son havre, sa nourrice. Elle s'est laissé habiller, coiffer. D'où venaient les vêtements noirs dont elles étaient affublées tout à coup, Dolorès et elle ? La réponse à cette question n'était pas intéressante. Elle voulait partir, rentrer chez elle, chez ses parents, et ceux qui l'entouraient le voulaient aussi. Quelle hâte pour la faire déguerpir, elle et sa petite boîte à cadavre !

Quand Jean-Maurice est venu vers elle, sur le quai de la gare maritime, elle a, de son regard vert, stoppé net sa progression. Il a dû rester, pâle, les traits tirés, à un mètre d'elle, cassé par le malheur. Alors Mimi a dit :

— Vous êtes un assassin.

Et elle s'est demandé comment ces mots étaient partis de sa bouche. Car, pendant les quatre jours qui s'étaient écoulés depuis la mort de l'enfant, elle était restée dans le cocon du deuil le plus profond, sans jamais en sortir. Et puis là, dans le port, dans le ventre de sa ville... peut-être parce qu'en abordant sa côte, elle avait vu le cimetière de Saint-Eugène accroché à la colline abrupte de Notre-Dame d'Afrique, collé au pied de la basilique comme une maladie croûteuse, peut-être à cause de ça... jusque-là, sa petite fille était restée avec elle, morte, mais avec elle : dans un wagon de son train, dans la cale de son bateau... et, tout à coup, en apercevant dans la brume de chaleur les lignes sombres des allées de cyprès, les étagements de chapelles et de tombes entassées entre le ciel et la mer... A cause de la verticalité du sol... la nécropole s'était offerte à la vue de Mimi comme le décor d'un spectacle macabre, insoutenable... Là, dans un trou, on allait descendre son enfant, on allait glisser sur elle une énorme dalle qui les séparerait pour toujours... Alors, elle a éprouvé une révulsion, une répulsion, un mouvement qui a précipité son être — ses entrailles, son esprit, ses membres, ses yeux, tout — dans un sentiment d'une extrême violence... Ce n'est qu'en voyant Jean-Maurice qu'elle a su que ce sentiment était de la haine. Et quand, surprise — car elle n'avait rien préparé, rien laissé venir à sa conscience — elle s'est entendue dire : « Vous êtes un assassin », elle en a été soulagée parce qu'elle avait prononcé ces mots froidement, simplement, comme une banale évidence. Sa révolte intérieure est alors devenue non seulement vivable mais salutaire même, un moteur : désormais elle haïrait cet homme chaque jour de sa vie. C'est comme ça qu'elle a enterré son enfant.

Lui, éperdu, de tout son cœur, a dit : « Pardonne-moi, j'avais tellement peur de te perdre. »

Mais, pour Mimi, cela ne voulait absolument rien dire.

Plus tard, vingt ans plus tard, il m'avouera, avec un air de pauvre gamin : « Ta mère n'est pas gentille, elle est même capable d'être méchante avec moi. Pourtant, tu peux me croire, je l'aime plus que tout. » Et son journal — que je lirai après sa mort, dans lequel il n'est question que de son amour pour sa femme — se termine par : « Mimi, vous êtes méchante ! »

Méchante ! Mais la méchanceté ne suffisait pas ! Moi, je serais devenue une meurtrière, je l'aurais tué !

Oui, je l'aurais tué, tout de suite, sur place, sans armes, sans techniques de combat — je ne les connais pas, on ne m'a jamais appris à les utiliser — avec mes ongles, mes dents, mes pieds et mes mains. Je lui aurais crevé les yeux et les tympans, je l'aurais émasculé...

Mimi aussi a tué son mari mais elle a pris son temps, elle l'a tué à petit feu, jour après jour, sournoisement, honorablement. Après la mort d'Odette elle a mis deux enfants au monde, mon frère et moi — encore deux Saintjean aux yeux noirs —, elle a donc accepté, malgré sa haine, de faire au moins deux fois l'amour avec lui, avec le violeur, avec l'assassin... Puis elle a demandé le divorce. Ensuite elle est restée, terrible, magnifique, pure... trois rues plus loin, n'abandonnant jamais sa garde méchante.

Je n'aurais pas eu cette patience.

La [illegible] de tout [illegible] conf[illegible] [illegible] l'avait tellement [illegible] de [illegible]

Mais pour Mimi, [illegible] voulait [illegible] rien dire.

[illegible]

[illegible] de [illegible] gravité [illegible] même [illegible] puis [illegible] [illegible] [illegible]

[illegible] Mimi, vous [illegible]

[illegible] Mais [illegible] je serai [illegible] l'automne [illegible]

[illegible] Mais [illegible] rien [illegible] [illegible] [illegible] [illegible] [illegible] pas son [illegible] [illegible] [illegible] [illegible] elle [illegible] [illegible] [illegible] [illegible] [illegible] [illegible] [illegible]

TROISIÈME PARTIE

De plus en plus souvent je déserte mon atelier, Jean-Maurice m'échappe complètement. De nouveau, comme avant, il appartient à la haine de ma mère et je ne peux l'aborder qu'au travers de cette haine que j'ai vécue toute mon enfance, toute ma jeunesse... J'avais dix-sept ans quand il est mort...

Je retrouve la latence, l'oubli, la vacuité, la distance ménagère qui m'éloigne de moi chaque jour davantage ; cela ne me déplaît pas.

Mes enfants ont enfin terminé leur rééducation et ils sont, momentanément, installés dans mon appartement. La semaine prochaine ils reprendront le cours normal de leurs vies. Ils vont bien. Mon fils claudique un peu mais ça ne le dérange pas. Quant à ma fille, il n'y paraît guère. C'est incroyable ! D'ici à un an, au plus, l'accident sera totalement inscrit dans le passé. Un souvenir, probablement même un beau souvenir... et la moto, remise à neuf par la mémoire, brillera de tous ses chromes dans leurs existences, comme une victoire !

J'aurais aimé la broder cette moto, mais je n'en suis plus là. Pour l'instant, elle rouille, elle ferraille, elle pourrit et me pourrit. Elle sert encore de dépotoir à mon malaise. Je n'ai pas comblé le vide qu'elle a ouvert et dans lequel s'est introduit mon père, ce monstre... je ne brode plus.

J'ai réintégré le cocon du désœuvrement, ce hamac, cette berceuse qui fait que je dors d'un sommeil noir et que les jours passent sans que je m'en aperçoive, remplis par le marché, les courses, les repas, le linge, la maison, les vitres, la poussière... Impression de ne pas perdre mon temps, d'être utile, de faire mon devoir. La brodeuse est loin, cette folle. Elle reste dans son coin avec la prétention de ses œuvres imparfaites. Quand je pense à elle la culpabilité réapparaît, cuisante : je me suis fourvoyée. Je n'aurais jamais dû me laisser aller à broder comme j'ai brodé, à y trouver le plaisir que j'y ai trouvé. Je n'aurais jamais dû jouir de moi comme je l'ai fait. Moi, une femme de cinquante ans et plus !... La honte me reprend...

...

Parfois, aigu, douloureux, me revient le souvenir du commencement : l'absence de Jacques, le cavalier... et puis le départ de la maison de mon frère avec Jean-Maurice dans ma tête, tout nouveau, auquel je ne savais pas m'adresser, que je ne savais pas comment aimer. L'arrivée à Paris où j'ai ouvert, pour Lui, mon atelier fermé depuis l'accident. Le jour où je Lui ai fait voir mes broderies. L'impression heureuse de réparer une injustice : dans mon enfance je ne lui montrais pas mes carnets de notes qu'il réclamait souvent. Pourtant ils étaient bons, mais je ne voulais pas qu'il profite de mes succès. Ce n'était pas pour lui que je travaillais bien, c'était pour ma mère qui, sans cesse, disait le mal qu'elle avait à m'élever, combien mon éducation, mon instruction et mon entretien lui coûtaient, quel temps elle y passait.

Aussi, quand je l'ai fait pénétrer pour la première fois

dans l'atelier, j'ai, du même coup, effacé notre vieille querelle. Une harmonie inconnue s'installait en moi. J'étais mon père, il était moi, il y avait de moi en lui et de lui en moi. Nous nous entendions à merveille.

Je retrouvais la sensation de plénitude que mon travail me procure avec une joie d'autant plus grande que j'avais cru — après l'accident — ne jamais pouvoir la revivre. Je recommençais à passer mes journées enfermée dans mon atelier aux prises avec mes couleurs et mes matières, transpirant d'excitation, me levant en pleine nuit pour surveiller mes teintures, totalement absorbée et satisfaite par les désirs que je traduisais à l'aide de mon aiguille. Au passé empiété.

...

Le passé empiété est un point facile à exécuter. Il suffit d'enjamber un espace plus ou moins grand du tissu à broder par un trait de soie, de coton, de laine ou de ce que l'on veut, puis on revient sous ce point afin de lancer le point suivant plus loin, et ainsi de suite : on empiète dans le passé pour se lancer dans l'avenir. Le passé empiété. C'est simple et cette simplicité favorise la liberté. Les dégradés les plus subtils sont possibles ainsi que les rythmes les plus divers, tout dépend de l'allongement des points et de la direction qu'on leur donne. Seul obstacle à cette liberté : la consistance de la matière de base, c'est-à-dire la versatilité de l'étoffe employée comme fond, les caprices du droit fil et du biais. Or, je crois que ce que les autres appellent mon « talent » consiste principalement dans l'intuition que j'ai de la matière. J'ai avec la soie, la laine, le jute... une accointance que je ne comprends pas moi-même. Il faut que je les touche, que je sente contre ma peau leurs trames, et alors me vient le goût de les faire coïncider avec une architecture, un plan, un projet qui sont en moi. Une fois captées, puis assimilées, et enfin détournées les difficultés du fond (cela peut me prendre beaucoup de temps, mais je n'abandonne jamais), je fais ce que je veux, c'est-à-dire que j'organise mes volumes à ma guise en rebrodant par-dessus le travail du commencement, quelquefois à plusieurs reprises. J'obtiens ainsi des formes et des volumes dans lesquels reste le souvenir, une sorte d'écho à peine perceptible — mais indispensable à mon avis — de la première conquête, du premier travail avec la matière.

...

Mon fils est parti hier.

...

J'ai passé des mois et des mois avec Jean-Maurice en moi, le faisant pousser et le laissant pousser. Intimidée au début, je me suis vite enhardie et je manipulais mes outils de travail avec une dextérité étonnante. On aurait dit qu'en voulant lui montrer combien j'étais experte, je découvrais que j'étais encore plus capable que je le croyais. Ce fut une période de travail intense, passionnant et passionné. Je suis bien obligée d'admettre que j'étais devenue amoureuse de lui. Je l'aimais d'un étrange amour hermaphrodite car en l'aimant, je m'aimais. Je vivais, seule, l'ambiguïté de la gémellité... Jusqu'à ce qu'il fasse la connaissance de Mimi et surtout qu'il l'épouse...

Maintenant mon amoureux est au rancart, avec la moto, dans mon atelier de nouveau fermé.

...

De tout cela ne me reste que celle qu'on appelait « la petite Odette », celle qu'auparavant je n'avais jamais appelée ma sœur, comme s'il n'y avait aucun lien de chair possible entre cette morte et moi.

J'avais voulu me donner un père et je m'étais donné

une sœur ! Maintenant elle flotte souvent autour de moi, portée par les effluves de mon inconscient, semblable aux odeurs de mimosa ou de glycine que des courants d'air entraînaient depuis les jardins des hauteurs jusqu'au plein centre d'Alger, faisant penser à la petite fille qui attendait le tramway, au milieu de la circulation, son cartable au bout du bras, qu'il y avait peut-être une autre vie que celle à laquelle on la préparait.

Odette.

Pour moi, jusqu'à aujourd'hui, elle n'avait été qu'une photo. La photo d'un bébé d'une dizaine de mois que je trouvais plutôt moche. Impossible de retracer les détails de son visage. Par contre, je revois très bien le vêtement que ma sœur portait sur cette image : une robe, faite de mousseline ou d'un tissu très léger. Une robe d'été, à bretelles, agrémentée à la taille — probablement attachée à une ceinture, mais le flou du vêtement cache la ceinture — d'une mignarde couronne de petites roses. Une de ses épaules était dénudée.

L'enfant est assise de trois quarts sur une sorte de piédestal, un haut meuble mince sur lequel on pose généralement une statue ou un vase, quelque chose qu'on veut mettre en évidence. La position est dangereuse, l'espace où se tient la petite n'est pas très vaste, ses pieds nus pendent dans le vide. Il est vrai que sur le cliché je ne vois que le sommet du meuble et il se peut que l'impression de risque soit un truquage du photographe... quoi qu'il en soit, l'idée du risque demeure, d'autant plus que le corps de l'enfant n'est pas de face et que, donc, pour saisir son visage tout entier, on lui a fait faire un mouvement du buste...

En regardant cette image je pense à Mimi, aux risques qu'elle a pris ou qu'elle a laissé prendre, et surtout aux désirs que, par l'intermédiaire d'Odette, elle a voulu exprimer. J'imagine ma mère préparant sa fille chez le photographe, brossant soigneusement ses cheveux, faisant bouffer la mousseline, et surtout, glissant de l'index une bretelle sur l'épaule de l'enfant, du côté de l'objectif, donnant ainsi au bébé une pose aguicheuse... Je suis certaine que cette mise en scène a eu lieu car il s'agit d'une photo prise en studio et non pas d'un instantané. Une photo posée, qu'on met du temps à régler, exécutée chez un professionnel dont le nom et l'adresse sont inscrits au bas de l'image. Une photo qu'on veut parfaite. Si la bretelle tombait d'elle-même et que Mimi n'ait pas apprécié ce clin d'œil fait par l'épaule de sa fille, il n'était pas difficile pour elle de corriger le défaut en raccourcissant la bretelle par une épingle ou par un simple point.

Le photographe est prêt, sa tête est cachée sous le drap noir, son œil est collé contre l'œilleton de l'appareil à trépied, grande bête au long mufle en accordéon, son bras tendu brandit la poire de caoutchouc : « Attention, le canari va sortir ! » Ma mère, au dernier moment, baisse la bretelle et, vite, elle vient se poster derrière l'opérateur tout en appelant la petite : « Odette ! Odette ! », pour que l'enfant regarde en direction de l'appareil...

Le regard de l'opérateur n'est pas important pour Mimi, ce qui est important c'est le regard des autres, de tous ceux qui verront la photo plus tard, les parents, les amis, moi, Jean-Maurice, le cavalier, Jacques...

Les regards... Comment comprendre ces regards, comment les supporter, qu'est-ce qui se passe au fond de ces prunelles multicolores ? Quelle image de sa fille ma mère veut-elle donner ? Quelle idée a-t-elle de ce qu'est une fille ? Est-elle consciente, elle qui a eu tellement peur le soir de ses noces, qu'en dénudant l'épaule d'Odette, symboliquement, elle cherche à attirer sur l'enfant un certain besoin, celui qu'elle exècre justement ? Qui lui a soufflé de faire ça ? Qui lui a dicté cet acte ? Voulait-elle, par cette coquetterie, initier, déjà, sa fille à la guerre de la soumission ? Qu'est-ce qu'il y a de croche là-dedans ?

Mon père, ma mère, cet homme, cette femme, ce couple inconciliable et cependant inextricable... Et Odette, le fruit mort de leur arbre.

...

Ma fille s'en va demain.

...

Jean-Maurice, me tenant par la main, m'emmenait parfois — lorsqu'il avait ma garde — contempler le chargement d'un cargo dans le port.

Des caisses de tomates, d'aubergines, de courgettes et de chasselas nouveau étaient empilées sur le quai en grandes pyramides, prêtes à être saisies par une grue aux allures de dinosaure qui les balançait doucement dans le ciel bleu de l'été puis les descendait dans les cales du bateau rouillé. Odeur du mazout, grincements des machineries grossières, bruits assourdissants des moteurs acharnés, cris des dockers, et mon père qui serrait fort ma main dans la sienne. C'était l'époque où j'apprenais à lire et, en riant, il me faisait déchiffrer les inscriptions des caisses. Sur chacune d'elles, brûlé au fer rouge dans le bois, était inscrit en grandes lettres : SAINTJEAN... Elles seraient déchargées à Barcelone, à Marseille, à Naples, plus loin encore...

Il avait créé dans son usine un petit département où étaient fabriqués de beaux cageots spécialement destinés à contenir les productions des terres familiales : la dot de ma mère... Pour en arriver là il avait fallu son mariage avec la fortunée Mimi, il avait fallu la communauté des biens par contrat, il avait fallu son mensonge sur son héroïque tuberculose, il avait fallu qu'il risque la mort d'Odette... Son divorce n'avait pas changé grand-chose, ses noces lui avaient fait prendre un bon départ matériel et les enfants de Mimi s'appelaient Saintjean... c'était l'essentiel après tout. Et quand il voyait ses caisses en partance pour le monde, je crois qu'il pensait que ça valait tout de même le coup d'avoir vécu ce qu'il avait vécu, même si l'absence de Mimi était, disait-il, « un crève-cœur ». La vie de sa fille... Oui, bien sûr... mais c'était ainsi. La fortune d'un nom et l'économie d'un pays sont faites d'une multitude de petites morts semblables à celle d'Odette. Il en parlait parfois, comme on parle d'un chat qui s'est fait écraser dans la rue ; avec un certain chagrin.

Petite mort à l'intérieur de laquelle Mimi, elle, opérera sa mutation d'adulte, où baigneront son chagrin, son deuil, sa sous-histoire, son indicible désespoir, petite mort où sa haine prendra racine.

...

La haine de Mimi, son acharnement contre Saintjean, jusqu'au bout ! Sa modestie, sa distinction, sa perfection, le jour de l'enterrement de mon père !

A peine a-t-il rendu son dernier souffle qu'elle est retournée, vêtue de noir, dans l'appartement qu'elle avait quitté dix-sept ans plus tôt — pour accoucher de moi — et où elle n'était plus jamais revenue. Elle a tout organisé, tout rangé, tout paré, afin que la ville entière puisse défiler dignement devant le cercueil du père de ses enfants... Elle nous a placés devant elle et elle a reçu les condoléances des notables avec une noble décence, beaucoup de grandeur d'âme. Il y avait dans son deuil sec une énergie, un dynamisme, une rigueur qui masquaient à peine la jubilation que je sentais vibrer dans sa main posée fermement sur mon épaule... Il était mort le violeur, l'assassin, enfin ! Elle n'a pas bronché quand on l'a mis en terre dans le tombeau de marbre où était gravé, en lettres profondes : Famille SAINTJEAN, et dans lequel se trouvait depuis si longtemps le petit cercueil blanc de sa fille.

Tout était bien.

...

La vengeance, la terrible vengeance méditerranéenne. La vieille vengeance qui se pèse, se pense, se construit lentement, scrupuleusement. La vengeance qui tient des comptes méticuleux : œil pour œil, dent pour dent... Vengeance qui, à la fois, nourrit et apaise la haine.

...

J'avais dix-sept ans, je ne connaissais pour ainsi dire pas cet homme que l'on mettait en terre. Mais il était mon père et je conduisais son deuil. Le matin même ma mère m'avait habillée de noir des pieds à la tête. C'était la première fois que je portais cette couleur qui me vieillissait tout à coup, me donnait une importance d'adulte. Il me semblait que mon adolescence se terminait là, que ma vie de femme commençait là, au pied du cercueil de cet étranger. Devant moi il y avait ce trou, cette béance, cette absence, cet inconnu enfermé dans une longue boîte, et derrière moi il y avait ma mère qui sentait bon, à laquelle la voilette d'une nouvelle capeline noire allait bien, et dont la main aux doigts fins, aux longs ongles, serrait mon épaule. Elle me communiquait, par sa pression, une force incompréhensible, terrible. Elle m'indiquait clairement le chemin de la guerre : la tactique perverse, la politique patiente, la dialectique mensongère de la victoire conjugale.

Ce trou, mon père au fond, et moi incapable de le haïr. Refusant absolument ce que la main de ma mère me léguait, me jurant même, en ce matin, en ce lieu, d'aimer un homme, de chérir les enfants qu'il me donnerait et de me consacrer à ça, jusqu'à la fin de mes jours.

J'ai fait un pas de côté pour qu'elle lâche son emprise ; elle a alors saisi le bras de mon frère, comme pour s'appuyer sur lui, comme une femme prend le bras d'un homme. J'étais seule. Et j'ai pensé — probablement parce que je venais de passer mon bachot et que cette année-là *Iphigénie* était au programme — j'ai pensé — alors qu'en même temps je me dédiais à un homme, à mon futur mari — j'ai pensé : « Elle n'avait qu'à faire comme Clytemnestre. Moi je préférerai le meurtre à la vengeance. »

Aujourd'hui me revient ce souvenir. Il m'est arrivé plus d'une fois de me remémorer l'enterrement de mon père, l'attitude de ma mère ce jour-là. Je me rappelais mes premiers bas noirs, l'odeur sèche des fleurs amoncelées — c'était le mois d'août, il y avait surtout des zinnias pour décorer les couronnes — et j'avais complètement oublié : « Elle n'avait qu'à faire comme Clytemnestre. » Clytemnestre ! Pourquoi l'avoir effacée depuis si longtemps ? Est-ce que cette « méchante » reine me fait peur ? Est-ce que j'ai eu honte de l'avoir prise pour exemple ? Mais qui sont ces femmes, Clytemnestre et sa fille Iphigénie ? Est-ce que je les connais ? Pourquoi les connaîtrais-je, je ne les ai jamais rencontrées. Qui étaient-elles ?

...

Je ne brode plus. Plus du tout. Pourtant, maintenant, tout m'autoriserait à le faire : la santé de mes enfants, mon âge qui s'est encore accru et me libère de certaines obligations (!), les bons rapports que j'entretiens avec mes proches, le calme d'une vie de femme qui se termine. Oui, tout m'autoriserait à broder, mais justement, cette autorisation me paralyse, me scandalise. Elle est absurde. Ce seraient mes seins vides et mon sexe sec qui détermineraient ma conduite, ce serait mon anatomie usée qui m'indiquerait mon comportement ! J'ai le goût du caché, du mystère, de l'ailleurs, c'est ça que je brode et ça n'a rien à voir avec mon genre ni avec mon âge.

...

Dans mon isolement, tandis que je vaque à des occupations qui m'assureront une compagnie agréable, une bonne table, des chambres fleuries, une belle lumière, alors que je construis le cadre paisible d'une femme vieillissante et satisfaite en apparence, Odette, Clytemnestre, Iphigénie, Mimi, toutes ces mortes exemplaires, m'accompagnent.

Source des femmes de laquelle je suis issue, parviendrai-je un jour au lac souterrain d'où tu t'écoules ? Arriverai-je à comprendre les raisons de mon existence obligatoire ? Expertes, magnifiques, terribles navigatrices, vous qui devez me mener à bon port, qui m'a raconté vos histoires ? Qui raconte l'Histoire ? Qui racontera ma propre histoire ?

...

A la vérité, ma vie je la mène avec Mimi, Iphigénie, Clytemnestre, Odette, plus qu'avec les personnes de chair et d'os que je côtoie quotidiennement. Je vis avec mes rêves, mes phantasmes, mes souvenirs, ma mémoire, ma culture. C'est malsain. Je trouve que c'est malsain. Je me surprends souvent à me parler à moi-même, mais, en fait, je parle avec les mortes. Quand je me vois glisser sur la pente du radotage, je les chasse de ma pensée et me livre à une activité quelconque, mais elles reviennent toujours, discrètement. Elles ne me critiquent pas, ne me jugent pas, ce sont des spectatrices inertes ou plutôt de patientes ménagères qui font la queue chez le boulanger, elles attendent d'être servies.

Au fond, elles sont des miroirs dans lesquels je me reflète. L'ennui que cela représente ! Quelle rengaine ! Quel fastidieux spectacle ! Moi en mère, moi en fille, moi en épouse, moi en femme, en femme, en femme, en femme ! Je ne comprends pas pourquoi je supporte ça, pourquoi je n'interromps pas mon isolement, pourquoi je ne prends pas la décision d'entrer dans la vie « normale » d'une personne de mon âge et de ma condition, pourquoi je ne profite pas de mon succès passé. Je pourrais broder des paysages, des bouquets... Mais quelque chose me dit qu'elles ne disparaîtraient pas pour autant.

La seule avec laquelle j'ai des rapports un peu moins oppressants est Clytemnestre. Peut-être à cause de sa mauvaise réputation, peut-être à cause de son nom à coucher dehors ; Clytemnestre, a-t-on idée de s'appeler comme ça ! Celle-là, je la chasse parfois, je la fais déguerpir : « Allez, fous le camp ! » ; avec les autres je n'ose pas.

...

Je suis restée longtemps, très longtemps obsédée par ces femmes, jusqu'à ce que je me dise que j'étais bonne à enfermer, qu'il fallait que j'aille voir un médecin. Mais je ne me sentais pas capable de parler de mes obsessions à qui que ce soit, surtout pas à un homme de science. Je ne sais pas pourquoi il me semblait qu'en le faisant je démissionnerais. Démissionner de quoi ? Mystère. Incapable de répondre.

Clytemnestre, à cette époque, a vraiment pris le pas sur les autres ; je la craignais moins. J'ai voulu l'imaginer, je me suis renseignée. Au moins me donnait-elle une contenance : j'allais dans les musées, les bibliothèques, j'avais l'air de me cultiver... Incroyable le nombre de documents qui concernent cette femme ! Mais plus je m'enfonçais dans cette paperasse et cette imagerie plus je me disais qu'il n'y avait rien là, rien, absolument rien. Qui était-elle finalement ? Je ne trouvais d'informations que sur la fille d'un dieu de l'Olympe, sur l'épouse d'un roi, sur la mère de princes, sur l'amante d'un courtisan. Sur elle-même : l'obscurité totale. Elle était perdue, enfouie sous les millénaires.

Plus ça allait, plus je me sentais proche d'elle. Jusqu'au jour où...

... Jusqu'au jour où j'ai admis, en riant, que la brodeuse était folle... et heureusement que cette folle existait !

Ce matin-là la brodeuse a vu Clytemnestre. Il était tôt, cinq heures peut-être. L'heure à laquelle j'aimais me mettre au travail quand je brodais parce que, bientôt, les oiseaux commenceront à piailler dans les arbres, puis j'entendrai les voitures se multiplier dans l'avenue, puis il y aura les boueux et leur machine croque-ordures qui fait un vacarme terrible, puis le boulanger lèvera son rideau de fer. J'aime ces bruits et l'impression qu'ils me donnent d'être dans ma tanière, de voir et de ne pas être vue, d'être vivante, secrète, aux aguets, active. Je préfère le jour à la nuit, je ne sais pas pourquoi.

Ce matin donc, j'étais dans la cuisine à préparer mon thé quand Clytemnestre est entrée. Elle arrivait du couloir, elle portait une longue robe rouge, ses cheveux étaient défaits comme si elle venait de se réveiller. Cela m'a paru normal de la voir, depuis le temps qu'elle me hantait... Elle est entrée et elle s'est appuyée contre le réfrigérateur. En une fraction de seconde j'ai pensé qu'il y avait des marques de doigts près de la poignée, que j'aurais dû les enlever hier soir avec une éponge et de l'Ajax liquide, mais j'ai chassé cette idée de ma tête. C'est que ma première réaction en l'apercevant fut de l'étonnement : elle ressemblait à ma mère. Puis, finalement, j'ai jugé qu'elle me ressemblait plutôt. Non, elle n'était pas ma mère, je n'avais pas besoin de faire du zèle pour lui prouver qu'elle n'avait pas perdu son temps à m'instruire des choses de l'ordre et de la propreté. Ce qui émanait de Clytemnestre me faisait ressentir qu'elle était une femme comme moi, ni ma supérieure, ni ma maîtresse, ni mon aînée, mais ma semblable, ma sœur, mon égale.

C'est alors que j'ai vu la cicatrice qu'elle avait au cou. Une longue cicatrice encore rose, avec une peau fragile, satinée, comme celle d'un bébé. Une blessure qui tranchait sa gorge. Etait-ce à cause de cela qu'elle ne parlait pas ? Elle ne m'avait pas dit « bonjour » en entrant. Ne pouvait-elle plus parler ? N'avait-elle plus de voix ?

Elle se tenait là, désœuvrée. Je me demandais si elle allait s'asseoir, partager mon thé. Mais elle n'avait pas l'air d'en avoir envie, elle restait debout et doucement grattait son sexe à travers sa robe. J'emploie le terme « sexe » parce que je n'en trouve pas d'autre pour désigner cette partie de son corps. Elle grattait le bas de son ventre simplement parce que ça la piquait par là probablement. Il n'y avait rien d'obcène dans son geste, rien de grossier. On fait souvent des gestes comme ça au réveil. Elle était lasse.

Elle avait l'air de connaître la cuisine par cœur. Elle a promené son regard sur la machine à laver, la cuisinière, l'évier, le bahut à vaisselle, les petites étagères à épices, la table, le bouquet de marguerites qui n'était plus très frais. Je me suis dit que j'en achèterais d'autres au marché tout à l'heure. J'aime le blanc et le vert des marguerites sur la table bordeaux. J'ai pensé aussi que je garderais celles qui étaient encore bonnes dans ce bouquet-là pour les mettre dans le petit vase de mon atelier.

Rien n'était plus naturel que sa présence ici, pourtant je me sentais inquiète : je craignais que quelqu'un survienne. (Mais qui, à cette heure, pouvait venir ?) Ou que des voisins nous voient par la fenêtre, de l'autre côté de la cour. (Mais qu'y a-t-il de plus banal que deux femmes dans une cuisine le matin, de bonne heure ?) Je me demande si mon malaise ne venait pas plutôt de ma mauvaise conscience : j'avais souvent houspillé Clytemnestre au cours des derniers mois. La sale réputation que l'histoire lui avait faite me rendait plus hardie avec elle qu'avec les autres. J'avais eu, avec son image, un courage que je ne possédais plus maintenant devant sa réalité. Elle était si costaude, si calme, une telle énergie émanait d'elle et une telle lassitude aussi... dans le fond, elle était vulnérable, fragile même. A la considérer comme ça, dans l'espèce de dépouillement, de simplicité, où elle se trouvait, je me disais que cette femme n'était sûrement pas une meurtrière. Mais je savais aussi qu'il ne faut pas se fier aux apparences, que l'habit ne fait pas le moine, etc. et je me méfiais d'elle.

Rien ne se passait. Nous restions immobiles. Peut-être allait-elle disparaître comme elle était apparue. Et je regrettais déjà son absence alors qu'elle était toujours là. Finalement elle a posé son regard sur moi, un regard bouleversant : jamais aucun regard ne m'avait aimée autant, jamais un amoureux ne m'avait aimée à ce point.

J'ai eu envie qu'elle me prenne dans ses bras et de la prendre dans mes bras, de la caresser et qu'elle me caresse. Mais je me suis reprise, j'ai détourné mes yeux. J'ai pensé : « C'est une femme, qu'est-ce qui te prend, la brodeuse ! » Le temps de cette réflexion et j'avais perdu son regard : elle baissait les paupières. Apparemment non parce qu'elle avait honte de m'avoir regardée comme elle l'avait fait ou parce que ma dérobade l'avait affectée, mais parce qu'elle considérait une petite rougeur qu'elle avait sur le sein gauche, je pouvais la voir par l'échancrure de sa robe. Le mouvement de ses doigts sur sa peau était léger et expert, il y avait une complicité entre eux et elle que je reconnaissais qui appartenait à une certaine vie qui ne se dit pas. Ça ressemblait aux rapports que j'avais avec mes tissus, mes cotons, mes soies...

Elle est restée longtemps occupée par son égratignure, puis elle a laissé glisser sa main le long de son corps, doucement, dans un beau geste alangui, et de nouveau elle m'a regardée. Cette fois son regard m'a brûlée : elle était aux abois, à l'agonie, elle se noyait. J'avais déjà vu un regard pareil dans les yeux de ma fille, sur son lit d'hôpital, quand, du plus profond de sa perdition, elle m'a dit : « Aide-moi. » Subitement Clytemnestre n'était plus ni ma semblable, ni ma sœur, ni ma mère, elle était ma fille. Je ne voulais pas qu'elle meure, je voulais la bercer, la guérir, l'apaiser. Ma belle enfant, ma toute petite !

Quand je me suis levée pour aller vers elle, je savais très bien qu'elle n'existait pas en réalité, je savais très bien que j'allais l'aimer de toutes mes forces, mais pas là, dans la cuisine, contre le réfrigérateur, je savais très bien que j'allais retourner dans mon atelier.

Il me faut du rouge ! Du rouge vif pour le sang frais du

meurtre. Du brun-rouge, de l'ocre rouge pour les blessures anciennes. Du rose pour les cicatrices de ma fille. Du grenat, du rubis, du garance, et du vineux pour le sang des règles, le sang de la mère, le sang de la reine.

L'atelier patiente depuis longtemps. Il ressemble ce matin à un voyageur persévérant et morne qui est là à attendre, seul, dans une gare de campagne, à guetter les bruits d'un train qui n'en finit pas d'arriver. Il endure mon absence. Une organisation de la résignation s'est d'elle-même installée : la poussière arrondit les angles, ternit les couleurs, le temps a jauni les papiers, séché les fleurs... En même temps que je constate les effets de cet abandon, je sens que Clytemnestre m'a suivie ; elle est postée devant la table à dessin. J'agis comme si elle n'était pas là, je la laisse faire tout en l'observant du coin de l'œil.

... Ses hanches larges, osseuses, sa manière de s'asseoir sur le haut tabouret de l'atelier, un pied par terre, l'autre appuyé à un barreau du siège, dans une attitude inconfortable, comme si elle était là pour peu de temps. J'ai l'impression qu'elle ne va pas rester. J'aimerais prendre sa main, celle qu'elle vient de placer sur sa cuisse, une main longue, souple, tachetée de son comme les miennes et dont la peau est trop grande et fripe, déjà ! Toujours sa cicatrice à la gorge, son cou tranché, sa parole qui ne vient pas. Torturée ! Elle a été torturée. Pourquoi est-elle blessée à ce point !

Elle existe. Elle est la Clytemnestre de la bachelière que j'ai été, celle qui hurle parce que la mort de sa fille la révolte, elle est Mimi devant le cercueil d'Odette, écoutant la mélopée de Dolorès, elle est moi debout auprès du lit d'hôpital de mon enfant qui sort du coma pour articuler : « Aide-moi. » Je ne suis pas folle, je sais que Clytemnestre appartient à la légende, pourtant elle prend corps dans ma maison et c'est mon corps qu'elle habite, une grande carcasse solide qui vieillit dans la robustesse.

Si seulement elle pouvait s'installer plus confortablement, si seulement elle pouvait me donner l'impression qu'elle va rester. Elle est tellement ancienne ! Elle me rassurerait, elle m'aiderait à comprendre. Nous nous tiendrions compagnie. Oui, c'est ça, nous nous tiendrions compagnie. Je nous imagine telles des presse-livres de bronze — deux statuettes se tendant les bras — enfermant entre elles, dans la parenthèse qu'elles forment, la vie des femmes folles, les exploits des insoumises. Ça me fait rire de penser ça, de nous rêver comme ça, et j'ai envie de m'approcher d'elle, de lui parler.

On dirait qu'elle me devine et qu'elle accepte mon désir ; elle remonte son pied qui touchait le sol pour le poser sur le barreau, à côté de l'autre. Ainsi, elle est mieux assise. Elle n'a pas de chaussures, son ample robe rouge lui fait une châsse dans laquelle elle semble nicher. Elle regarde ce qu'il y a sur ma table de travail : des croquis, de l'encre, des aiguilles, des pinceaux fins, du papier, des bobines, des écheveaux, des échantillons, des ciseaux... elle examine tout ça avec attention, avec curiosité même. Son regard s'arrête sur une gomme qui a la forme d'un chat, elle a alors sur sa figure une expression enfantine. Elle prend le chat, le met debout, il me semble qu'elle s'amuse. Elle tourne son visage vers moi, il y a un sourire dans ses yeux, une ébauche de sourire. Du coup je me lève, je viens vers elle et après un instant — puisqu'elle ne bouge pas, ne me fuit pas, ne se détourne pas et qu'elle sourit vraiment — j'ose poser un de mes bras sur ses épaules. Elle se laisse faire et même, après, elle abandonne la gomme et appuie sa tête contre moi, ses mèches grises et rousses frôlent ma bouche. Je la prends comme je l'ai laissée trente-cinq ans auparavant, dans mon livre de classe, au moment où, avec les vers de Racine, elle criait et se tordait les mains parce que sa fille partait vers le bûcher. Aujourd'hui je connais la peur de perdre un enfant, je sais comment ni l'entendement ni les viscères ne peuvent admettre ça. Je la serre contre moi, j'embrasse ses cheveux. Nous sommes pareilles. Elle parle. Enfin ! Elle parle ! Sa voix est basse, enrouée, une voix de velours de soie brun. Est-ce à cause de sa blessure, à cause de l'émotion qu'elle contient, ou parce que ce qu'elle me confie est un secret que sa voix est à la fois sourde et exaltée ?

Quand j'ai vu ma fille gravir la colline de son sacrifice, je me suis mise à cavaler comme une vieille chèvre. Je me tordais les chevilles, je pleurais, je hurlais, je me griffais le visage. Je faisais la navette entre Iphigénie qui marchait en tête du cortège et Agamemnon qui la suivait à quelques mètres. Iphigénie était vêtue d'une toilette splendide : une robe de mousseline blanche, une couronne de roses (ou peut-être de jasmin... ou de fleurs d'oranger...), un long voile qui flottait, elle portait aussi une brassée de lys au parfum entêtant, sucré. Je suppliais mon enfant de résister à son père. Lui, je l'agrippais, je le forçais à s'arrêter, je l'insultais. Ses serviteurs me faisaient lâcher prise, je me débattais, je remontais en courant jusqu'à ma fille. J'étais aussi indécente qu'une putain de bas étage, laide, échevelée, mendiant la faveur, suante, postillonnante.

Il n'y avait que des hommes, les femmes étaient restées en bas, elles priaient. Tout le monde était noble, sauf moi qui me comportais comme une chienne. La reine des chiennes, voilà qui j'étais et qui je suis restée pour la postérité. Mais qui fabrique les mythes ? Qui choisit, élague, ampute, nettoie l'Histoire ? Qui décrète ce qui est important et ce qui ne l'est pas ? Qui ? Dis-le-moi !

Elle me posait cette question et je connaissais une réponse à lui donner : « Les hommes, le Pouvoir, le roi », mais je la trouvais insuffisante cette affirmation, trop simple, et puis j'aimais mieux l'écouter, elle. Alors je n'ai rien dit, je l'ai simplement regardée et elle a continué :

J'ai proposé aux sages d'être tuée à la place de ma fille. Après concertation ils m'ont fait savoir que les dieux désiraient la beauté, la jeunesse et la virginité d'Iphigénie ; ils ne voulaient pas du bruit que je faisais et encore moins de mon corps usé par les maternités... Malgré ce refus, je me serais bien encore battue si je n'avais constaté que, plus elle approchait du bûcher, plus le comportement de mon enfant devenait magnifique. C'est ça qui m'a fait lâcher prise, pas l'avis des sages. Iphigénie silencieuse, grave, zélée, grande, immense, sublime, rendue sacrée par le formidable don d'elle-même qu'elle faisait à son père, irradiait. Elle refusait mon charivari. Quand ses yeux clairs — exactement de la même couleur que ceux d'Agamemnon, aussi bleus que l'eau du patio, aussi frais que cette eau — se posaient sur mes braillements, ils exprimaient de la réprobation, presque du dégoût : je la dérangeais. Je n'en revenais pas, je ne comprenais rien à ma propre fille !

Finalement, épuisée, dépassée par l'événement, je suis redescendue vers la maison en empruntant les sentiers des bergers afin d'éviter la foule extasiée. Tout en moi avait explosé ! Je me suis réfugiée dans ma chambre où je suis restée prostrée.

Je haïssais Agamemnon mais je n'osais pas l'exprimer ; le regard d'Iphigénie, son bonheur éclatant au moment de son anéantissement, me privaient de ma haine, me privaient même de mon raisonnement. Je me sentais exclue et dégradée. On ne m'avait rien demandé, je n'avais pas été consultée, on m'avait pris mon enfant sans me demander mon avis — comme si j'étais trop niaise pour avoir un avis — et au nom de la raison d'Etat par-dessus le marché — comme si l'Etat ne me concernait pas. Tout cela me faisait trembler de colère, mais le regard de ma fille, lui, me faisait trembler de peur et annulait ma révolte ou plutôt l'enfouissait au plus profond de ma tête, dans les tréfonds de ma honte.

La soumission d'Iphigénie me répugnait et pourtant j'aurais voulu être aimée d'Agamemnon, de ses lieutenants et de ses valets, comme elle l'avait été au moment où ils allaient la tuer. J'étais jalouse de ma fille ! Cette absurdité me rendait folle, me forçait à envisager un choix impossible : ou l'existence ou le silence. Ce n'était pas imaginable un choix pareil ! Je perdais l'esprit !

Ma fille me bouleverse encore.. Que s'est-il passé dans ce qu'elle n'a jamais dit ? Car ce sont les autres qui l'ont fait parler. Elle, elle ne s'est jamais exprimée.

Comment vivent les muets ? Quand je pense à ma parole incessante, à ces mots qui n'arrêtent pas de sortir de moi comme des armées, comme des gâteaux au miel, comme des clous, comme des grelots, comme des armes ! Je vis dans un château de mots. Comment font ceux qui ne s'en servent pas ? J'ai une grande difficulté à les comprendre. Parfois je les envie. J'aimerais savoir me taire complètement, que ni mes lèvres, ni mes yeux, ni mes mains, ni mon teint, ni mon corps, n'expriment la moindre chose, ne livrent la moindre parcelle de ma pensée. Est-ce à ce prix que j'obtiendrai la paix ?

Tu vois, je m'étais dit que je ne te parlerais pas, et puis voilà : je parle.

Millénaire silence des femmes obéissantes ! Où vont leurs mots ?

Que se passait-il dans Iphigénie qui marchait sans contrainte vers sa fin ? Ne s'y passait-il rien ? Elle m'intimidait, elle me gênait. Dis-moi, en quoi consistait la beauté et la grandeur de son sacrifice ? A quoi sert le sacrifice ? A qui profite le sacrifice ? Y a-t-il de la noblesse à devenir une sacrifiée ? Je n'imagine pas d'amour dans cette soumission. A quelle sorte d'amour faut-il des gorges tranchées, des crucifixions, des humiliations, des femmes de ménage ? Je ne pense l'amour que dans l'échange. Où est l'échange dans le sacrifice ? Mais où est le partage là-dedans ! C'est un leurre abominable. Un tel marché ne peut engendrer que la guerre ! Car existe-t-il une plus grande dépendance ? En me sacrifiant, en ne m'exprimant pas, en n'existant pas, je me rends sacrée, on me doit tout, toutes les attentions !

Allons donc, des balivernes tout ça ! Faut-il de la torture pour jouir de l'amour ? Qui me fera croire ça ? Tu y crois, toi ?

Moi, je pensais à Jacques et à Jean-Maurice, et je n'avais pas de réponse.

Clytemnestre s'exalte, elle reste juchée en haut du tabouret et ce n'est pas par ses mouvements que son exaltation se voit — au contraire, plus elle parle et plus elle se tasse, devient compacte, un bloc — mais c'est par la cadence de sa parole qui est rapide et hachée.

Pourtant elle ne hausse pas le ton, elle chuchote. Les mots sortent d'elle comme une vapeur.

Moi, stupidement, je suis gênée parce qu'elle me tutoie. Mon comportement cependant appelait cette intimité, cette facilité du « tu ». Mais j'aurais voulu qu'elle reste un mythe, qu'elle garde une majesté, une grandeur... Clytemnestre, dans ma tête, rimait avec Antiquité, avec Grèce, avec Dieux ; elle devait se balader au Parthénon, à Corinthe et ailleurs comme moi dans mon appartement, à part qu'elle, elle était couchée sur une litière en bois de cèdre incrusté d'or, portée par des esclaves, éventée par des vierges, et le peuple se courbait sur son passage...

Soudain elle se recroqueville, elle se tient le ventre et se penche vers moi :

— Ce qui me trouble, tu sais, c'est que je connais le secret du sacrifice. Je l'ai vécu trois fois, chaque fois que j'ai mis un enfant au monde. Oui, je sais comment on peut jouir dans la souffrance.

Brutalement elle se lève, elle me prend par la taille, elle pleure. Des larmes sortent de ses paupières baissées et descendent sur ses joues. Je la berce. Ma belle reine, ma belle reine.

Nos gros ventres, nos seins pleins de lait, le poids du petit qui nous étouffe... qu'on soit la fille de Zeus ou celle de Jean-Maurice, c'est pareil, pareil pour toutes

Là, nous deux, dans l'atelier, serrées l'une contre l'autre, nous nous tenons comme des sœurs siamoises, notre agaçante ressemblance est un bonheur. Pas besoin de parler, nous savons exactement les mêmes choses, nous savons comment dans un paroxysme de douleur nous avons vécu l'écartèlement de nos corps et senti s'épanouir en nous un bonheur fantastique. Nous n'aurions pas échangé nos places avec quiconque Nous étions la béance même de nos vagins, farandole de chair dilatée et distendue qui tout à coup éclate à l'endroit le plus fragile, là où la poussée est la plus forte. Nous devenions immédiatement la fissure, la blessure, le lieu où ça faisait le plus mal. Nous nous livrions au bien-aimé qui, par son besoin de naître, l'avait ouverte. Nous nous livrions à la sage-femme, au docteur qui, par son souci de bien officier, d'un coup précis de bistouri dirigeait droit l'entaille, coupant dans le vif de la fente. Nous étions alors le sang gai, chaud et poisseux qui sourdait, puis rigolait et tachait nos fesses, les draps, les gants transparents de l'accoucheur. Nos sangs caressaient le crâne de l'enfant vainqueur. Et, dans nos corps suppliciés, sacrifiés, nous jouissions en hurlant de souffrance.

Elle se redresse, me regarde, elle va parler encore mais je sens que ce qu'elle va dire l'épouvante :

— Le plus grand amour est-il l'inceste ? Une femme doit-elle toujours être l'enfant des hommes ou leur mère pour être aimée d'eux ?

...

Est-ce d'avoir sauté tout à coup de l'adolescence à l'âge mûr qui fait que je me sente à la fois si neuve et si ancienne ? Il y a eu une transition qui a duré trente ans. Pendant ces trente années j'ai vécu hors de moi-même, je n'ai pas eu de temps à me consacrer. J'ai materné, j'ai ménagé, j'ai couplé. Et maintenant, soudain, le vide, le face à face avec mon histoire. Je retrouve la fiancée, la jeune mariée, la maman... peu à peu l'époux s'est affirmé en effaçant le garçon, l'homme... l'épouse est apparue... et la mère... un vertige ! La p'tite Saintjean face à la vieille Saintjean, Clytemnestre face à moi, face à Mimi, Mimi face à nous, nous face à Iphigénie, identiques et ennemies. Quel malentendu, quel conflit, quelle absurdité !

Toutes sur la même terre, toutes engagées dans cette formidable aventure qu'est une vie de femme, toutes à tourner autour du cratère de l'homme-père. Bouche d'ombre.

Je n'avais jamais vécu avec une femme. Je n'avais partagé ma vie qu'avec des enfants et des hommes. Cela n'avait pas été difficile d'apprivoiser Jean-Maurice, de lui faire accepter notre cohabitation : je m'étais servie des codes de la séduction et il s'était comporté tel qu'un homme doit se comporter, d'après ces codes. Nous avions utilisé tous les clichés. Avec Clytemnestre il me fallait découvrir d'autres rythmes, je ne connaissais pas les moyens de séduire une femme. Pourtant j'avais besoin d'elle, besoin qu'elle reste. Et puis je n'avais pas envie d'employer des subterfuges. Je me suis donc décidée à dire la vérité. Je lui ai fait part de mon embarras. Je lui ai raconté mon histoire avec mon père, comment j'avais dû l'interrompre et qu'alors je n'avais plus pu broder.

— Et maintenant tu veux te servir de mon histoire ?

— Oui.

Je l'avais installée dans l'ancienne chambre de mon fils. J'aimais bien venir dans cette pièce à cause des deux posters qui se faisaient face : James Dean et Marilyn. Deux grands portraits poignants. Ils étaient si beaux, si touchants, ces deux-là... Pendant sa convalescence, mon fils avait récupéré chez le garagiste qui gardait l'épave, un des pots d'échappement de la moto, une sorte de tuyau d'orgue étincelant, intact. Il l'avait accroché au mur, entre les posters, comme s'il avait voulu mettre entre eux le trait d'union de la mort.

— Je ne veux pas que tu te serves de moi.

— Me servir de toi, c'est une façon de parler, tu sais, j'interprète...

— J'en ai assez des interprétations.

— Moi aussi j'en ai assez, c'est pour ça que j'ai besoin de toi.

— Dans l'atelier, j'ai vu ce que tu as fait de ton père... Je ne suis pas d'accord... c'est superficiel. C'est trop noir et trop blanc... Un homme n'est pas comme ça.

— Je le sais, et c'est pour ça que j'ai abandonné. Je n'ai pas été capable d'entrer dans sa vie... Je n'ai pas su vivre dans son corps.

— Et pourquoi saurais-tu mieux vivre dans le mien ?

— Parce que nous sommes faites pareil.

— Oh, tu exagères, le corps c'est le corps... Tu exagères. Il n'y a pas que ça.

— D'accord, il n'y a pas que ça... Tu ne me parles plus d'Iphigénie. Pourquoi ?

— Tu m'embrouilles. Ça s'est passé simplement. Je n'ai pas agi en pensant à tout ce que tu dis.

— Raconte-moi. J'écrirai ton récit au fur et à mesure. C'est plus facile d'écrire que de broder. Tu me corrigeras, ensuite nous choisirons les couleurs et les matières ensemble.

— Tu me tortures.

Elle a dit ces mots en riant, avec coquetterie. J'étais assise au pied du lit, elle était allongée. Elle s'est soulevée et m'a attirée vers elle. Elle voulait que je m'étende à ses côtés. Elle était imprévisible, Clytemnestre, elle passait du rire aux larmes pour un rien, il y avait dans son comportement un mélange d'autorité et d'obéissance qui me déconcertait. Dans le fond elle n'avait aucune autonomie, elle attendait que je prenne une décision et, ensuite, elle la discutait. C'était agaçant.

— Tu me laisses faire ou tu ne me laisses pas faire ?

— Essaie, on verra.

— Tu es une vraie bonne femme, toi.

— Et toi, qu'est-ce que tu es ?

Je ne savais pas quoi répondre, alors nous avons ri ensemble. Ce rire était bon, il contenait nos ruses, nos tours de passe-passe, notre pouvoir de séduction, la conscience que nous avions de tout ça. Pas besoin d'expliquer, pas besoin de se cacher, nous savions exactement ce qui nous faisait rire : la bonne vieille habitude du maquillage, de la comédie et les effets de nos masques sur nos dupes.

Mais j'avais trop souvent ri de cette manière, je ne voulais plus me contenter de cette pirouette, elle n'arrangeait rien, au contraire, elle accroissait la distance. Il fallait que je fasse parler la reine et, pour l'instant, elle, elle voulait jouer. Peut-être qu'elle avait raison, peut-être que j'étais trop sérieuse, trop occupée par moi. Elle voulait que je m'intéresse à elle vraiment, que je n'aille pas vers elle avec mes idées fixes.

Un jour qu'elle avait repris son visage las, elle m'a déclaré :

— Le temps a passé et en passant il m'a apaisée. Il ne m'a pas satisfaite mais, au moins, maintenant, je suis au repos...

Elle redoutait de s'enfoncer dans ce qui avait été le plus grave, le plus important et aussi le plus incompréhensible de sa vie. C'est donc petit à petit, bribe par bribe, que je lui ai fait raconter ce qui m'a permis d'écrire ma première rédaction. Quand il m'a semblé que j'avais rassemblé l'essentiel de ses récits, je lui en ai fait la lecture :

Depuis la mort d'Iphigénie, Clytemnestre se retranche chez elle et refuse de sortir de là. Elle s'isole volontairement ; elle ne comprend pas les désirs des autres. Elle passe ses journées dans les jardins où elle travaille avec acharnement, seule. En dehors d'Oreste et d'Electre, les deux enfants qui lui restent, elle refuse de voir qui que ce soit. Ils viennent rarement. Parfois aussi, le soir, elle accepte les visites d'Egisthe. C'est un garçon qui a l'âge de son fils, il l'adore, la vénère. Et, par moments, elle a besoin d'être aimée de cette manière. Ils passent de longs moments ensemble. L'entourage les soupçonne de mille vices mais, en fait, personne ne sait ce qu'ils font exactement.

Au début, les curieux l'épiaient à travers les haies. Ils se sont vite lassés car les jardins sont immenses et il est rare qu'elle s'aventure à leurs frontières. Pour vrai aussi, elle fait peur : un tel pouvoir sort d'elle, une force inadmissible ; on dirait qu'elle grandit, à son âge !

Ses jardins, ou du moins ce que l'on peut en voir, témoignent de cette force. Ce n'est pas tant leur profusion qui frappe — pourtant elle est grande — que leur agencement qui est incompréhensible. Ils foutent le camp dans tous les sens. Les sommets de certains arbres laissent à penser qu'ils sont plantés pour former une allée, mais de hauts buissons étroitement accotés à eux annulent cette idée. De toute cette verdure serrée, luisante, bien nourrie, se dégage — pour qui l'observe attentivement — une impression puissante, mystérieuse, comparable à celle que produit un volcan qui se repose en attendant d'exploser. Quelque chose vit dans ce magma de verdure, quelque chose de violent et de doux, quelque chose de très privé, quelque chose qui fait penser au ventre, à la digestion, à la fécondation, à la gestation, quelque chose de gigantesque donc. Ces jardins, finalement, offrent un spectacle gênant, ils dérangent. D'autant plus que personne n'y pénètre, bien qu'aucune interdiction ne soit signalée, comme si l'endroit était maudit. Quant à Egisthe, lorsqu'il en sort et qu'on lui demande comment c'est là-dedans, il paraît étonné par la suspicion qu'il devine ; d'après lui ce sont des jardins, de beaux jardins qui n'ont rien d'effrayant ou de menaçant. Mais Egisthe est si jeune, il a si peu d'expérience ! Il n'est pas méfiant, son avis ne compte pas.

Ce qui trouble le plus les gens, ce sont les remugles qui sortent de là, les odeurs, les parfums qui en parviennent les jours où le vent souffle de l'ouest, ou bien en fin de journée, l'été surtout. Qu'est-ce que cette maudite femme fabrique là-dedans ? Des exhalaisons fortes s'insinuent partout, jusqu'au centre de la cité, interdisant à quiconque d'oublier que les jardins de Clytemnestre existent et qu'elle les entretient avec une ardeur insensée.

Elle, dans son domaine, n'arrête pas. Elle a organisé un système de seguias qu'un spécialiste réprouverait : l'eau se perd. Mais elle s'en contente, et même ce serait à refaire qu'elle referait tout comme c'est. Elle aime les mousses, les prêles, le cresson, les plantes qui poussent dans l'humidité. Il lui arrive souvent de s'enfoncer dans les buissons de seringas ou de sureaux, attirée par une odeur d'humus, de décomposition, jusqu'à ce qu'elle tombe sur un petit marécage qu'une fuite dans les canaux a formé. A l'automne elle y découvre parfois des champignons. Elle aime que ses pieds nus enfoncent dans la boue et le bruit de succion que font alors ses pas. Mais, la plupart de son temps, elle le passe à préparer et à observer ses plantations. Elle est captivée par les bourgeonnements, les grouillements, les épanouissements, ceux des plantes et ceux des animaux. Elle retrousse ses jupes dans sa ceinture, sur ses hanches, et elle se met au travail, elle bêche, elle bine, elle ratisse, elle sème et repique et arrose. Elle est à la fois l'assistante et la spectatrice du temps, elle l'aide et le laisse faire. Les saisons passent, il n'y a aucune monotonie dans leur ressassement, rien n'est jamais pareil, rien n'est sûr, mais tout est certain. Elle n'en revient pas de ce qu'elle apprend ici, jour après jour.

Au commencement de son exil, ce spectacle et ce travail l'ont aidée à supporter la mort de sa fille. Il y a tant de bêtes qui s'entre-dévorent, tant de plantes qui s'entr'étouffent, qui agissent exactement comme les humains ; mais leurs desseins sont plus clairs. Là, elle a appris que la mort la plus stupide est pourtant nécessaire. Sa peine, peu à peu, s'est insérée dans l'incompréhensible cohérence de la nature. Là, le cadavre de sa fille s'est inscrit dans les germes de la vie. Iphigénie avait disparu du monde des apparences mais sa mère savait qu'elle appartenait désormais à l'impondérable, à l'impalpable, à l'inaudible, à l'insoutenable, à l'inhumain, à tout ce sans quoi l'apparence n'existerait pas. Elle a découvert la logique élémentaire, primaire, de la mort, quelque chose de tellement simple, et de tellement clair que, avant, quand elle vivait avec les autres, elle n'avait pu le concevoir, elle en avait été révoltée : la vie a tant de sens, comment en donner un à son annulation ?

Cependant, plus elle acceptait la mort d'Iphigénie, moins elle admettait le rôle qu'Agamemnon avait joué dans cette mort. L'idée du sacrifice, de ce sacrifice-là, de cette mise en scène, de ce drame, l'exaspérait. Tout s'était passé comme si Iphigénie était morte pour son père et non pour l'ordre des choses. On aurait dit qu'Agamemnon avait réduit la mort de sa fille à un devoir familial, voire à un devoir ménager. Quel devoir ? Quelle famille ? Quel ménage ? Il avait agi comme un papillon, comme un bourdon, sans même comprendre qu'il n'était qu'un instrument de la fécondation universelle. Il s'était comporté au contraire comme s'il était lui-même le moteur de la fécondation universelle. L'imbécile ! Elle le détestait. Et, les rares fois où il était venu la visiter elle avait haï sa bienveillance, sa magnanimité, sa sagesse, la suffisance qu'il affichait. Un paon !

Bref, Clytemnestre se laissa prendre par la haine et il arriva un moment où cette haine la submergea, la paralysa, à un point tel que, dans sa vie, il n'exista plus que ça. Les jardins ne la satisfirent plus, elle les abandonna peu à peu. Comme elle, ils retournèrent à la sauvagerie.

Pendant cette période qui dura plusieurs mois, presque une année, les visites d'Egisthe se multiplièrent. A la fin il venait chaque soir. Ce qui fit dire plus tard qu'elle s'était emparée du pouvoir pour le partager avec son amant. La mort d'Iphigénie était loin dans les souvenirs, plusieurs années s'étaient écoulées, personne n'établit de lien entre la mort de la fille et la mort du père... Mais, nous n'en sommes pas là.

Donc, Egisthe venait tous les soirs. Il faisait l'amour à Clytemnestre ou Clytemnestre lui faisait l'amour, les deux expressions sont correctes car ils aimaient faire l'amour ensemble, bien que ce soit pour des raisons différentes

Clytemnestre ouvrait une clairière dans sa verdure où elle transportait des nattes et des coussins. C'est là qu'ils faisaient l'amour. A la moindre brise ça bruissait, ça embaumait, autour d'eux. Elle ne voulait pas qu'Egisthe l'aime dans la maison, dans une chambre, dans un lit ; tout cela était trop proche de sa vie, ramenait trop facilement à son esprit les besoins et les devoirs de son existence. Dedans elle aurait commis une trahison, dehors elle faisait l'amour. Elle n'expliquait jamais cela à Egisthe, pourquoi l'aurait-elle expliqué ? Elle était persuadée que le seul fait d'en parler aurait amené, comme un mirage, la maison dans la clairière. Egisthe y aurait pensé. Cela suffisait qu'elle y pense elle-même, que, par bouffées, l'assaille le reste, ce qui n'était pas ses jardins, son corps, la jouissance. Ainsi Egisthe croyait-il que Clytemnestre était fantasque, étonnante, pour une femme de son âge et il ne l'en aimait que mieux.

Il s'établit entre eux une intimité et même une sorte de complicité, un jeu. Un jeu que, au début, Clytemnestre ne pensa pas à utiliser à d'autre fin qu'à son plaisir. Ça lui faisait du bien, c'était léger, ça la distrayait de sa haine, ça la distrayait même de son passé, de son apparence.

Puis leurs rapports s'alourdirent. Egisthe, un soir, voulut rester jusqu'au lendemain. En fait, cette maison à laquelle il n'avait pas droit l'intriguait, il crut même que Clytemnestre voulait l'humilier en lui en interdisant l'accès, car elle ne l'autorisait à y pénétrer que pour aller chercher des fruits ou du vin à la cuisine et, parfois, pour se doucher. Pas plus. Comme les nuits étaient humides et fraîches il imagina que s'il restait là, elle serait bien obligée de le faire entrer. Clytemnestre refusa et le congédia gentiment, sans donner d'explication. Le lendemain il bouda : il ne vint pas. Il manqua à Clytemnestre. Il revint. Cela se reproduisit. Il fallut qu'elle parle. Elle ne dit pas sa haine. Elle dit simplement qu'Agamemnon pouvait à tout instant venir, qu'après tout c'était chez lui.

A quoi Egisthe répondit :

— Mais il n'est pas venu depuis des mois et des mois. Il vit officiellement avec Cassandre, il est fou de sa nouvelle conquête, tout le monde sait ça. Tu ne sors jamais, tu n'es pas au courant...

— Je sais, je sais très bien. N'empêche qu'il est mon mari. Je le connais, ce n'est pas la première fois qu'il vit avec une autre femme, il se lasse...

Et ainsi de suite...

Ils se mirent alors à parler et firent moins l'amour. Leurs conversations en arrivaient toujours au même point, Egisthe s'énervait :

— Pour craindre Agamemnon comme tu le crains, malgré les vexations qu'il te fait subir, c'est que tu l'aimes.

Ce à quoi Clytemnestre répondait invariablement :

— Non, je ne l'aime pas, je ne l'aime plus, mais il est le roi.

Et Egisthe n'avait rien à ajouter à ça. Il commença à détester Agamemnon et à envier son pouvoir.

En fait, Clytemnestre n'avait pas envie d'avoir Egisthe dans les jambes à longueur de journée. Elle n'avait pas envie d'avoir à séduire constamment. Elle en avait assez de ça, de cette surveillance d'elle-même — même quand elle était seule — que lui imposerait la présence d'un homme, même un homme aussi amoureux et jeune qu'Egisthe. Sa solitude lui avait donné le goût d'une vie différente dont elle n'était pas lasse.

Cependant, comme elle travaillait de moins en moins dans les jardins, occupée qu'elle était par son ressentiment, sa réflexion, son dégoût, elle se trouvait en déséquilibre : elle voulait garder sa nouvelle vie, mais l'ancienne la rassurait, elle avait peur de la perdre... Elle était écartelée, piégée et torturée par les deux femmes qui se battaient en elle, celle qu'elle sentait poindre et l'autre. Aussi passait-elle ses journées à constater son impuissance et l'inanité de tout ce qui lui arrivait. Elle ne faisait plus rien que ça.

Les choses auraient pu durer ainsi longtemps, peut-être toujours. Clytemnestre et Egisthe auraient pu continuer à s'aimer de moins en moins — chacun gardant pour soi sa propre détestation du roi — jusqu'à ce que l'étoffe de leur liaison soit totalement usée par ce qu'ils n'exprimaient pas et qu'alors l'un et l'autre retourne à sa vie sans qu'il n'y ait plus rien de commun entre eux. Après une lente période d'ennui ils seraient devenus des étrangers se faisant face, chacun se demandant ce qui avait pu les réunir dans le passé ; lui, par quelle aberration il avait pu coucher avec cette vieille, et elle, par quelle paresse elle avait pu se contenter de ce petit jeune homme insignifiant.

Et puis, une nuit, le vin a fait changer le cours de leur histoire qui, normalement, aurait dû s'enliser dans le silence, cet océan de mots non articulés où se noient les couples.

Cette nuit-là donc, l'heure arriva où Egisthe devait partir et, sans qu'il comprenne pourquoi, car déjà il ne tenait presque plus à Clytemnestre, il s'entendit déclarer, en parlant d'Agamemnon :

— Si je le pouvais, je lui ferais la peau.

Et elle enchaîna :

— Moi aussi.

Ils avaient trop bu. Ce n'était pas l'habitude de Clytemnestre de boire, mais, l'année passée, elle avait voulu faire du vin avec les grappes que ses vignes donnaient à profusion. Elle n'aimait pas que ses fruits se perdent et attirent les abeilles. Elle en faisait sécher une partie, elle fabriquait des confitures avec une autre partie, mais il en restait encore en masse. Alors elle se mit en tête de faire du vin, elle installa une cave invraisemblable qui fit rire énormément Egisthe et l'attendrit. A cette époque ils s'aimaient beaucoup. Un soir qu'il ne parvenait pas à la distraire de ce qu'il appelait son alchimie et qu'elle appelait tout simplement son chai, il avait fini par lui faire l'amour, là, par terre, dans les odeurs entêtantes qui venaient de la cuve où fermentait le jus, et du tas de grappes qu'elle avait foulées et qui se décomposaient. Tout en la caressant il la revoyait piétinant son raisin, s'acharnant, s'enfonçant dedans ; les grains écrasés lui faisaient des bas rouges qui violaçaient jusqu'à ses genoux. Il disait en l'aimant : « Tu es folle ma belle, tu es belle ma folle... », il ne savait plus ce qu'il disait et il riait. Il ne savait plus non plus s'il riait parce qu'il était heureux ou parce que Clytemnestre était folle.

Dans les jours qui suivirent, Clytemnestre remplit trois gros barils de son jus fermenté et déclara qu'on ne boirait ce vin que l'année prochaine.

L'année avait passé et il n'était plus question pour eux de faire l'amour n'importe où. Ils ne faisaient même presque plus l'amour. Seuls arrivaient à les distraire ensemble de petits événements qui ne pouvaient pas, à cause de leur insignifiance, pénétrer au cœur de leurs mutismes, là où ils vivaient vraiment. C'est pour ça qu'ils mirent un des barils en perce : pour se parler un peu, sans se parler vraiment.

Le vin était fort, lourd, pas mauvais au fond. Il avait le bon goût des choses que l'on fait soi-même, en se donnant du mal. Il leur tourna la tête. Egisthe retrouva sa vieille mauvaise humeur à l'heure où il dut rentrer chez lui, l'heure où, auparavant, il se sentait frustré, vexé, et il dit :

— Si je le pouvais je lui ferais la peau.

Et quand Clytemnestre enchaîna « Moi aussi », il n'en revint pas de l'expression que cette femme eut alors sur son visage. Quelque chose de profond était venu avec ces deux mots, quelque chose de très solide, de très calme. Ce n'était pas de la colère mais de la haine à l'état pur et c'était la première fois qu'il contemplait ce sentiment magnifique. Un sentiment rond et froid comme un boulet de pierre, dangereux aussi, parfait.

Cette nuit-là, pour la première fois il dormit là, dans la maison, dans une chambre d'amis. Après, tout alla très vite car le complot avait longtemps mûri en eux.

Pendant tout le temps de ma lecture, elle n'avait pas bougé et je me demandais si cette immobilité était un signe d'acquiescement ou de réprobation. Ça m'inquiétait et ça m'a fait buter sur plusieurs mots.

Une fois terminées, j'ai posé mes pages sur mes genoux et je suis restée à les regarder. Nous étions dans la chambre de mon fils, comme d'habitude. C'était surtout là que nous parlions. Elle demeurait la plupart du temps couchée. Frileuse, elle s'entourait de châles et de coussins. Ce matin-là il faisait beau. Le soleil chauffait les géraniums grimpants que j'avais plantés sur le balcon. La fraîcheur de la nuit les avait rendus vifs, verts, et leurs fleurs épanouies avaient l'air de danser Elles étaient gaies. Clytemnestre et moi, nous avions le même amour des fleurs.

J'attendais son jugement avec anxiété. Elle a pris son temps pour parler. Je suis certaine qu'elle me faisait marcher, la garce, qu'elle s'amusait de moi. Finalement elle a dit :

— C'est bien, tu ne m'as pas trop fait réfléchir.

Dans le fond, je sentais qu'elle était contente de me voir prendre son histoire en main. Elle n'appréciait pas l'image de marque qu'on lui collait sur le dos depuis des siècles : la sale reine. Mais attention, je ne pouvais pas fourrer mes pieds n'importe où et n'importe comment. Car elle aimait encore mieux rester « la sale reine » de la légende que de ne plus être du tout dans la légende. Ça, elle me l'a fait comprendre clairement :

— Ecoute, la brodeuse, il ne s'agit pas de tergiverser : j'ai bel et bien tué Agamemnon. Ne me cherche pas d'excuses ; je ne l'ai pas tué par hasard ou sans m'en rendre compte... Je l'ai vraiment tué, tu comprends ?

— Je comprends parfaitement... Maintenant, tu crois que je peux broder ça ?

— Allons-y !

Je suis allée acheter une bouteille de champagne pendant qu'elle préparait le chaudron à teinture et le mettait à chauffer. Nous étions impatientes. Ça me rappelait la nuit du cavalier et avec quel bonheur j'avais accueilli mon père nouveau-né.

Tout en buvant notre bouteille nous avons composé une teinture mauve dans laquelle nous avons plongé du fil de lin. Ce matin il égoutte et les composantes du mauve apparaissent, comme je l'espérais ; le violet en séchant se dégrade et libère du rouge, du bleu. Il me tarde d'employer ces fibres, à la fois raides et souples, qui s'ébourifferont à l'usage.

Nous avons décidé d'employer pour le fond du jute à grosse trame que nous avons amolli et décoloré dans de l'eau de Javel. Le tissu a pris une blancheur blonde qui lui donne une allure de précieuse guenille.

J'utiliserai aussi des fils d'or. Mais plus tard. J'ai hâte pourtant de mêler mes ors et mes mauves.

Le morceau de jute dont je vais me servir est de forme triangulaire. Nous avons longuement hésité avant de le choisir. La reine avait plutôt envie d'une forme ronde, à cause du soleil, de la lune, disait-elle... Et moi j'avais envie d'un triangle. Je ne sais pas pourquoi. Peut-être à cause de l'emblème des compagnons... Finalement, j'ai gagné en démontrant à Clytemnestre que la texture même du tissu m'imposera la rondeur, puisque seul le centre sera utilisable. Le reste, à cause du vague, du lâche, de la trame, ne me permettra que de petites incursions : le pourtour s'effilochera, il explosera en quelque sorte.

Clytemnestre n'y connaît rien à la broderie et elle s'impatiente pendant que je travaille, elle trouve que ça ne va pas assez vite. Elle m'interrompt souvent. Je dois lui trouver des occupations. Je lui apprends à préparer mes aiguillées. Elle ne me fiche la paix que quand elle dort ou alors pendant qu'elle s'occupe des fleurs, mais je n'ai pas trente-six balcons, je n'en ai que trois, elle ne met pas longtemps à en faire le tour... Le reste du temps elle le passe avec moi dans l'atelier, assise par terre dans un coin. Elle rêvasse ou bien elle me regarde faire.

— C'est quoi cette masse-là, à gauche ?

— Ce sont les jardins.

— Ça devrait être vert, pourquoi c'est rose ?

— Parce que j'ai envie de les faire roses, je les imagine roses, j'aime le rose.

— Tu es folle, tu fais n'importe quoi.

A force de me poser des questions de ce genre, j'ai fini, pour lui faire plaisir, par broder un petit volubilis bleu, plus vrai que nature. Je n'ai pas l'habitude de figurer mes désirs mais, peu à peu, poussée par elle, je l'ai fait. Alors elle s'est extasiée, elle trouvait ça bien.

Cahin-caha, j'avançais. Ça prenait un sens, une forme et aussi une force qui nous convenaient. Quand j'en suis arrivée aux trois mouvements qui devaient se diriger vers les angles, je me suis arrêtée. Je ne savais pas exactement ce que je voulais mettre là. Clytemnestre me conseillait :

— Fais des étoiles filantes.

— J'ai plutôt envie de manches de casseroles.

— Tu te moques de moi.

Nous riions.

Pour finir j'ai brodé des rameaux de vigne, bien beaux, bien vrais, bien souples, avec leurs vrilles, leurs feuilles et leurs grappes noires, serrées. Ça lui plaisait et à moi aussi.

Elle savait qu'une fois cette broderie terminée nous allions passer à la suivante. Elle venait moins souvent à l'atelier et restait dans sa chambre à regarder le plafond, les yeux grands ouverts. Puis, après plusieurs jours de méditation, elle a déclaré :

— La mort du roi, c'est moi qui te la dicterai.

— Je ne demande pas mieux, je préfère que ce soit toi. Moi, je n'ai jamais tué personne... pour de vrai.

Je savais que ce serait un moment lourd pour nous deux et le jour où j'ai commencé à écrire, mes mains étaient moites.

Quant à elle, elle s'était redressée, elle était royale. Elle se tenait debout devant moi comme si j'avais été un tribunal. Elle allait et venait nerveusement puis elle a commencé à dicter lentement, en choisissant ses mots :

Avec Egisthe, mon amant, armé d'un filet, j'ai surpris Agamemnon alors qu'il allait se baigner. Je connaissais les moindres habitudes de mon mari, je savais qu'il aimait être seul aux thermes, qu'il y restait longtemps, que c'était le meilleur endroit pour l'abattre.

Le filet s'est élevé dans l'air comme une volée de passereaux. Il s'est déployé, carroyant la pièce, ses mailles ont divisé le plafond et les murs en géométries régulières et anguleuses, puis il s'est abattu sur le grand homme nu.

Agamemnon nu ! Combien de fois l'ai-je vu ainsi ? Tant de fois ! Le poil doux sur le torse, le nombril haut, les belles cuisses droites, et le sexe ! Le sexe ! Fort, trapu. Le sexe des émois de mes vingt ans, bandant, durci par le désir, dressé dans les poils touffus et denses, serrés, de l'entrejambe. Agamemnon porteur de mes amours, de mes espoirs, maître de moi. Désiré comme tel, attendu comme tel, et tellement aimé, tellement souhaité, accepté avec tant de bonheur et de fierté ! Tes coups ce boutoir, Agamemnon, comme ces blocs de granit entraînés à toute vitesse par leur propre masse contre les murs de béton, au bout d'une chaîne balancée, dans les chantiers de démolition. Bang, bang, bang, bang. Jusqu'à ce que ça cède !

Le filet s'est déployé tel un aigle survolant mon mari. Sa lisière plombée le tenait écartelé, raide un instant, pareil à un dais de funérailles au-dessus de l'homme musculeux, dressé, déshabillé. Puis l'aile ajourée s'est abattue, perdant dans sa chute sa légèreté, devenant au contraire une lourde chape molle dans laquelle il s'empêtrait. Il a perdu l'équilibre et il est tombé dans le bassin où l'eau parfumée et tiède fumait.

Alors moi, j'ai promptement descendu les marches qui menaient au bain, j'ai dégagé mon bras des plis de ma tunique, je l'ai dressé, brandissant un poignard magnifique, une belle lame fine, et j'ai frappé plusieurs fois, à travers les mailles du filet, comme je pouvais, n'importe comment. Bang, bang, bang, bang. Jusqu'à ce qu'il crève !

Je tuais mon mari, je supprimais mon patron, mon chef, celui qui attend d'être servi, l'impatient, celui qui sort, celui qui me possède, celui qui me protège, celui qui promène son estomac en avant et regarde les jeunes femmes, ces héliotropes, ces pensées, ces mauvaises herbes, ces légumes, qui poussent pour lui plaire et qu'il cueillera peut-être, si le goût lui en vient. Oui, c'est vrai qu'arrivée à mon âge j'en ai eu assez de lui.

Je fermais les yeux et de toute ma force qui est grande je m'acharnais contre lui, contre son pouvoir, contre l'assassin d'Iphigénie. J'ai ouvert les yeux et j'ai rencontré son regard étonné, stupéfait. Il ne comprenait pas ce que je faisais là, pourquoi je lui donnais la mort. Je n'ai pas supporté ce regard, non à cause de ce qu'il exprimait — je n'avais aucune pitié pour cet homme — mais parce que j'aimais trop ce qui l'entourait : les sourcils touffus dont la ligne se brise au tournant de l'arcade, la pente douce et lisse du nez qui rejoint le coin de l'œil, la paupière supérieure lourde comme un velours, la paupière inférieure striée de minces rides en éventail que j'ai vu se former, et l'iris mordoré, ni brun ni jaune, qui tourne au vert sombre en plein soleil. J'aimais ses yeux, j'aimais embrasser ses paupières quand il se reposait, et sentir, sous leur douceur, coulisser les globes durs contre mes lèvres. Si je voulais jouir de mon meurtre, en faire une victoire, il ne fallait pas que je regarde ça, il fallait penser à autre chose, penser au fumier où ma haine sournoisement a pris racine.

L'émotion de Clytemnestre était grande. Elle était à bout de souffle. Elle s'est arrêtée, m'a regardée : elle avait peur que je ne comprenne pas. Pendant une seconde, j'ai cru qu'elle allait abandonner, puis elle a repris avec des mots plus simples. Je crois qu'elle essayait de s'adapter mieux à moi ; elle voulait que je me mette à sa place.

… Le fumier où, sournoisement, ma haine a pris racine…

Par exemple, j'entre dans la cuisine, il y a un bonhomme à table, c'est mon mari, c'est Agamemnon. Il a du coffre, de l'allure. Il a ses soucis, ses problèmes. Il a son théâtre personnel, ses spectacles à mettre au point, ses mises en scène à régler. Il a à réfléchir à la subtilité de sa diplomatie, et à la dialectique de ses affaires. Il a ses inquiétudes, quoi ! Il doit rester un maître, et affronter les autres maîtres ou traiter avec eux, dehors. Ce sont des préoccupations majeures. Il cogne sur la table pour être servi plus vite et parce que le ragoût n'est pas bon.

— Merde alors, Clytemnestre, tu ne peux pas te débrouiller mieux ! Tu ne peux pas changer de boucher ! Celui-là te roule sans arrêt. L'autre est plus loin et il ne livre pas à domicile, mais quelle importance ? Tu n'as rien à foutre de la journée ! Tu passes ton temps au jardin. Tu crois que c'est avec des fleurs et des mauvaises herbes et de la salade qu'on entretient une maison, une famille, un pays ?

Il fait peur avec son épaisseur, ses vérités premières et ses cheveux en touffes dressées, frisés comme des éclairs. Il me fait peur mais il ne me touche pas. Je baisse les paupières. Il croit que je tremble alors que je fais seulement semblant de trembler pour avoir la paix. Je pense qu'il ne sait pas ce que c'est qu'un jardin en vérité. Je le trouve fragile à cause de ça, borné même à force de ne pas vouloir voir ce qui se passe là. Je ne parle pas de la beauté des plantes, des délices de leurs formes, de la volupté de leurs couleurs, de la suavité de leurs parfums… Je parle de la façon dont elles naissent, grandissent et meurent. Je parle de cette guerre-là ou de cette paix-là. Du travail des abeilles, de la prétention des frelons, de l'obstination des fourmis, de la bave des escargots, et de la menthe qui foisonne à l'endroit où j'ai enterré le chat crevé l'année dernière. Je parle de l'eau et du vent. De la robustesse et de la faiblesse. De la gloire et de la déchéance. De la volonté de ne pas mourir ou, au contraire, du refus de vivre, à cause de ce qu'il appelle, lui, un rien : à cause d'un caillou, à cause d'un rayon de soleil, à cause d'une ombre. Un rien qui n'est pas rien pour moi. Un rien qui est exactement semblable à ce qu'il appelle, lui le Politique. Cette comparaison le fait rire aux larmes. Il s'en étrangle... Je ne supporte plus cette moquerie car je prétends que personne ne se ressemble mais que tout le monde est pareil. Tout est important, les jardins autant que les nations.

Je suis dans l'eau, j'ai fait un tel effort pour poignarder Agamemnon qu'à la fin, quand j'ai senti qu'il n'avait plus de vie, je me suis affalée sur les dernières marches, assise dans le liquide chaud. Le maître est allongé en travers de moi, sa tête tombe en arrière de mon bras. Par-dessus mon coude sa gorge fait un pont où la saillie de sa pomme d'Adam ressemble à un rocher. Je le tiens contre moi. Ses jambes flottent déjà. Par les trous que j'ai ouverts dans son poitrail et dans son ventre le sang flue. L'eau se teinte : très rouge près de nos corps, elle rosit plus loin, elle se colore de plus en plus. On dirait que des nuages de tempête progressent vers les bords du bassin. Bientôt toute l'eau sera ensanglantée.

Egisthe, raide, immobile, adossé au mur de mosaïque, regarde, fasciné, le couple que nous formons Agamemnon et moi. Tout à l'heure, avec la souplesse et la force de ses longs muscles jeunes, dans un geste splendide et expert, il a lancé le filet. Perverse toile d'araignée. Après, je ne sais plus, je n'ai plus pensé à lui, j'ai fait mon œuvre, c'est tout. Maintenant il est là, Egisthe, mon amant, et sa présence m'agace, je la trouve indiscrète, indécente. Il n'avait pas le droit d'assister à cette scene secrète, il aurait dû partir. Il occupait une partie de ma vie, une petite partie, une parcelle. Agamemnon, lui, occupait mon palais, ma maison, ma cave, mon grenier, tout. Il fallait que j'aille dans le jardin pour ne pas le rencontrer, pour ne pas être envahie par lui. Egisthe ? Une poussière là-dedans !

Combien de temps le sang coulera-t-il ? Tant de sang ! Le bain est plein de sang ! Le sang d'Agamemnon est noble, il est rutilant, il est voyant, il est criard. Ce sang gueule : « Clytemnestre a tué son mari ! » Rien n'est plus scandaleux, rien n'est plus horrifiant, c'est un crime impardonnable, c'est un régicide !

J'ai fait ça. J'ai fait ça.

Le noble sang de mon mari, venu du corps de sa mère, court maintenant dans les veines de mon fils, mêlé au mien. Tout le sang des hommes, goutte à goutte, mois après mois, élaboré dans nos ventres. L'hémorragie est interminable.

Malheur à moi !

Pourtant je n'ai pas fait le mal, je n'ai tué que mon mari, je n'ai pas tué mon fils, je n'ai pas tué mon homme, je n'ai pas tué mon père.

Elle sanglotait, son état était effrayant. J'étais bouleversée parce que j'évaluais exactement l'énormité du poids qu'elle supportait depuis tant de temps. Elle se trouvait dans un désarroi comparable à celui où j'étais quand je suis arrivée dans la villa de mon frère, au pays de Caux.

Elle refusait de continuer à dicter son récit, elle ne s'en sentait pas capable. Elle disait en larmoyant :

— Tu comprends, j'arriverai au même résultat que toi avec ton père, ça sera chronologique, historique, ça sera vrai, et pourtant ça sera faux. Je ne m'en sortirai pas.

Je notais tout, je tâchais de dégager les fils de son histoire du fatras de ses explications, de ses justifications. Elle me voyait faire ça et elle m'insultait :

— Tu me forces à parler, charogne ! Mais je ne peux pas parler. Dès que je parle, dès que je dis ce qu'est ma vérité, je fais du mal à ceux que j'aime et, par la même occasion, je justifie le discours des autres, de ceux qui me traitent de salope, de mère dénaturée !

J'essayais de la consoler, de l'encourager, mais elle me repoussait avec violence :

— Laisse-moi, va-t'en. Pourquoi fais-tu ça ?

— Pour m'appuyer sur toi, pour me défendre moi-même. J'ai besoin de broder, je n'existe que si je brode et c'est ça que je veux broder, ta vérité, pas la vérité, rien d'autre. Pour me défendre, je te dis, pour te défendre.

— Ma cause est indéfendable. Tu ne peux pas comprendre. Tu n'as pas tué ton mari, toi. Tu ne peux pas comprendre.

— Dans un sens, oui, je peux te comprendre. J'ai fait avec mes broderies et des mots, ce que tu as fait avec un couteau.

— Oh toi, avec tes mots, tes broderies, tu me fatigues ! Laisse-moi, laisse-moi seule, je me suis condamnée à la solitude et je dois y rester. Je suis Clytemnestre ! Et Clytemnestre c'est Clytemnestre !

Je l'ai donc laissée et j'essaie de continuer le récit toute seule. Pendant ce temps elle dort et se réveille. Je l'entends qui va et vient dans la maison. Elle fait semblant de m'ignorer mais, en réalité, elle rôde. Finalement elle n'y tient plus et entre dans l'atelier. Par-dessus mon épaule, elle lit la page que je suis en train d'écrire :

A peine Agamemnon a-t-il rendu son dernier souffle que Clytemnestre prend peur. Immédiatement elle sent que la traque commence. Son instinct l'avertit qu'en exécutant ce geste simple, celui qui réglait définitivement une affaire privée entre son mari et elle, elle a créé le chaos.

Son instinct ? Quel instinct ? C'est son instinct de survie qui lui a fait commettre son acte, son instinct l'assure que c'est pour se protéger qu'elle a tué. Mais le même instinct lui dit que les autres, ses enfants surtout, n'accepteront pas cette mort, qu'elle n'est pas acceptable.

En même temps qu'elle prend conscience de l'injustice de son sort, monte du fin fond d'elle-même une immense plainte surprenante, jamais exprimée : « J'ai besoin de mon père. » Et cela la terrorise.

Le père de Clytemnestre est un cygne blanc, au regard jaune écarquillé, dont le pénis de duvet a farfouillé dans le désir d'une femme, de Léda. Elle, elle l'a laissé faire, jambes écartées, et lui, il a joui, battant l'air de ses ailes déployées, avec un bruit de drapeau, maladroit. Puis il s'est envolé loin de cette fornication monstrueuse. Il a rejoint le lac solitaire, le lac des dieux où aucune femme ne parvient et où il navigue, hiératique, glissant sur les eaux glauques. Le S de son corps se meut majestueusement, sans l'aide d'aucun moteur. Il se moque de son coït. Il a eu Léda, c'est tout ce qu'il voulait. Il l'a chargée de son sperme, il l'a alourdie de son caprice et cette lourdeur c'est Clytemnestre.

Le père de Clytemnestre était beau, il est parti, elle ne le connaît pas, elle ne l'a jamais connu. Elle voudrait l'aimer, elle voudrait aimer cet oiseau, ce dieu emplumé comme un chef indien.

Je crois que ce que j'ai écrit de son père l'a touchée. Elle pose une main sur ma nuque et se met à déclamer plutôt qu'à parler. Elle est derrière moi, je ne la vois pas, je ne fais que l'entendre. Sa voix est forte, on dirait qu'elle veut la faire passer jusqu'au ciel d'Epidaure, par-dessus les pins maritimes et les mouettes.

Agamemnon est mort, la mort le fait flotter. Si je le lâchais il dériverait. Je le retiens contre moi. A présent qu'il est mort, il me sert de bouclier, il est mon fils aîné, mon père, mon frère. Le corps d'Agamemnon est ma citadelle. Son cadavre me révèle à moi-même, souligne et fait briller mon goût de la vengeance.

Pour ne plus tuer il faut que je serre contre moi le cadavre de mon époux, il faut que je le conserve comme un talisman, que je le fasse entrer dans ma mémoire et que je le protège de l'oubli. Je dois garder le contact avec cette chair adorée et inerte pour me souvenir de la haine qu'elle a fait pousser en moi, pour qu'elle ne refleurisse plus, pour que je ne sois plus tentée par les épousailles. La mort de mon mari peut éviter que la présence d'Egisthe, la voix d'Egisthe, la beauté d'Egisthe, ne m'entraînent dans le chemin au bout duquel il y aura encore le mariage et encore le meurtre. Ne jamais oublier qu'un homme, si je m'y livre entière, fera de moi une meurtrière, malgré moi, malgré lui.

Elle s'arrête d'un coup, comme si elle était arrivée au bout de sa réplique. Elle reste là sans un mot, fermement plantée sur ses jambes telle une tragédienne. Je suis surprise, j'étais prête à l'écouter longtemps : sa voix était sombre, puissante. Clytemnestre est une femme de théâtre, une comédienne, une sorte de diva, on dirait qu'elle est toujours en scène et c'est un plaisir de la voir évoluer : elle cherche à capter les attentions.

Voilà qu'elle me laisse en plan. Je me demande ce qu'elle mijote. Elle sort de l'atelier et revient avec une chaise qu'elle installe près de la mienne, devant la table.

— Nous allons continuer ensemble : toute seule je me rends malade.

Toujours la versatilité de Clytemnestre qui, à certains moments, m'exaspère et à d'autres m'attendrit. Elle est un peu comme une enfant.

Elle veut parler de son amant. Elle me dit que cela ne devra pas entrer dans la broderie mais que je dois savoir certaines choses pour comprendre le reste. Elle fait la coquette alors qu'il y a cinq minutes elle était le drame incarné.

Elle veut me parler du corps des hommes en général et du corps d'Egisthe en particulier. De la beauté de ce corps, du bonheur qu'il lui inspire, du désir qu'elle a de le toucher, de se l'approprier, et tout en me disant ça, elle prend mes mains et les caresse, elle ferme ses yeux, elle rêve, avec une expression gourmande :

Le haut corps de mon amoureux pèse sur ses pieds nus. Ils s'appuient sur le carrelage de la chambre de bain. Ses orteils sont comme dix coquillages disposés symétriquement : les deux plus gros au centre et les huit autres rangés de chaque côté, en ordre de grandeur décroissante. Ils sont lisses, fuselés. Les ongles s'incrustent dans la chair comme des cuillères d'argent dans de la crème, avec onctuosité.

Pourquoi les chevilles d'Egisthe paraissent-elles moelleuses ? Il n'y a rien de mou, rien de mousseux dans ce qui les compose : seulement des tendons, des osselets et des muscles à leur départ, fins comme des flèches. C'est de la peau enveloppant ces structures que vient l'impression de suavité. Je la sais souple, douce, neuve, apte à s'adapter parfaitement aux mouvements les plus vifs.

Les jambes d'Egisthe sont des colonnes, des arbres. Les voir fait battre le sang dans ma mangue : ma nuine picote et mes bouts de seins dardent. Elles s'élancent, elles fusent. Elles sont un cri de gloire, elles triomphent.

Il faut leur puissance, leur longueur, leurs attaches subtiles comme des serrures, pour que le corps d'Egisthe ne se brise pas à la hauteur des hanches. Ses hanches si fragiles ! Elles sont un soupir, presque une plainte. Elles appellent la caresse, le baiser, la berceuse. Corbeille finement tressée, poterie délicate tapissée d'une toison foisonneuse d'où déborde l'étrange fruit du pénis débandé et les couilles huileuses, lourdes, qui pèsent dans leur peau trop grande et froissée. Quelle est cette faiblesse, ce chaos? De quel mal souffre cet être? Pourquoi ce fouillis de viscères, ce paquet de tripes? Est-ce un rappel de l'alambic compliqué et interminable où la matière a été brassée, divisée, confondue, fécondée, pour donner naissance à l'humain? Conque des grandes profondeurs, larve aveugle des abysses, souvenir du début des temps.

De cette charnière voluptueuse, mystérieuse et cependant simple comme les commencements, s'élance le buste, le torse, le poitrail. Si les jambes d'Egisthe me font penser aux bielles des locomotives, sa poitrine, elle, évoque pour moi la puissance embrasée des hauts fourneaux ou la hauteur ronde des cuves à vin. Là-dedans bat son cœur, respirent ses poumons, s'alimente sa voix. Coffre empli de pierreries. Caverne que les sécrétions du temps transforment en forêt de la nuit.

Amphore de peau douce, outre de nectar dont les poils tire-bouchonnés partant du pénis, disposés en triangle, forment là un coussin rêche où j'aime poser ma joue.

Le cadenas des épaules. Clôture infranchissable à laquelle s'articulent les deux bras, dont je connais l'adresse et la force. Et le cou. Le cou, la gorge, la nuque. De nouveau, là — de même qu'au bas-ventre —, la fragilité revient, comme un vestige de l'enfance. Ses cheveux moussent au bord de la peau tendre. Dodo l'enfant do. Je te bercerai. Je t'embrasserai à petits coups derrière l'oreille, le long de tes boucles naissantes, à l'orée de ta tête...

Egisthe, abasourdi, muet, regarde l'eau rouge, l'homme mort, et moi qui m'agrippe à lui. Le filet qu'il a lancé s'embrouille encore aux jambes du cadavre. Il est le complice de cet assassinat.

L'est-il en vérité ?

Non !

Elle a déjà oublié qu'elle ne voulait plus raconter son histoire et la voilà qui repart dedans, tête baissée comme une pouliche emballée, magnifique, affolée.

C'est moi qui ai tué, c'est moi qui ai tout tramé. Je me suis servie d'Egisthe comme on se sert d'un ruban pour lier une botte de fleurs. Quelle importance pouvait avoir ce garçon tant que mon mari vivait ? Aucune. Il n'était qu'un comparse docile, une biche, un chaton, une colombe. Maintenant qu'Agamemnon est mort, Egisthe devient puissant : un aigle, un lion, un boa face à moi. Non seulement il a été le complice et le témoin du meurtre, mais surtout il a vu mon acharnement, et ma force. Pour se protéger de cette force, pour se la concilier, je suis certaine qu'à l'avenir il va tâcher de se l'approprier.

— Clytemnestre, crois-tu qu'Egisthe sait que cette mutation s'opère en lui, ou bien ce sont tes yeux, ta tête, ton sexe qui sont en train de la lui imposer ?

Elle chasse cette question d'un geste royal, comme si une mouche était venue la déranger dans son délire. Sans y faire plus attention, elle continue.

Sa tête ! Son visage ! L'expression bête qu'il a ! Il ne comprend rien à ce qui se passe. Il a cru que j'avais fait ça pour me jeter ensuite dans ses bras, enfin délivrée d'Agamemnon, ne craignant plus son arrivée affolante.

Peut-être que je l'ai cru moi aussi, peut-être que c'est ce masque-là que j'avais mis au meurtre. Peut-être. Mais il ne m'a donc pas vue frapper ? Il ne m'a pas vue m'acharner ? Il ne voit pas comme je m'agrippe à lui maintenant ? C'est autre chose que j'ai fait. J'ai fait autre chose que de tuer mon mari. Ça me dépasse, je ne sais pas ce que c'est. C'est grave, c'est profond, c'est essentiel.

Egisthe ne change pas. Il ne bouge pas. Il est foudroyé, pétrifié. A force de rester comme ça, rigide et stupéfait, il devient, pour moi, aussi innocent qu'une fleur, aussi pur qu'un juge, aussi beau qu'un seigneur. Il me fait peur. Egisthe me fait peur ! Il est le Bien, je suis le Mal. Il est la Beauté, je suis la Laideur. Il est le Courage, je suis la Lâcheté.

Il me fait peur parce que je sens que je lui fais peur. Il n'ose pas affronter ce que porte mon regard et que je ne comprends pas moi-même. Il veut réduire ça à ma taille de femme. Il croit que j'ai tué pour des histoires de cul, pour des raisons d'argent, pour des bijoux peut-être, ou pour avoir une couronne sur la tête. Il a cru qu'il m'aidait à m'offrir un caprice : un trône, et un sceptre, et un jeune mari... Quel crétin !

Tout le sang poisseux d'Agamemnon exorcisera-t-il mon sang ? Cette conjuration est-elle possible ? Est-ce que mon sang peut valoir celui d'Agamemnon ?

J'ai supprimé celui qui avait sur moi le pouvoir. J'ai supprimé celui qui me possédait sans que cette possession puisse être remise en cause. Je croyais, en le tuant, annuler ses droits. Mais je n'en suis plus sûre. A voir Egisthe maintenant... il me semble que c'est à lui que le cadavre à légué son droit, pas à moi. Simplement parce qu'il est un homme. Est-ce possible qu'il me domine malgré sa puérilité, malgré sa maladresse, malgré son ignorance, uniquement parce qu'il a le corps fait d'une certaine manière ?

Pourquoi ?

Agamemnon est mort, quelle est cette force qui me pousse alors à en craindre un autre ? Qui sont ces deux-là, Agamemnon et Egisthe ? Y a-t-il Dieu en eux plus qu'en moi ? Ai-je commis l'horreur suprême ? Ai-je voulu bouleverser l'ordre de la nature ? Suis-je monstrueuse ?

Dis-moi ? Est-ce une obligation d'admirer l'homme, de le célébrer, de le placer au-dessus de moi, quel qu'il soit, et qui que je sois ?

— Tu t'égares. Tu me racontais le meurtre, ton amour...

Elle me regarde sans me voir. A l'évidence, ce que je lui dis l'ennuie, ne la touche pas. Elle en a assez de mes interruptions, elle m'a posé une question mais elle n'attend pas de réponse, et c'est avec lassitude qu'elle m'explique :

— Mon histoire est finie, elle est comme elle est. Je ne peux rien y faire.

— Moi, je peux y faire quelque chose, je ne peux pas changer ta légende mais je peux changer son esprit et le regard qu'on porte sur elle.

— Eh bien, ma fille, tu ne te mouches pas du coude. Tu ne te prends pas pour rien... Ne t'attaque pas aux hommes, ça coûte cher, tu sais... Qu'au moins mon expérience serve à quelque chose.

Elle est vieille, elle a des millénaires, elle est brisée par sa propre vie. Elle s'appuie sur moi en reniflant de petites larmes. Je la conduis jusqu'à sa chambre où elle retrouve ses plaids, ses fichus, ses coussins ; elle se pelotonne là-dedans et se met en boule sur le lit. Je n'aime pas beaucoup la voir dans cet état, j'essaie de la secouer :

— Je vais faire un portrait d'Egisthe.

— Ah ! non, ne fais pas ça. Pas celui-là, c'était un crétin, un petit crétin. On me l'a assez reproché, j'en ai assez reçu des reproches à cause de lui : salope, putain !

— Mais il était beau.

— Ça, pour être beau il était beau.

— Tu pouvais bien avoir le goût de lui comme ton mari avait le goût de Cassandre.

— Elle, c'était une folle. Elle n'arrêtait pas de raconter des histoires auxquelles personne ne croyait et qui finissaient pourtant par arriver. Tiens, la mort d'Agamemnon, elle l'avait prévue... Une sorte de folle.

— Mais elle était belle.

— Très belle, très jeune... Ce n'est pas pareil, ne fais pas l'innocente.

— Pourquoi ? Tu pouvais bien te distraire avec un garçon comme il se distrayait avec une fille.

— Tu me fatigues.

— Ils consomment de la poule, du boudin, de la morue ; nous, nous consommons du champion, du héros, du génie... tu sais bien que ces mots-là ne sont que des façades, il faut les dire pour avoir la paix.

Enfin, elle sourit, elle s'allonge et me fait signe de venir auprès d'elle. Elle me prend gentiment par la taille et me donne de petits baisers sous l'oreille :

— Tu sens bon.

— C'est du santal.

— Ah oui, je reconnais, ça sent bon. On est bien ensemble, laissons-les.

— Je voudrais faire un portrait d'Egisthe, comme une affiche.

— Comment ça, comme une affiche ?

— Eh bien, tu sais, une réclame, comme on en voit dans la rue pour vendre des autos, des films, des machines à laver, des nouilles...

— Et toi, tu vendrais de l'Egisthe !

— Ben oui, c'est un beau spécimen.

L'idée l'amuse, nous revoilà complices.

— Comment tu t'y prendrais ?

— Ecoute !

Je me lève. Je cherche mon air le plus avantageux, me gonflant de partout, me grandissant au maximum et je me mets à mimer ce que je dis tout en roulant des mécaniques :

Egisthe est un footballeur américain, il appartient à l'équipe des Steelers de Pittsburgh, il est colossal. Les cheerleaders sont folles de lui, elles agitent leurs gros pompons dorés et bruns hystériquement. Elles font des bonds sur place qui soulèvent leurs jupettes et découvrent leurs fesses rondes.

Il avance le premier parce qu'il est quarter back. Il porte le numéro 8 surmonté de son nom : Egisthe. Sur son casque argenté sont peintes deux ailes d'or. A travers le grillage métallique qui protège son visage on voit ses yeux bleus, son regard prêt au combat ; il est indifférent aux acclamations de la foule et aux petites filles en rut. Sur ses pommettes, les deux traces noires destinées à le protéger des reflets du soleil lui donnent une face de tigre royal. Il avance. Ses épaules font rouler son armure de plastique, le maillot de corps brun colle à son large torse protégé et à son ventre plat. Ses petites fesses hautes, ses hanches étroites et son sexe — gardé par le jacktrap — bombent doucement sous le caleçon brun rayé d'or qui gaine ses cuisses magnifiques et ses mollets puissants. Les jambières amplifient la longueur et l'épaisseur de ses muscles, jusqu'aux bottines lacées sur ses grands pieds agiles. Il avance à petites foulées. Il est fantastique, il ne peut que gagner !

Et sous son coude, il porte le ballon ODIDOS !...

Ça ne l'a pas amusée. Il faut dire que mon improvisation n'était pas fameuse. Elle l'était d'autant moins que je sentais la reine s'éloigner de moi, alors j'en remettais, et pour finir c'était plutôt lamentable... Pour me justifier, j'ai dit :

— Je crois que le rire est une arme formidable.

Elle reste un moment immobile. Elle regarde les plantes à travers les vitres. Du moins, je crois que c'est ce qu'elle fait, qu'elle perçoit les premiers effets de l'automne : il y a maintenant plus de jaune dans le vert des feuillages et les fleurs s'ébouriffent, deviennent malingres. Mais peut-être ne regarde-t-elle rien, est-elle seulement à l'intérieur d'elle-même.

Tout en continuant à regarder ailleurs, elle se remet à parler avec une voix qui m'étonne. Elle ne se plaint pas :

— Je n'ai aucun humour en ce qui concerne mon

histoire. Le coup a été trop fort. J'y ai tout perdu... mes enfants, ma vie... Tu ne peux pas comprendre.

— Je te comprends. Les choses ont peu changé, tu sais.

— Ne raconte pas d'histoires, tu es libre, tu fais ce qui te plaît.

— Oui, mais dans quel désert ! A mon âge une femme ne doit pas vivre comme je vis. Je fais peur moi aussi.

— Tu crois ?

— J'en suis certaine.

— Qu'est-ce que tu attends de moi ?

— Que tu continues à me raconter.

— Et tu m'aideras ?

— Je t'aiderai, je te relaierai. Il faut que ce soit toi qui racontes ton histoire. N'aie pas peur.

— N'aie pas peur... facile à dire !

Elle a fermé ses yeux. Elle serre ses paupières comme si elle faisait un effort pour se souvenir ; mais non, ce sont des larmes qu'elle essaie de retenir. Elle a la gorge serrée, elle marmonne, elle chuchote et elle cherche ma main pour se donner du courage. Combien de temps allons-nous encore vivre ce meurtre dans notre isolement ?

J'ai posé le gras de mon index et de mon médius droits sur une paupière d'Agamemnon, j'ai appuyé. Puis, d'un mouvement peureux, j'ai dirigé ma pression vers le bas. Ça a glissé comme le couvercle bien graissé d'une tabatière. J'ai soulevé mes doigts. J'ai cru que la paupière allait reprendre sa place. Je ne voulais pas admettre encore que la charnière de la vie était cassée. La paupière est restée baissée. J'ai fait la même chose pour l'autre paupière. Fermés pour toujours les yeux d'Agamemnon.

— Bleus ? Jaunes ? Bruns ?

Bleus. Les bleus du ciel et de l'eau, les bleus de l'intenable, de l'immense. Pourquoi le bleu est-il pur ? Pourquoi le bleu est-il innocent ? Plus que le marron ? Le bleu des yeux d'Agamemnon était froid. Pourquoi ai-je toujours agi comme si ses yeux étaient de la confiture de pervenche, du sirop de myosotis, un hamac de digitales, alors qu'en réalité ils étaient surtout houille, ardoise et cobalt ?

Maintenant qu'il est mort, je le vois tel qu'il était et je tiens à lui d'une façon affolante.

Ecoute, la brodeuse : JE NE LE CONNAIS PAS !

Je l'ai aimé pour son pouvoir, pour sa force, pour la domination qu'il exerçait sur moi, pour ses muscles qui me protégeaient, pour les pierres qu'il lançait loin, parce qu'il pissait debout et qu'il faisait tout ça avec désinvolture et assurance. Ecoute : C'EST POUR LES MÊMES RAISONS QUE JE L'AI HAÏ !

Ecoute ! Je ne sais pas qui il est.

La mort a enlevé ses uniformes, ses masques, ses grimaces de maître, ses gestes de mari. Qui les lui avait donnés ? Lui-même ? Les autres ? L'Autre ? Moi ?

J'ai tué cet étranger paisible. J'ai assassiné ce livide dormeur. J'ai poignardé cet inconnu flottant. J'ai commis un crime pour me donner la vie. J'ai supprimé Agamemnon pour être libre mais, à la vérité, ma liberté devra maintenant traîner comme un boulet l'homme que je tiens dans mes bras. Je n'en serai jamais délivrée.

Elle est assise sur le lit, elle serre contre elle une brassée de coussins, de châles, ces chiffons qu'elle ne quitte jamais, elle se balance doucement d'avant en arrière :

— Agamemnon mon grand, mon tout petit, je t'ai fait du mal. J'ai troué ta peau si douce et tout ton sang s'est écoulé par le trou, avec ton âme. Je ne voulais pas faire ça. Mon tout petit, mon grand, mon semblable, j'ai besoin de toi comme les champs ont besoin de la pluie, comme la plaine a besoin de la charrue. J'ai besoin de toi.

Dans ses yeux naviguent les barques du doux chagrin.

Crainte que le chagrin de la reine ne bascule dans la peine coupante, celle qui croque les belles images et agite les mauvais souvenirs. Crainte que la peine la fasse taire. La peine sépare, isole. Avec elle, le danger commence. Elle suscite les vilaines rencontres de la mémoire, elle fait rouler les vies comme des boules de pétanque lourdes, fermées, luisantes d'éclairs d'acier. Laquelle va la choquer ? Laquelle va la heurter ? Laquelle la supprimera d'un bruit sec, mortifère ?

Et si la peine venait à passer au malheur, au désespoir ! Ils sont en elle, œufs noirs prêts à éclore, ils gémissent sans voix, leurs gémissements sont ses mouvements pénibles, sa présence grave, un tressautement de ses mains, parfois une alerte dans son regard. Le malheur et le désespoir sont des petits dans son ventre.

Je voudrais qu'elle en soit délivrée. Je voudrais empoigner ses reins, son torse, installer l'assise de sa force dans les muscles de mon abdomen, qu'elle inspire, qu'elle garde l'air dans ses poumons remplis à craquer, qui feraient bloc, en haut, qu'elle écarte ses jambes arc-boutées, qu'elle pousse, qu'elle expulse le malheur et le désespoir. Que leurs vapeurs mauvaises s'éloignent, qu'il n'y ait plus en elle leurs voiles de deuil, leurs rideaux de crêpe, leurs persiennes closes.

Comment ouvrir le chemin à sa plainte prisonnière ? Où est le passage de sa délivrance ?

Elle se berce elle-même.

Envie d'appeler ma mère à l'aide, ou même mon oiseau de père, ce dieu, ce fantoche. Y a-t-il du secours à attendre d'eux ?

Agamemnon, d'où tiens-tu le pouvoir haïssable qui m'a poussée à te tuer ?

J'étais toujours dans les thermes. Je voyais par les fenêtres les nuages progresser lourdement dans le ciel, au-dessus du pin au tronc rouge. Je voyais bougeotter les feuilles aiguës des bambous. Et ce corps meurtri qui était étendu devant moi ! Troué ! Quelle douleur en mon être ! A cette vue, mes tripes se tordaient, mes poumons se rabougrissaient, la pogne de la destruction se refermait sur ma gorge et ma poitrine ! Ma tête entrait dans mes épaules ! Mes ongles coupaient les paumes de mes mains ! Mes genoux étaient brisés, je ne tiendrai plus debout !

...

Clytemnestre a laissé un grognement s'échapper, une sorte de raclement viscéral, un grincement de bête traquée.

Egisthe, à ce bruit, sort de sa torpeur :

— Viens, ne restons pas ici. Il ne faut pas qu'on nous surprenne comme ça. Viens.

Clytemnestre n'entend pas, elle est une masse de malheur, un amas de peur. Ses yeux ne quittent pas le visage d'Agamemnon qui pâlit vite. Le nez se pince, les paupières s'enfoncent, les lèvres s'entrouvrent. Elle ne bouge pas. Elle désire la mort. En même temps, elle sait que la mort ne la prendra pas, qu'elle devra d'abord subir la punition, et elle tremble. Egisthe la presse :

— Viens, tu ne dois pas rester ici. Bientôt les gardes auront fini leur sieste, ils vont passer.

La bouche d'Agamemnon s'est ouverte tout à fait, grande. Pas pour crier au secours mais pour signaler le passage noir et interminable qui mène au trépas : le chemin de l'ailleurs, de l'au-delà. Il interprète pour Clytemnestre subjuguée, le profond chant inaudible de la mort. Il ne l'appelle pas, il lui laisse le choix, il lui indique la voie de la connaissance, celle de la paix. Clytemnestre tout entière n'est que le désir de le rejoindre. Mais elle a peur du passage, elle ne peut pas le franchir seule, il faut qu'elle expie, qu'une autre main l'y mène, elle ne peut pas se poignarder elle-même.

Qui la tuera ?

Egisthe maintenant s'affole, il est descendu dans l'eau. Il agrippe Clytemnestre par les aisselles et la tire. Mais elle ne veut pas lâcher Agamemnon et c'est ce couple monstrueux qu'il hisse peu à peu hors de l'eau, marche après marche.

— Laisse-le, Clytemnestre, lâche-le. Tu vois bien qu'il est mort. Tu n'as plus rien à craindre.

Elle dit :

— Tue-moi. Le poignard est tombé dans l'eau. Trouve-le et tue-moi.

— Clytemnestre, tu n'as plus rien à craindre. Si nous partons tout de suite, personne ne saura que c'est toi qui l'as tué.

Elle dit :

— Je l'aime.

— Tu le hais ! Rappelle-toi ta fille, rappelle-toi Iphigénie ! Lâche-le, viens. Tu perds la tête. L'émotion a été trop forte.

Il a parlé d'Iphigénie ! Ils n'en avaient jamais parlé ensemble ! Il l'a devinée ! Est-ce qu'il se sent trahi ?

L'esprit de Clytemnestre est ainsi fait qu'il peut se laisser entièrement occuper par un événement, une image. Il en est si rempli que la durée, alors, s'arrête, il n'y a plus que ça, cet événement, cette image, le temps est immobile. Sa cervelle est bloquée, compacte, son imagination ne trouve plus rien d'autre et répète une seule vague comme un océan entêté, avec monotonie. C'est l'obsession morne et collante. Elle médite, elle ressasse. Et puis, brutalement, à cause d'un bruit, d'une couleur, d'une lueur, d'un nom, le galop de sa vie reprend, vertigineux, remontant les falaises de son absence, accompagné par le fracas des souvenirs, un peuple de gens, un désordre d'objets, et des discours assourdissants. Elle s'active, elle parle.

Iphigénie ! Clytemnestre était là avec le corps d'Agamemnon, stupéfiée par un rêve d'amour, pétrifiée par le vieil espoir du bonheur conjugal, en compagnie de cette stagnante harmonie, et il a suffi de ce nom lancé par Egisthe pour que tout bascule, pour que le chagrin, la peine, le désespoir, la tendresse, ces mondes clos et silencieux, fassent place à sa colère bavarde, à l'excitation de la vengeance. Elle se lève et pousse du pied le cadavre de son mari, qui dérive lentement jusqu'à ce qu'il heurte, indifférent, le rebord opposé du bassin. Elle ne sait pas si elle agit ainsi parce que sa haine s'est ravivée ou pour tromper Egisthe.

— Tu as raison, j'ai perdu la tête.

Et elle s'en va, en compagnie de son amant, sans même se retourner.

Ça y est, elle l'a fait, elle a tué le roi. Avec un couteau. Je ne sais plus si c'est sa main ou la mienne qui a commis le meurtre. Je confonds nos histoires car si, dans les faits, elles ne se ressemblent pas, leur fond, lui, est le même : ce mélange d'amour et de colère, cette impuissance... L'injustice que cela représente !

La reine m'a replongée dans un désordre intérieur intense, je sais que la seule manière d'en sortir est de broder et cette fois-ci je ne m'arrêterai pas. Qu'elle le veuille ou pas, je vais commencer à travailler sur la mort du roi. Je vais chercher mes couleurs, mes matières, dessiner des projets.

Clytemnestre me regarde faire et plus je m'absorbe dans mon ouvrage, plus je la sens réticente. Finalement elle éclate :

— Plus tu essaieras de me disculper en racontant la mort d'Agamemnon plus, au contraire, tu me rendras coupable. Tout est prévu, tu m'entends, tout est prévu pour le protéger. Qu'il ait été un tyran, un matamore, un enfant, un faible, n'a aucune importance. Il était le roi, ça ne se discute pas. D'ailleurs je ne le discute pas.

Je la laisse parler. Je sais ce qu'elle ressent et en même temps, je n'accepte pas ce qu'elle dit, je refuse d'être envahie par sa peur. Quelque chose s'est passé en moi pendant que j'essayais de vivre à l'intérieur de Jean-Maurice, quelque chose qui fait que je ne peux plus admettre ce genre de remarque. Il y a des interdits, des prétendues lois qui ne sont pas acceptables. J'ai peur de les enfreindre, oui, mais tant pis, je braverai ma peur.

Cette fois je vais prendre du crêpe et je sais qu'en m'imposant ce choix, je m'imposerai d'énormes difficultés : le tissu est magnifique, épais, soyeux, mais sa trame est irrégulière, traîtresse. Je l'ai beaucoup regardé, beaucoup palpé, caressé, pour l'instant je ne vois pas comment me l'approprier, je ne vois pas comment l'empêcher, lui, de diriger mes rythmes... Il est grège, couleur du sable, et j'emploierai du blanc, la couleur du mensonge — de la soie floche blanche — pour conquérir ses premiers espaces.

Blanc, comme le ciel aveuglant du mois d'août, quand les morts pourrissent avant même de devenir cadavres, quand les charognes empestent et qu'il faut les enterrer vite pour ne pas en être infecté. Les corps, alors, passent si rapidement de la vie au trépas qu'on ne parvient pas à imaginer qu'ils ont vraiment disparu, il semble qu'un tour de prestidigitation inverse va les faire revenir ; le passage a été si bref qu'il n'effacera jamais le lent poids des existences. Les morts sont là, ils rôdent, ils guettent, ils attendent.

Clytemnestre ne s'intéresse plus du tout à mon travail et les discours dans lesquels elle essaie de me noyer ne sont faits que pour m'intimider, pour que j'abandonne. Mais pourquoi ? Elle n'a plus rien à craindre. Je me bouche les oreilles, je ne veux pas l'entendre. Alors elle part dans le couloir et, avant de s'enfermer dans sa chambre, elle lance de sa voix mélodramatique :

— C'est pour toi, c'est pour te protéger que je dis tout ça. Ne raconte pas la mort du roi telle que je te l'ai racontée, je t'en conjure, je suis injustifiable. Raconte ma mort plutôt. Raconte la punition. Elle est terrible, elle te fera tenir tranquille.

Ça, c'est la meilleure ! Du coup, je me lève et, comme une folle, moi aussi, je cours jusqu'à sa porte :

— Alors, tu fais ton Iphigénie maintenant !

— Ma fille était une sainte, ne te moque pas d'elle !

— Je croyais que tu la critiquais.

— Oui, je la critiquais mais j'ai eu tort. C'est après que je m'en suis rendu compte.

Après, après... Elle veut que j'écoute ce qui s'est passé après. Et moi je veux exprimer la mort, le meurtre, la mise à mort... Tout ce sang et tout cet amour... ce gâchis d'amour. Elle ne le supporte pas. Sans cesse elle m'interrompt. Je ne peux plus la souffrir, je voudrais qu'elle disparaisse. Mais elle reste. Pour l'apaiser je prends des notes.

Egisthe et elle revinrent silencieusement des thermes où ils avaient abandonné le corps d'Agamemnon. Ils prirent soin de ne pas se faire voir. L'un et l'autre connaissaient depuis leur enfance les coins et les recoins de ce lieu et ils savaient par où passer pour ne pas être aperçus. Ils eurent d'autant moins de mal à se sauver que la grande chaleur avait endormi la ville. Les pierres des rues désertes brûlaient leurs pieds nus. Ils se pressaient, ils ne parlaient pas. Personne ne les surprit.

En rentrant dans la belle maison, Egisthe commença par se rafraîchir et se changer, il était plein de sang. Clytemnestre était encore plus ensanglantée que lui, mais elle ne pensait pas à ça... Au bout d'un moment il se mit à siffloter, à chantonner, comme s'il était chez lui. Pour ne pas l'entendre elle sortit dans les jardins.

A cet instant la sauvagerie et l'abandon de l'endroit lui sont apparus brutalement. Deux grands pins parasols étaient tombés.

La chute de ces deux arbres l'avait frappée. Je ne sais quel message elle avait cru recevoir en la constatant. Pour elle c'était un signe du destin, un signe néfaste ; elle a passé tout un après-midi à m'en parler :

Ils étaient probablement tombés pendant les tempêtes de mai et nous étions en août maintenant. Je ne m'en étais même pas rendu compte tant mon égarement avait été grand, je ne pensais qu'à ma vengeance à cette époque... Tout ce temps passé, tout ce temps perdu...

Ils n'étaient pas brisés, ils étaient aux trois quarts déracinés, si bien qu'une partie de leurs branches continuait à verdoyer. On aurait dit qu'elles se nourrissaient de la végétation écrasée sous elles et qui, pourtant, s'entêtait. Des lauriers-roses fleurissaient quand même et des volubilis, entortillés autour des longues aiguilles, grimpaient vers le ciel. Qu'il faisait chaud ! ...

La sueur perlait sur la lèvre supérieure de Clytemnestre. Elle la sentait couler sous ses bras, entre ses seins et entre ses cuisses. Elle était attentive à ces dégoulinades et se comparait aux arbres couchés dont la résine suintait aux endroits où ils avaient été blessés.

Elle était assise par terre entre les deux arbres abattus et — comme dans le sommeil, mais elle était bien consciente — ses âmes sont sorties d'elle. Elles se croisaient, apparaissaient et disparaissaient, prenant toutes les formes qu'elle-même avait eues... Elle les regardait faire, elle les regardait raconter son existence, elle se sentait étrangère ; elle ne se reconnaissait pas dans les images qu'elles montraient et qui illustraient pourtant son histoire. Elle voyait évoluer des actrices... Ainsi, n'avait-elle jamais donné à voir aux autres que des masques. Aux autres et aussi à elle-même...

Par instants elle sentait ses vêtements encore humides du bain d'Agamemnon, elle considérait ses bras tachés de sang, elle se faisait horreur, tout lui faisait horreur. La situation dans laquelle elle se trouvait était insupportable. Ni son esprit ni son corps ne l'admettait. Elle eut envie de vomir.

Elle se réfugia à l'ombre d'un des hauts boucliers de terre que les racines en s'arrachant du sol avaient soulevés. Ça sentait le creux, le profond, le moisi dans cette ombre et cela lui convint. Elle s'y sentit entière pour la première fois de sa vie, elle accepta l'immense force qui était en elle mais elle eut la certitude qu'en choisissant cette force elle saccagerait tout le reste : sa vie de femme, ses enfants... Pourquoi fallait-il qu'elle fasse ce choix ? Elle souffrait, elle s'agrippait à des mottes friables que sa transpiration transformait en une boue rougeâtre. Elle pensait que ni les animaux ni les plantes n'ont à vivre aussi odieusement, elle n'avait jamais vu ni une capucine ni une fourmi avoir le choix d'être autre chose que ce qu'elles sont, avoir même le soupçon d'un choix, avoir la possibilité de choisir.

... Moi, tu vois, à force de les regarder faire, je vivais comme elles. Je me disais : Moi, je suis une femelle d'homme, je dois soigner mon mari, élever et protéger mes enfants, tenir ma maison, c'est ma nature à moi et elle me convient.

Quel repos ! Ma vie était décidée d'avance. Seulement des combats essentiels : vivre, mourir... Jamais de combats pour être. Ma personne n'était qu'un obstacle à contourner, c'était tout, rien de plus... D'ailleurs je ne le voyais même pas cet obstacle.

Ce jour-là, j'ai compris ce qu'avait été l'harmonie de ma vie et j'ai compris aussi que je venais de commettre un acte qui avait pulvérisé cette harmonie. Pulvérisé ! Pas parce que j'avais commis un crime, non. Parce que j'avais fait quelque chose, moi, par moi-même, et pour moi-même.

Une femme ne doit jamais faire ça, jamais !

Peut-être que si elle était restée là, dans sa solitude, pendant des jours et des jours, elle aurait pu engranger la récolte énorme que représentait le meurtre d'Agamemnon. Mais quand Egisthe est arrivé, elle ne savait même pas que c'était ça qu'elle était en train de faire :

— Je te cherche partout. Comment ! Tu ne t'es pas changée ? Tu veux nous dénoncer. Clytemnestre, ils arrivent, ils ont trouvé le corps, ils seront là d'un instant à l'autre. Tu perds la tête, dépêche-toi.

Il avait interrompu brutalement l'éblouissement où elle se trouvait. En une seconde la mécanique de l'urgence s'est remise à fonctionner ; elle la connaissait bien : urgence de la propreté, urgence du linge, urgence de la santé, urgence de la nourriture, urgence de l'amour, urgence de l'attention, urgence de la protection... De nouveau le temps devint trop court : se laver, se changer, faire disparaître les traces, paraître, agir, se comporter comme une autre, comme l'autre.

Et ainsi pendant des semaines, jouant sa comédie, n'ayant pas le temps de s'habituer à la meurtrière, la rejetant comme une gêneuse, une fâcheuse, mais ne parvenant pas à l'oublier, finissant par la craindre, la détester, tout en étant incapable de résister à l'attraction qu'elle exerçait sur elle.

Une fois passé la période du grand deuil elle aurait pu s'emparer du pouvoir et l'exercer. Elle n'en a rien fait. Elle n'a pas eu le goût d'exercer ce pouvoir-là, celui qui avait généré la meurtrière, et elle n'a pas la moindre idée de ce que pourrait être un autre pouvoir. Alors, elle a laissé faire Egisthe qui s'est agrippé au hochet du commandement et l'a agité n'importe comment. Elle n'est pas intervenue.

« Elle déchoit », dit-on d'elle et on commence à s'en méfier, à avoir des soupçons. Bientôt elle ne sera plus que la complice d'Egisthe, elle le sent. La police mène une enquête sur la mort du roi, elle finira bien par découvrir les coupables...

Au-dessus d'elle vole un filet tout semblable à celui que son amant a lancé sur Agamemnon. Mais ce filet-là est plus perfide, il est impalpable, invisible, impondérable, alors il est long à tomber : il flotte. C'est un brouillard plutôt, une vapeur mauvaise qu'aucune action ne parvient à dissiper.

— Cette période était épouvantable, tout se dégradait autour de moi sans qu'il y paraisse. Quand nous étions seuls, Egisthe me secouait, il me faisait la leçon. Mais je n'arrivais pas à reprendre le cours des choses... Je n'ai pas profité une seule seconde de mon crime...

— Tu ne savais plus pourquoi tu avais tué ton mari ?

— Je le savais mais mes raisons me paraissaient dérisoires à côté de sa vie.

— Tu veux dire que ta vie te paraissait moins importante que la sienne ?

— Oui...

— Pourquoi ?

— ... A cause des enfants... Je ne sais pas... C'est comme ça...

Depuis quelque temps elle est enrouée, sa cicatrice a rougi, elle la cache. Elle met des compresses sur son cou, elle porte des foulards. Elle préfère ne pas parler.

Moi, je travaille sur la mort d'Agamemnon, seule, Clytemnestre ne veut plus mettre un pied dans l'atelier. Je m'acharne sur mon ouvrage. Je voudrais exprimer l'amour de cette femme pour sa victime. Mais je ne progresse pas, je fais et refais sans cesse au centre de mon crêpe la masse parfaite de cet amour qui devra éclabousser tout le reste. Je piétine, quelque chose me manque, une réponse à la question qui tourne dans ma tête : Lui, l'aimait-il ? Et si, après tout, elle était une véritable meurtrière ? Si elle n'avait tué que par jalousie, comme une épouse délaissée ? Si le moteur de son meurtre n'était que la mesquinerie au lieu de la passion profonde, essentielle, dans laquelle la jalousie n'a rien à faire, la passion que je cherche à exprimer ?

Je me mets à douter de Clytemnestre, toutes les histoires qu'on raconte sur elle reviennent à ma mémoire. Peut-être n'est-elle qu'une intrigante, une traînée, une nymphomane... Car enfin son prétexte, le sacrifice d'Iphigénie, elle ne revient pas souvent là-dessus. Un jour que je lui faisais remarquer l'importance équivoque qu'avait Iphigénie dans toute son histoire, elle a murmuré : « La mort de ma fille ne fut pas un prétexte mais un révélateur. »... Phrase sibylline que je ne suis pas parvenue à lui faire expliquer. Elle avait pris son air d'intellectuelle et dans ces cas-là elle est redoutable. Il y a des jours où je la trouve stupide.

Pour finir c'est à moi-même que j'en ai voulu car je me conduisais avec elle exactement comme je reprochais aux autres de se conduire avec moi : je lui collais sur le dos des images toutes faites. Pour me faire pardonner, car elle avait senti mes soupçons, je me suis occupée d'elle une matinée entière, je lui ai fait un bon grog, j'ai changé ses compresses, sa cicatrice n'était pas belle à voir. Depuis toujours elle se comportait de telle sorte qu'il n'était pas question de parler de cette blessure, c'était son mystère, son jardin secret. Elle ne la cachait pas, n'en parlait pas, elle avait même parfois une manière de l'exhiber en plein milieu de son décolleté d'un air de dire : « C'est comme ça, c'est normal, ce n'est pas un sujet de conversation. »

Mes attentions semblaient l'avoir réconfortée. Je me suis assise sur son lit, à côté d'elle, comme avant, et je lui ai demandé :

— Clytemnestre, est-ce qu'Agamemnon t'aimait ?

Elle a eu un mouvement las pour tenir son pansement, j'ai cru qu'elle allait prétexter du mauvais état de sa gorge pour ne pas répondre, mais non, au bout d'un instant elle a dit :

— Oui, il m'aimait... à sa manière. Il disait toujours que j'étais unique, que j'étais la mère de ses enfants, que les autres femmes n'étaient que des distractions, qu'il n'était attaché qu'à moi... et c'était vrai... Malgré les années il me faisait souvent l'amour et il disait qu'il n'y avait qu'avec moi qu'il prenait un plaisir aussi complet... Oui, il m'aimait, profondément même... Mais j'avais l'impression que c'était une institution qu'il aimait en m'aimant, qu'il s'aimait lui-même en m'aimant... J'étais une partie de lui et c'était pour ça qu'il m'aimait... Je ne sais pas comment t'expliquer... J'avais l'impression d'être dans un tiroir. Je n'existais que lorsqu'il ouvrait ce tiroir... Quand il a pris sa décision pour Iphigénie il ne m'a pas consultée... J'étais personne, tu comprends... Et pourtant il me craignait, enfin, il craignait mes humeurs. Quand il sentait que j'étais remontée contre lui il disparaissait. Et puis il revenait vite : il savait que mes colères étaient violentes mais qu'elles ne duraient pas... Pour Iphigénie ça a duré, alors il a disparu. Nous n'avons jamais parlé de ça ensemble. Il évitait le sujet. Un jour il m'a fait dire par son lieutenant Eurybate qu'il ne comprenait pas ma conduite, qu'il me croyait plus consciente de mes devoirs, qu'il était peiné et même offusqué par mon comportement. Lui, les jardins, il n'a jamais pu les supporter... Agamemnon ne m'a jamais maltraitée... C'était un bon mari...

Elle se sentait fatiguée, j'ai arrêté de la faire parler. Elle était tellement coupable d'avoir supprimé cet homme que sa culpabilité noyait son amour, le diluait, l'abaissait, elle devenait mesquine, servile. Elle pleurnichait... Je ne parvenais plus à faire jaillir la passion qu'elle avait montrée à l'époque où elle me racontait le meurtre.

Pour terminer mon ouvrage c'est donc dans mes propres sentiments que j'ai fouillé, dans mes désirs, dans mes bonheurs, dans mes espoirs. Dans la beauté, dans la noblesse de l'amour que j'avais connu et partagé.

Jusque-là je brodais des ensembles, des masses, des courants, des espaces qui symbolisaient mes élans, et mes réflexions. Or, pendant que je travaillais vainement sur la mort du roi, j'ai commencé à penser que c'était trop facile de n'exprimer l'amour que par un jaillissement plutôt circulaire de couleur rouge et or. Il fallait aussi que je figure les deux corps d'Agamemnon et de Clytemnestre tels qu'ils étaient et non pas symboliquement. Dans un premier temps j'ai refusé cette indécence. Mais ça n'allait pas, j'étais bloquée. Alors je m'y suis mise et de broder les corps nus, avec leurs défauts et leurs qualités, m'a bouleversée : chaque parcelle de ces êtres était à décoder... C'était dur. Je n'ai pu progresser qu'en revenant par endroits aux pudeurs de l'abstraction, aux commodités d'une expression théorique. C'était le corps de Clytemnestre qui me donnait le plus de mal, peut-être parce que je le connaissais, que je l'avais touché et même caressé. Chacun de ses ongles, chacune de ses rides, chacun de ses cheveux avait un sens à lui et enlevait son sens à Clytemnestre. Pourtant je voulais y arriver. J'ai beaucoup travaillé.

Cahin-caha je suis parvenue au bout de mon ouvrage et après l'avoir punaisé sur du liège je l'ai installé sur un chevalet, dans mon atelier. Il me donnait l'impression d'être un ferment, d'être l'intérieur d'un œuf, d'une graine.

Pendant ce temps, j'avais oublié mon modèle, je ne m'en étais pas du tout occupée, je ne l'avais même pas vue dans la maison. Je mangeais à la va-vite des sandwiches que j'allais acheter au bistro du coin, je dormais sur le divan de l'atelier où je passais mes jours et mes nuits.

Ma nouvelle façon de travailler soulevait tant de problèmes que je n'avais pas le temps de penser à autre chose. Je m'étais procuré des bouquins d'anatomie et de zoologie. J'ai même acheté un herbier, aux puces, par hasard. Et c'est lui qui m'a rendu le plus de services. Surtout une planche consacrée au lierre. Vingt feuilles séchées offrant le spectacle d'une grande disparité et pourtant d'aucune de ces feuilles, prise séparément, on ne pouvait dire autre chose que : « C'est une feuille de lierre. » Souvent je posais cette planche sur ma table de travail, je fermais les yeux et du bout des doigts je sentais les feuilles, l'une après l'autre, leurs nervures, leurs contours, jusqu'à ce que je parvienne à nommer chacune d'elle par son nom. Mon but était d'arriver à faire pareil avec Clytemnestre nue, de la broder de telle sorte qu'on puisse dire en regardant la broderie : « C'est Clytemnestre », avant même de penser : « C'est une femme »... Ce fut un échec. Sur l'ouvrage terminé qui trônait sur le chevalet, le corps de Clytemnestre était flou, même ses cheveux. Il n'y avait que ses yeux, volontairement agrandis par moi, qui étaient reconnaissables. Les yeux qu'elle avait à l'époque où elle me racontait son crime, leur expression remplie d'effroi et d'amour. Son regard. Son regard brodé était tellement présent dans l'atelier qu'il me pesait et, pour m'en délivrer, j'ai éprouvé le désir de la revoir, elle tout entière.

Elle était dans la chambre de mon fils, sous la garde de James Dean, de Marilyn Monroe et du pot d'échappement de la moto. Quand j'ai entrouvert doucement la porte elle se tenait assise sur le lit, comme d'habitude, enfouie dans un fatras de coussins. Le reste de la pièce était parfaitement rangé et les volets étaient fermés. Elle avait l'air de m'attendre.

— Ça y est, tu as enfin terminé ton ouvrage ?

Je la trouvais pâle, amaigrie, sa voix était très enrouée.

— Oui, j'ai fini.

— Je ne veux pas le voir.

— Je m'en doute, je n'ai pas l'intention de te le montrer.

— Au moins es-tu arrivée à quelque chose ?

— Pas grand-chose. Un petit peu quand même. Tes yeux.

— Tu n'y arriveras pas... Tu ne parviendras jamais à me justifier. Je sais que tu t'es mis ça dans la tête, mais tu n'y arriveras pas parce qu'on ne doit pas agir comme j'ai agi.

— Tu me l'as déjà dit.

— ... Ma gorge me fait souffrir.

— Est-ce que tu te soignes ?

— Il n'y a rien à faire, c'est normal, c'est comme ça.

Voilà ce qui m'exaspère en elle : qu'elle subisse son mal passivement, qu'elle prenne sa vie comme une fatalité. Elle est têtue comme une mule. Je ne vais pas entrer dans cette discussion. Alors je me dirige vers la fenêtre et j'ouvre les volets :

— Un peu d'air là-dedans ! Veux-tu que je prépare un bon dîner ?

— Oui, je veux bien.

Je ne m'attendais pas à ce qu'elle accepte aussi vite une diversion, je croyais qu'elle allait encore se plaindre, commenter l'abandon dans lequel je l'avais laissée, me faire la morale... pas du tout.

Je suis donc sortie faire des courses, acheter des fleurs. A mon retour elle avait allumé des bougies sur la table de la cuisine où elle avait mis le couvert pour nous deux, avec mes plus belles assiettes et ma meilleure argenterie, elle avait même déniché une petite nappe que j'avais brodée dans ma jeunesse.

— Mon Dieu, mais d'où as-tu sorti cette nappe ?

— De ton placard à linge. Elle était en dessous d'une grosse pile de draps blancs.

— Je ne me sers plus jamais de draps blancs ; maintenant je préfère les draps de couleur. Elle aurait pu y rester longtemps. Je l'avais complètement oubliée. C'est moi qui l'ai faite, tu sais, quand j'avais dix-huit ans.

— Je l'ai deviné. Elle est jolie.

Une nappe avec des églantines...

Quel plaisir de retrouver Clytemnestre de cette humeur. Elle a brossé sa crinière, elle a changé son éternelle robe rouge pour une autre du même style mais jaune, d'un beau jaune mordoré, couleur de la crème, qui lui va bien, qui la rajeunit.

— Tu ressembles à une belle motte de beurre frais.
— C'est ce que je voulais.

Elle a même noué autour de son cou un tissu laiteux qui ressemble à ces linges souples et transparents dont on couvrait le beurre fraîchement baratté dans mon enfance.

— Tu es magnifique !

J'ai acheté deux perdreaux. Nous échangeons nos recettes, épluchons des échalotes, coupons de petits lardons, ouvrons une bouteille de saint-émilion. Et, pendant que ça cuit, nous passons, en bavardant, des perdreaux aux champignons, des champignons à l'automne, de l'automne à la chasse, de la chasse aux hommes... tout ça gaiement. Elle me fait rire, elle a bien plus d'histoires à raconter que moi.

Je me détends, je suis sous le charme.

Il m'a fallu un bon moment pour comprendre son stratagème. Nous avions terminé la première bouteille et elle ouvrait la seconde quand je me suis rendu compte que j'étais piégée. Tout ça : la chasse, les saisons, les hommes... n'était là que pour aboutir au sujet qui lui tenait à cœur · les enfants. C'était ce qu'elle voulait : parler de ses enfants. Pas d'Iphigénie, des autres, des plus jeunes.

Elle soliloque et je me dis : « Tu es perdue, la brodeuse, trop tard, tu es embobinée. » Le piège est d'autant plus dangereux que les perdreaux sont bons, cuits à point, parfumés, tendres... Le vin, le plaisir de manger... Les différences s'effacent... Tout le temps qu'elle parle de ses enfants, qu'elle ratiocine, qu'elle s'empêtre, elle me bouleverse de nouveau. Elle me replonge dans mon propre désarroi, je retrouve l'angoisse de l'accident, les corps meurtris de mes enfants. La chair de mes petits, cette chair-là, cette peau, ces muscles, ces dents, leurs intonations, leurs mouvements... incomparables... tellement importants, tellement proches et pourtant tellement étrangers à moi. La voix de Clytemnestre porte une douceur, une fraîcheur, une suavité que je ne lui avais pas connues. Je me sens fondre, devenir elle. Il n'y a plus aucune distance entre elle et moi, entre ses enfants et les miens.

Electre d'abord. C'est la plus jeune. Elle l'aime tant, son Electre ! Elle a été une petite fille fragile. Est-ce à cause de ça qu'elle la touche plus que les autres ? Ou bien parce qu'elle lui ressemble : les yeux noirs, les cheveux roux ? Longtemps elle l'a identifiée à elle, elle croyait pouvoir répondre à sa place. Mais Electre, adolescente, lui a fait comprendre qu'elle se trompait, qu'elle ne lui ressemblait pas, et depuis cette époque elle n'a cessé de provoquer des escarmouches entre sa mère et elle. Elle est mauvaise comme une peste, son Electre. Têtue comme un cabri, obstinée, jolie comme un cœur... Et une justicière avec ça ! Et une aventurière par-dessus le marché !

Ma fille connaissait les bas-fonds de la ville, elle aimait les bastringues, boire avec des traîne-savates, des bons à rien. Elle était attirée par des garçons violents, entre deux sexes. Elle ne s'en cachait pas, elle en amenait même chez moi de ces petits gars affublés de boucles d'oreilles scintillant à travers leur tignasse, avec des blousons de cuir sec qui pelaient aux coudes et aux boutonnières, avec des jeans collant aux fesses et au sexe, avec des « santiags » tellement longues et pointues qu'on les aurait dit chaussés de hors-bord. Leurs motos les attendaient dehors. Ils la suivaient, ils étaient ses gardes du corps. Elle, elle faisait du charme avec son corps de garçon, ses yeux brillants, son sourire retroussé sur ses dents blanches, ses seins-brugnons qui gonflaient sa chemise d'homme et se laissaient voir, par instants, au gré de ses mouvements. Ses longues jambes étaient gainées de jean et elle portait des santiags, comme ses copains.

Electre séduisait Clytemnestre et Clytemnestre se laissait séduire. Sa fille évoluait avec une grâce à laquelle elle ne savait pas résister, elle était tellement comme elle aurait aimé être : fluide, vive, langoureuse et cynique. Electre riait, moussait, jaillissait, roucoulait, ronronnait... et puis soudain, elle piquait. Mille aiguilles dans le corps de sa mère alors même qu'elle était sans défense parce que le charme de sa fille l'avait désarmée. Clytemnestre sortait ses griffes, ripostait, faisait mal, mais Electre refusait le combat, elle partait en riant après avoir caché son regard derrière ses ray-ban. Elle allait se faire soigner par ses sbires, laissant sa mère pantelante, désolée.

Depuis la mort d'Agamemnon, Electre ne lui adresse plus la parole mais elle passe plusieurs fois par semaine pour prendre des affaires, du linge et son regard est coupant, terrible. Toutes les belles paroles que Clytemnestre avait préparées s'envolent. Elle n'ose pas, elle a peur même. Comment présenter la meurtrière à ce juge ? Sa fille est devenue une ennemie. Quand elle l'entend arriver son cœur se met à battre. Elle s'enferme dans sa chambre où elle reste aux aguets. Elle écoute les allées et venues d'Electre dans la maison. Elle ne s'apaise qu'en entendant claquer la porte d'entrée et le silence s'installer de nouveau dans les pièces vides. Elle erre pleine de chagrin et d'angoisse dans sa maison en ordre où elle n'a plus rien d'autre à faire que d'attendre la poussière de demain. C'est une perdition ce manque d'occupation ménagère : « A quoi je sers dans cette maison maintenant ? Où est le temps où je n'arrêtais pas, où les enfants grouillaient ici avec leurs copains comme des chiots ? Où est ce temps exténuant ? »

Pour se rassurer, elle proclame dans les pièces vides et propres : « C'est fini ce temps-là, bien fini et tant mieux ! »

— Clytemnestre, c'était normal que les enfants s'en aillent.

— Oui, c'était normal. Mais pas dans n'importe quelle condition. Tu sais très bien ce que je veux dire. Qu'est-ce qui s'est passé avec les tiens ? Tu leur as acheté une moto pour qu'ils s'en aillent : et ils sont venus s'écrabouiller devant chez toi.

— Tu as raison. J'aurais mieux fait de l'enfourcher, cette moto, et de foutre le camp.

— Mais non, mais non. Nous ne pouvons pas nous en aller, nous ne pouvons pas leur échapper, nous n'en avons pas le droit. Ne repars pas dans tes folies. Combien de fois faudra-t-il que je te répète qu'il n'y a pas de solution.

La salope ! Elle sent bien qu'elle m'a agrippée de nouveau, que je suis à sa merci. Coupable, coupable !

— Electre était terrible. Je pense qu'elle a su dès le premier jour que j'avais tué son père. Elle me connaissait si bien, elle me devinait. Et puis, mon attitude depuis la mort de sa sœur... elle ne l'a pas acceptée... Mes jardins, elle les a haïs... quant à Egisthe n'en parlons pas. Elle était jalouse d'Iphigénie, jalouse de tout. Elle a pris le parti de son père alors qu'il ne s'en occupait jamais, absolument jamais... il n'en avait pas le temps, elle était trop jeune... J'ai essayé de discuter avec elle mais elle a refusé. Un jour elle m'a dit, à propos de l'accoutrement que j'avais pour travailler dans les jardins : mes pieds nus, ma jupe retroussée dans la ceinture, la peau hâlée, les cheveux libres : « Tu es une vieille qui veut faire la jeune. » J'avais trente-cinq ans à l'époque. C'était la première fois qu'on me traitait de vieille.

— Elle avait quel âge ?

— Quatorze ans... Iphigénie était morte depuis quatre ans... Electre n'aimait pas les jardins.

Clytemnestre pense à tout ça et marmonne :

— Dans le fond j'ai toujours su qu'un jour elle m'achèverait.

— Pourquoi ?

— Parce qu'elle... me ressemble...

— Et Oreste ?

— Oreste... quand je pense à lui c'est toujours la même impression qui revient.

Elle s'appuie lourdement au dossier de sa chaise, elle penche sa tête sur le côté, elle ferme ses yeux, ses mains sont sagement posées sur ses cuisses. Elle est triste et douce. Elle projette des images qui se mêlent aux miennes. J'ai la gorge pleine de larmes, je ne les retiens pas, elles coulent, tièdes, douces.

Il rentre à la maison, il se dirige directement vers sa chambre dont il laisse la porte ouverte, il prend sa guitare, s'assoit sur son lit et il joue. Il semble qu'il a une urgence à faire ça. Il projette des notes, les unes après les autres dans l'espace des instants qu'il vit là. Il joue bien.

Si quelqu'un lui avait demandé : « Oreste, qu'est-ce que tu joues en ce moment ? », il aurait répondu : « Rien. » Il n'aurait pas dit qu'il jouait ou qu'il réfléchissait.

En fait il se berçait. Le sentiment qu'il avait pour moi

était accablant. Il me détestait et il m'adorait. Il n'y avait pas de place en lui pour une autre passion mais il en était las. Elle persistait, cette passion, et l'étouffait. Il n'était plus un enfant, il n'était pas encore un homme... Ça ne pouvait plus durer comme ça. Toute son adolescence il l'a vécue ainsi, partagé entre la joie qu'il éprouvait à la perspective de quitter un jour la maison et la peine d'être bientôt privé de moi. Mais il n'était pas conscient de cette ambiguïté, il n'aurait pas su l'exprimer. C'était la mélodie qu'il faisait naître qui me le disait à sa place.

Il se penchait sur sa guitare dont la caisse de résonance était appuyée sur sa cuisse droite. D'une main il tenait le long manche. Dans sa paume il sentait le satiné du bois verni et, sous l'extrémité de ses doigts appliqués, le raide et le métallique des cordes que, de l'autre main, il effleurait avec une extrême douceur. Par moments il regardait le glissement de ses doigts sur les cordes, on aurait dit qu'il les surveillait. A d'autres moments il soulevait son visage, il fixait le vide, on aurait dit alors qu'il se faisait confiance, que le fond de lui-même savait mieux que lui jouer de la guitare. La musique était libre. Il se balançait en mesure, au rythme de la tendresse, de la nostalgie qu'il jouait.

Peut-être, dans ces instants, s'imaginait-il le petit, le tout petit, le moins petit, le plus vieux, l'adolescent qu'il avait été. Livré, abandonné, puis rétif, de plus en plus rétif, au fur et à mesure qu'il grandissait, mais amoureux toujours de son berceau creux, du creux de mes bras. Peut-être qu'alors s'incrustait avec précision dans sa pensée mon corps qui sentait le lit chaud, le gâteau au chocolat, l'attention, mes mains qui sentaient la punition, les raclées, mes baisers qui sentaient son enfance à lui, ses jeux, son cartable, son plumier, ses rhumes, sa rougeole, ses mauvais rêves, ses désirs d'avenir, à lui.

Cette femme que je suis lui appartient comme personne d'autre ne lui appartiendra jamais puisque je suis sa mère, puisque son abri le plus sûr c'est mon ventre.

Mon garçon se penche à nouveau sur ses mains qui, maintenant, raclent et accrochent. Le rythme de ce qu'il joue devient plus dur, plus serré, plus exigeant, plus difficile. Il cherche une musique qui lui serait propre. Il s'acharne. Il rejette ce qui lui vient des autres, des classiques, du folk, des nègres, de Crosby, d'Hendrix, de Mac Laughlin, de Zappa... Il faut qu'il naisse, il faut qu'il soit lui, il faut qu'il soit seul. Il s'obstine, il recommence, il y passera la nuit...

... Clytemnestre avait l'instinct de son fils plutôt qu'elle ne le comprenait. « Oui, il fallait qu'Oreste quitte la maison, qu'il se détache de moi. Et quand il est parti pour travailler, j'ai éprouvé du soulagement. Pourtant, malgré l'éloignement, rien n'a changé, il est resté mon enfant jaloux, amoureux. Jamais je n'oserai lui parler de ma vie privée... Il ne comprendra pas... Il ne peut pas comprendre... Il veut sa mère pure, propre, intacte, il n'admettra pas qu'elle soit une femme. »

Dans quel traquenard sommes-nous tombées ! Elle se revoit dans sa maison vide, dans sa solitude, tout engluée par les filaments doucereux qui l'attachent à ses enfants, engluantée de sa famille.

— Je l'ai assez voulue cette famille ! J'en rêvais depuis mon enfance. Je les aimais avec tous mes instincts, tout mon être, toute ma force. Ecoute, la brodeuse, quand j'allais dans les jardins, ce n'était pas pour les fuir. D'ailleurs ils le savaient bien puisqu'ils m'interrompaient à tout moment. J'ai toujours été à leur disposition. J'ai toujours été là.

Elle geignait, elle balançait sa tête de droite et de

gauche. Elle se comportait comme les pleureuses de mon pays. Je ne sais pas ce qui me retenait de me mettre à gémir avec elle, le malheur est tellement moins lourd lorsqu'il est bercé de la sorte. Et puis j'ai vu que le foulard qui enserrait son cou était taché. Sa blessure s'était rouverte, elle saignait ! Ça m'a fait peur, je refusai ce sang.

— La reine, il faut aller te reposer. C'est du passé tout ça, demain il fera jour.

Je ne sais pas dans quel état nous sommes allées nous coucher. Ce que je sais c'est qu'en me réveillant j'avais deux portraits à faire : un homme et une femme. Encore ! Mais cette fois-ci un frère et une sœur : deux adultes qui seraient des enfants. Je les vois de face, livrés. Leurs corps exprimeront une certitude, celle d'être sortis d'une femme unique qui leur a, en même temps que la vie, donné la mort. On ne la verra pas mais eux la verront et, à seulement les regarder, on saura qu'elle est là, qu'ils voient leur mère.

Ça, les portraits d'Electre et d'Oreste, ce sera pour plus tard car pour l'instant l'état de Clytemnestre est si mauvais qu'il prend tout mon temps. Elle souffre mais elle ne veut pas me montrer sa gorge. Tout à l'heure je l'ai surprise dans la salle de bain en train de laver des linges souillés qu'elle a dissimulés maladroitement comme une petite fille prise en faute.

— Pourquoi te caches-tu ?

— C'est dégoûtant.

— Qu'est-ce qui est dégoûtant ?

— Ce sang.

— Voyons Clytemnestre, nous sommes entre nous, je sais que tu saignes, je l'ai vu l'autre soir.

— Je n'aime pas faire des histoires avec ça

— Veux-tu que j'appelle un médecin ?

— Un médecin ! Tu es folle. Sang ou pas sang, la médecine ne peut pas faire grand-chose là-dedans. Je n'ai pas besoin de médecin, j'ai besoin que tu m'écoutes... Tu sais ce qui me fait du mal ?

— Dis-le-moi.

— C'est de sentir que mon exemple ne te sert à rien ! Tu cours à la même catastrophe que moi et tu ne le vois pas.

Nous étions dans la salle de bain... Il ne faut pas que j'oublie cet instant ou que j'essaie de le parer ou de l'amputer... Nous étions dans la salle de bain. Moi assise sur le rebord de la baignoire, elle sur le bidet et, au creux du lavabo, trempaient ses pansements, dans une eau rougeâtre. L'endroit sentait bon, était propre, la lumière était forte, un peu clinique.

— Je t'écoute.

Il faut que je conserve dans ma mémoire cet instant tel qu'il était car c'est là que j'ai basculé. J'ai su, là, que je l'abandonnerais bientôt... Elle me regardait intensément, me scrutait. Elle voulait savoir si j'étais prête à l'écouter vraiment, si j'allais enfin me laisser convaincre, cesser d'interpréter.

Elle sentait bien que depuis que nous avions parlé des enfants j'étais plus soumise, qu'elle avait ravivé l'alarme à l'intérieur de moi. Je soutenais son regard. Je mentais, je masquais la partie de ma réflexion où l'alarme n'avait pas repris racine. J'ai dû mal jouer ma comédie car elle m'a dit :

— Je me méfie de toi.

En disant ça, elle m'a fait penser à ma mère. Un goût de tendresse m'a projetée vers elle. Je me suis agenouillée devant Clytemnestre, face à elle. Nous nous sommes regardées longtemps, enfin elle a pris mon visage entre ses deux mains et elle a embrassé mes tempes l'une après l'autre — exactement de la même manière que Mimi quand elle voulait s'assurer que j'avais de la fièvre — puis mes yeux, ma bouche, mes joues. C'était tellement bon de retrouver cette protection, cette attention, que j'aurais peut-être alors lâché prise si elle ne s'était pas mise à me parler comme elle l'a fait. De sa voix sourde mais posée, sage, elle m'a débité des sentences, comme un perroquet :

– L'homme, vois-tu, naît en terre étrangère, loin de ses semblables. Il vient de l'eau de la femme et il boit le lait de la femme, mais il est d'ailleurs. Il débute seul dans un monde qui n'est pas le sien et où il se perd facilement. Il n'a pas de modèle, alors il doit prendre son départ au sein de lui-même, trouver en lui-même le tremplin qui le projettera vers les autres garçons, ses semblables, cette horde de solitaires qui se font eux-mêmes. Cette étrangeté, c'est le piège de leur force, c'est de là que naissent les lois, les guerres, les frontières, le bannissement des rêves, c'est là que s'élabore tout ce qui peut annuler le monde d'où ils viennent, le monde de leur mère, le monde des femmes, le monde effrayant du vague, de l'ouvert. C'est pour se rassurer qu'ils sont si réglés, si obéissants aux ordres, si respectueux des disciplines, si attentifs aux références.

La brodeuse, écoute-moi bien : lorsque tu unis ta vie à celle d'un homme avec lequel tu auras des enfants, tu ne dois jamais, quoi qu'il arrive, oublier le commencement de ton homme, le mal qu'il a eu à se trouver, le fait que l'univers lui est étranger et qu'il devra sans cesse le conquérir ou s'en protéger. N'oublie jamais que ce commencement sera celui de ton fils et que ta fille aura à en être instruite. Il ne faut pas rompre la chaîne sinon tes enfants te tueront ou ils se tueront. C'est comme ça, c'est la nature de l'homme.

Elle radote. Depuis mon aventure avec Jean-Maurice je sais que ce n'est pas si simple que ça. Dès les premiers mots j'ai fermé les yeux, j'ai fait celle qui écoute avec attention. Puis, ne pouvant plus garder mon expression respectueuse, tant ce qu'elle dit m'agace, j'ai posé ma tête sur ses genoux. Elle a fini son discours en me caressant les cheveux avec douceur. Moi :

— Pourquoi, alors, as-tu tué Agamemnon ?

— Parce que je ne savais pas. C'est après que j'ai pensé. Mais, d'abord, j'ai agi sans penser. C'est après que j'ai compris combien Agamemnon avait raison de me traiter de tête de linotte. C'est au dernier moment que j'ai compris, au moment de ma mort.

Inutile de discuter avec elle. Ce n'est pas la peine, ça la rend malade. Je la laisse donc me raconter la suite sans intervenir. Et, dans le fond, elle me force à ouvrir grand la porte que j'ai découverte en racontant l'histoire de Jean-Maurice. Je m'étais arrêtée devant elle, effrayée, elle m'invitait à m'engager sur un chemin qui m'éloignerait de lui. Maintenant les balivernes de Clytemnestre me replacent face à cette porte. Je vais l'emprunter. Je vais m'éloigner d'elle comme je me suis éloignée de lui. Je vais rompre avec moi, avec la femme que j'ai été.

Je n'ai plus essayé de m'identifier à elle, j'ai interprété ses histoires à ma manière et tant pis si ça ne lui plaît pas.

Egisthe arrive chez Clytemnestre. Il possède une clef de la maison et il entre comme s'il était chez lui. Il la trouve en train de rêvasser sur son lit. Il reste debout à la regarder. La langueur de sa maîtresse l'agace. Depuis la mort d'Agamemnon, il sent qu'elle lui échappe. Elle pense trop, elle réfléchit trop, elle rêve trop.

— Il y a quelqu'un dans la maison ?

— Non, il n'y a que moi.

— Ça ne t'étonne pas ce désert autour de toi depuis quelque temps ?

— On soupçonne que j'ai tué Agamemnon. Les meurtriers n'attirent pas les gens.

— Et d'où viennent ces soupçons ? Tu ne te le demandes pas ? Tu ne te poses pas la question ? Qui est en train de foutre la pagaille ?

— Je n'en sais rien.

— Tu le sais parfaitement et tu ne fais pas un geste pour arrêter ça. Tu sais très bien que ce sont tes enfants — Electre surtout. Et son gros balourd de frère qui se laisse manipuler par elle.

— Je t'interdis de toucher à mes enfants, je ne t'autorise pas à parler d'eux en ces termes. Tu ne diras pas un mot de plus, c'est compris !

— D'accord, je ne parlerai plus d'eux ; d'ailleurs ils n'en valent pas la peine. Mais tu m'autorises, je suppose, à parler de ceux qui sont pour toi, de ceux qui se réjouissent de t'avoir pour reine. Pourquoi ne les reçois-tu pas ? Pourquoi ne veux-tu pas les voir ?

— Je n'aime pas les courtisans... Ils croient que j'ai tué le roi et ce n'est pas ce que j'ai fait.

— Ne recommence pas avec tes radotages.

— Je ne radote pas... Je me demande ce que j'ai fait. Depuis que j'ai tué Agamemnon je ne sais plus où j'en suis. Je me demande si en touchant à Agamemnon, je n'ai pas touché aux dieux.

— Ne commençons pas avec les dieux maintenant. Reviens sur la terre, Clytemnestre. Si seulement tu t'occupais à quelque chose... Tu pourrais t'intéresser à ce que je fais...

— Le pouvoir ne m'intéresse pas. Vos guerres... vos discours... je n'ai pas envie de ça.

— De quoi tu as envie ?

— Je ne sais pas.

Clytemnestre se détourne d'Egisthe, elle regarde la soirée rougeâtre qui tombe sur les pins maritimes, une haie de roseaux envahie par les volubilis, et les dernières hirondelles qui volent en piaillant dans le ciel que le soleil va quitter d'un instant à l'autre. L'odeur de la nuit commence à se faire sentir. L'ombre va se peupler des ombres qui lui sont propres, de ses vies, de ses repos. Clytemnestre n'a plus l'impression d'appartenir à la nature, elle ne va presque plus au jardin. Une chose essentielle lui manque et la sépare des autres. Elle a du chagrin plein le cœur. Besoin de se pelotonner, besoin d'être bercée, besoin d'être protégée. Elle ne regrette pas la grandiose protection d'Agamemnon qui la rendait insignifiante. Pour rien au monde elle ne voudrait retrouver la touchante protection de sa mère qui la culpabilisait. Elle désire une protection complice, tendre, amoureuse, respectueuse. Son père lui manque. Elle a besoin de cet homme-là et de personne d'autre. Plus elle pense à son père et plus elle pense au père de ses enfants. Alors, sa tête éclate. Elle ne comprend plus rien, elle se révolte, elle n'accepte pas sa condition de mère assassine. Ce qu'elle a fait ne regarde qu'elle et Agamemnon. Personne d'autre ne devrait se mêler de ça.

Egisthe voit Clytemnestre, cette grande femme recroquevillée dont le regard se perd dans une tristesse lourde. Il la trouve belle et enfantine. Il s'assied sur le lit auprès d'elle et pose une main sur la haute hanche dressée.

Clytemnestre ne veut pas de cette consolation, elle n'a pas envie qu'Egisthe s'apitoie sur son sort, elle sait trop comment se terminera cet attendrissement.

— Laisse-moi, Egisthe.

— Je t'aime tant, Clytemnestre.

— Moi aussi, je t'aime beaucoup.

— Faisons l'amour.

— Pour rien au monde.

— Alors pourquoi dis-tu que tu m'aimes ?

— J'ai dit que je t'aimais beaucoup... pour dire quelque chose, pour rien, parce que c'est vrai.

— Pourquoi es-tu méchante ?

— Je ne suis pas méchante. Je suis loin.

— Tu es fatiguée, Clytemnestre.

Elle est plus que fatiguée, elle est épuisée, elle est aux abois, elle est à l'agonie. Elle se noie. Elle a peur d'elle-même. Et elle a pourtant tellement besoin de quelqu'un.

Elle se redresse, se tourne à nouveau vers Egisthe, tend une main vers lui, la pose sur ses cuisses. Elle sent à travers l'étoffe la vigueur, le doux, le lisse, le chaud de ce corps qu'elle a aimé, qu'elle aime peut-être encore... Elle n'en veut pas, elle ne veut pas de ça. Elle ferme les yeux. Elle voudrait qu'il s'en aille.

Egisthe, voyant Clytemnestre comme abandonnée, croit qu'elle a fini sa bouderie. Il rit. En une seconde il a enlevé sa chemise, défait sa ceinture, déboutonné son pantalon. Déjà il est allongé auprès d'elle et la prend par la taille.

Une sorte de haine gicle en Clytemnestre, une répulsion, une révolte. Elle repousse Egisthe de toutes ses forces.

— Laisse-moi je te dis, fous-moi la paix.

Egisthe est vexé par ce geste trop vif. Il se lève d'un bond. Il la domine de tous ses muscles, de tous ses os, de toute sa virilité frustrée. Il est dangereux.

— Tu exagères, Clytemnestre.

Il se reboutonne. Il est bête.

— Tu ne devrais pas te conduire comme ça... Si tu continues je vais te laisser tomber et tu seras seule... Tu n'es plus toute jeune... Tu es autoritaire... Clytemnestre, le pouvoir s'est organisé sans toi. Et un de ces jours tu vas avoir besoin de moi parce que nous avons des ennemis.

Ce « nous » qui la lie à Egisthe exaspère Clytemnestre. Elle le déteste.

— Quels ennemis ?

— Tu le sais bien : tes enfants et leur bande, Pylade... Electre a mis le grappin sur tout le monde, elle est en train de leur monter la tête.

— Laisse-les faire, ça ne te regarde pas.

— Ça me regarde au contraire. S'ils se mettent à en vouloir à ta peau, ils en voudront aussi à la mienne. Et je n'ai pas l'intention de me faire avoir par ces petits crétins, ces bons à rien, ces fumeurs de pot, ces buveurs de vinasse, ces motards du vendredi soir...

— Tais-toi, je t'ai déjà dit de ne pas parler comme ça de mes enfants, ce sont des princes pour moi, mets-toi ça dans la tête une fois pour toutes.

— Clytemnestre, je te comprends, j'essaie de te comprendre du moins. Je ne te demande qu'une seule chose : tâche de faire cesser ce qui les fait agir.

— C'est leur sang. C'est le sang de leur père qui les fait agir. C'est leur père que j'ai tué... Qu'est-ce que tu ferais, toi, si ta mère avait tué ton père ?

— ... Clytemnestre... Excuse-moi... Tu as le don de me mettre en colère, de me faire sortir de mes gonds... tu pourrais comprendre.

— Comprendre quoi ? Egisthe, laisse-moi seule, va-t'en, je t'en prie...

Egisthe la giflerait s'il se laissait aller. Mais il ne le fait pas, il préfère s'en aller. Et puis il y a dans le délire de Clytemnestre quelque chose qui le bouleverse, mais il ne sait pas quoi. Il ne veut pas le savoir. Pourquoi rester là avec cette femme éperdue ? Il ne veut plus l'entendre, elle est folle ! Il s'en va et, de toutes ses forces, il claque la porte.

Egisthe a sorti Clytemnestre de sa torpeur. Après son départ, et peut-être parce qu'il avait claqué la porte très fort — comme s'il avait voulu que l'alerte reste derrière lui — elle n'a plus pu se replonger dans ses rêvasseries.

La résonance du bruit sec bat le rappel. Elle doit retrouver sa vigilance.

Quel vide, quelle solitude !

« Je n'ai plus d'ennemi et il faut encore que je me

batte. Ça n'a pas de sens. Mes enfants et moi nous ne pouvons pas être des ennemis, nous nous aimons. »

Clytemnestre est pâle, pâle, elle a peur. Elle connaît la détermination stupide de ceux qui ont les lois de leur côté, leur manque d'imagination, la délectation qu'ils prennent à appliquer le règlement sans en omettre ou en changer une virgule.

C'est ce qui la fait trembler, cette bêtise à laquelle elle sera confrontée, cette muraille sans aspérités, lisse comme le vide, qu'ils dresseront devant elle et qu'elle ne saura ni franchir ni contourner. Comment leur expliquer que son mari n'était pas leur père ? Comment faire admettre cette vérité imbécile ? « Moi-même, comment ne l'ai-je pas compris ? »

Elle a passé la nuit à ressasser tout ça, elle n'a pas dormi, elle est hors d'elle.

Maintenant la traque va commencer.

De quelle couleur est la peur ? Couleur de la bile, verte et jaune, avec des irisations bleues. Et le fond sera une soie très fine à la trame serrée, couleur de la peau, d'un rose crémeux. Ce sera le corps de Clytemnestre que la peur et la culpabilité envahiront dans sa totalité.

J'ai d'abord eu envie d'un carré orange, en taffetas, et d'utiliser des fils gris-bleu et des soies rosées. Je pensais, en faisant ces choix, à ma première journée dans la villa de mon frère, au pays de Caux, moi devant la cheminée, sanglotante. Mais la peur de Clytemnestre n'est pas la mienne. Clytemnestre n'a aucun espoir.

Clytemnestre arpente le sommet d'une colline tapissée de thym rêche. Elle va, elle vient, rapidement. Des touffes d'herbe cinglent ses sandales, elle fait rouler des grumeaux de terre qui s'effrite. Elle s'en moque. Quand elle va vers la mer, son regard balaie l'espace dans lequel la ville de cubes ocre niche au creux de la côte verte ; quand elle va vers la terre, elle entrevoit le moutonnement des collines pelées pressées sous le ciel blanc.

Elle va, elle vient, ses cheveux bouclés sont mouillés de transpiration, des mèches luisantes serpentent sur son front et sa nuque. Sous la tunique de lainage brun son grand corps ruisselle. Elle est en colère.

Peut-on appeler colère les vapeurs épaisses qui s'amassent en elle ? Est-ce de la colère cette pâte de tendresse, d'amour et ce goût de sang qui lèvent dans sa poitrine et dans son ventre ? Ce matin, au départ, il y a eu une bouffée de révolte qui n'est pas sortie, a grossi, l'a fait grimper à grandes enjambées en haut de la colline et maintenant la fait se mouvoir comme une tigresse en cage.

Ce sont ses enfants qu'elle exècre : cet homme, cette femme, qui sont partis de ses viscères, il y a longtemps. Aujourd'hui ils se dressent devant elle et, dans les paroles d'adultes qu'ils prononcent, dans les gestes d'adultes qu'ils font et qui l'agressent, elle perçoit l'écho des petits qu'ils étaient et cela l'empêche de riposter. Elle les aime et, parce qu'elle les aime, sa fin sera terrible !

Il est tôt. Tout à l'heure en traversant le jardin, elle a vu les sombres grenadiers luisant de rosée, frais, arrondissant les collerettes raides et rouges de leurs fruits, elle a vu pendre les douilles laiteuses des daturas, lourdes fleurs impassibles qui s'ouvrent la nuit pour exhaler la mort. Elle a vu les premières fourmis, mues par une agitation anguleuse, accomplir vite leur mission de l'aube, avant le passage des jardiniers qui vont tout ratisser et feront courir l'eau. Les insectes transportent les déchets de l'ombre : baies mûres que leur propre poids de vie a fait choir, lucioles qui ne vivent qu'un moment de ténèbres, miettes du dîner des enfants...

En sortant, Clytemnestre a senti la fraîcheur du sol à travers ses sandales. Elle aime l'odeur du jardin au petit matin quand dans sa fragrance il n'entre que du végétal. L'odeur du minéral viendra plus tard. La pierre, la poussière ouvriront leur cœur sec tout à l'heure, quand les fissons du soleil les transperceront.

Elle comptait, pour décharger ses humeurs, faire un tour du côté des vergers, contempler les citronniers et les orangers. Parce que, habituellement, la vue de leurs branches chargées de fruits l'apaise. Elle se sent pareille à ces arbres, féconde, productive. Mais ce matin le spectacle ne l'a pas réconfortée. Son humeur a tourné au sauvage et la vue des arbres l'a, au contraire, agacée. Aujourd'hui elle a le goût de la guerre, du ravage, du saccage.

— Mes enfants, je les giflerais bien jusqu'à ce que le sang leur gicle par le nez Ensuite, horrifiée par mon geste, je transformerais mon corps en une boule de polenta de laquelle ils se nourriraient, où ils retrouveraient leur force, la force de me faire souffrir encore. Mais d'abord la raclée, une raclée de laquelle ils se souviendraient. Pourtant ça ne se passera pas comme ça...

Clytemnestre est une terre en train de se modifier, en elle la lave commence à cuire à gros bouillons et transforme sa peau, ses gestes, son regard. Ses mâchoires font saillir le menton, tirent ses joues vers la nuque, ses lèvres gonflent et s'entrouvrent pour laisser passer un souffle rapide et fort. Elle est pâle. Ses yeux sont des phares dans lesquels alternent la lumière de la fureur et la douleur brune.

— Electre ! Cette petite garce, cette peste. De quoi se mêle-t-elle ? Mais qu'est-ce qui lui prend à ma fille ? Ce que j'ai fait, ça ne la regarde pas.

Elle dit ça mais elle ne le sent pas. Elle croit ça avec sa tête mais son corps lui dit le contraire et c'est pour cela qu'elle est hors d'elle, qu'elle a envie de hurler à la mort. « C'est trop absurde, c'est trop injuste ! »

Heureusement qu'elle a ses longues jambes robustes qui la font déambuler, transpirer, s'exprimer, sinon elle étoufferait, elle exploserait. Ses allées et venues inutiles sont l'âne qui fait tourner sa noria, qui fait monter l'eau de son puits. De marcher ainsi ne l'apaise pas mais ça l'aide à se maîtriser. Peu à peu son agitation est moins intense, moins désordonnée. Finalement elle s'immobilise, elle ressemble à une pierre érigée, brune et rousse.

C'est alors qu'elle entend un pas derrière elle, un seul pas. Elle se dit : « Ils ne sont pas venus ensemble », cela la surprend. Elle s'attendait à rencontrer ses enfants ensemble, pas l'un sans l'autre. Lequel a délégué ses pouvoirs, lequel a eu peur, lequel n'a pas osé, lequel a eu le courage, lequel l'aime, lequel la hait ? Elle se retourne brusquement et découvre que c'est un parent d'Egisthe qui se dirige vers elle, il est à bout de souffle. Elle ne supporte pas cette intrusion :

— Qu'est-ce que tu viens faire ici ?

— C'est Egisthe qui m'envoie. Tes enfants te cherchent. Lui, il a fui. Il ne m'a pas dit où il allait se cacher. Il m'a seulement dit de te prévenir.

— Laisse-moi. Va-t'en.

Le bonhomme ne se le fait pas dire deux fois. Il repart comme il est venu, à toute vitesse.

Moi je suis là, avec elle. Sa peur je la comprends, je la reconnais ; tout le monde a peur de la mort, toutes les femmes craignent leurs enfants.

Le temps est magnifique, c'est la fin de l'été. Je sens dans le fond de l'air que l'automne tiède et lumineux sera bientôt là.

Nous deux, deux femmes, en haut d'une colline pierrailleuse ; devant nous la mer, derrière nous des vallonnements arides couleur de sommeil, d'éternité... La Méditerranée, notre sol bien-aimé.

— Que vas-tu faire, Clytemnestre ?

— Je vais les attendre.

— Où ?

— Ici. A la maison il y a trop de souvenirs. Dans les jardins c'est trop privé, c'est mon univers privé et ils ne le supportent pas. Je vais les attendre ici, sur la terre de leur père, la terre de mon père, ma terre, leur terre.

— La mienne aussi.

— Je le sais, la brodeuse.

Elle me prend la main. Nous sommes proches ! Malgré la sueur, le désordre de sa chevelure, la poussière, la fatigue de son visage, je la trouve belle et majestueuse

Elle regarde le paysage et fait un large geste du bras qui embrasse tout ce qui l'entoure.

— Je sais des choses... je sais des choses... N'oublie pas que je suis la fille de Zeus... Un jour, à l'époque où la terre se formait, le sol s'est exprimé. Dans son agitation il faisait entendre des grondements terribles et il tremblait. Le tourment qu'il subissait était si fort qu'il s'est brisé. Une grande blessure s'est ouverte dans son écorce rouge, une profonde fissure mettant sa chair à vif. L'eau des océans s'est engouffrée dans cette plaie pour la soigner. En se cicatrisant les deux bords de la déchirure se sont éloignés l'un de l'autre, comme les lèvres d'un sourire, formant les rivages de ce qui est devenu la mer Méditerranée. Les plantes, qui ne se trompent pas, ont reconnu l'identité de ces deux rives. C'est pour cela que partout autour de cette bouche poussent les pins maritimes, les figuiers, les oliviers, les arbousiers, les palmiers, les lentisques et la vigne. Partout : à Barcelone, à Tunis, à Tanger, à Salonique, à Alexandrie, à Marseille, à Athènes, à Alger... partout... et les géraniums, et les volubilis, et le thym.

« Dans le sec et l'humide de cette terre réside un pouvoir qui se cache, une électricité, un tonnerre, un métal chauffé à blanc, fermentant au cœur des gens qui la peuplent, les excitant. Et moi qui suis née là, moi qui aime la sentir sous mes pieds nus, moi qui ai mis au monde des enfants capables d'affronter le soleil, j'ai dans le ventre un sang qui fait cascader la vie, j'ai dans le sexe le goût des siestes chaudes, j'ai dans le cœur le désir de l'amour et j'ai la sauvagerie dans la tête...

— Sauvage comme les églantines, Clytemnestre.

— Oui, tu as raison, comme les églantines... Toi, tu aimes les plantes, tu sais ce qui s'est passé pour qu'elles deviennent des roses...

Clytemnestre ne ressemble plus à la femme qui habitait chez moi. Là, dans son décor, elle retrouve sa dimension légendaire, elle est à la fois extraordinaire et plus simple. Sa cicatrice a disparu.

Moi aussi je me sens différente. Je retrouve le goût de l'absolu que ma terre me communique. Je suis plus forte, plus folle, plus hardie dans mes pensées et plus sage dans mon corps.

— Les églantines... Il y en a un buisson énorme dans le vallon, un buisson plus haut que moi. Viens, la brodeuse, je veux te les montrer, elles doivent fleurir encore.

Nous descendons silencieusement la pente opposée à celle que nous avions grimpée. Nous nous éloignons de la ville. Nos mains, toujours liées, sont moites, pourtant le soleil est loin d'être au zénith, c'est à peine le début de la matinée, mais la peur de Clytemnestre ne nous quitte pas, elle nous nimbe, une peur acceptée, la fatalité.

En moi il n'y a pas de peur, seulement de l'appréhension : je sais que le moment va arriver où je serai définitivement séparée de Clytemnestre. Je sais aussi qu'à cet instant-là, je commencerai à être libre. Contrairement aux apparences, ma vie avec Clytemnestre n'a jamais été une perdition, une aliénation, au contraire. J'ai toujours su pendant cette période-là que je projetais en elle celle que je ne voulais plus être. Je m'exorcisais en justifiant son meurtre, je faisais ça pour que la culpabilité cesse de me torturer, afin de ne plus me comporter devant les autres comme une coupable mais comme n'importe quel être humain qui a le droit naturel d'être lui-même, de s'exprimer, sans qu'on cesse pour cela de l'aimer. Clytemnestre va mourir comme j'aurais dû mourir et c'est avec beaucoup de compassion et de tendresse que je l'accompagne. Mais il y a aussi en moi de l'allegresse et de la curiosité : envie de vivre mon futur sachant que tout sera à inventer. L'avenir commencera bientôt et je l'aborderai avec la patience et l'impatience d'une exploratrice.

Ainsi, je suis grave et décidée et par moments je serre la main de la reine pour lui donner courage, pour lui dire que tout est bien, que le drame suit son cours normal. Au fur et à mesure que nous approchons du fond du vallon, la végétation devient plus dense. De la broussaille, des taillis de lentisques et de lauriers-roses forment un maquis de plus en plus serré dans lequel notre sentier se tortille. Ça sent le thym. Nous sommes obligées de nous séparer, de marcher l'une derrière l'autre. La reine va devant. Nous parvenons enfin à un ruisseau à sec dont le lit est fait de caillasse grise, de grosses roches blanches et d'oblongues étendues de sable clair. Il n'y a plus une goutte d'eau.

— Ici, au printemps c'est un torrent furieux qui passe. Il fait s'entrechoquer les cailloux avec un bruit infernal. Il est infranchissable. D'ailleurs tu vois bien comment les plantes s'en écartent. Crois-moi, à cette saison-là, mieux vaut ne pas se mettre sur son chemin, il emporte tout.

Elle s'est assise à l'ombre d'un buisson sur une pierre plate. L'endroit est encaissé, caché. Des insectes bourdonnent, s'affairent. Le silence qui est grand est fait de milliers de petits bruits, la nature commence à rissoler sous le soleil, tout à l'heure les cigales vont la faire flamber. Je me suis assise à mon tour sur une autre pierre plate ; un peu plus haute que celle de Clytemnestre et légèrement en retrait. Je la vois de profil. Elle se tient droite, elle est sérieuse, elle regarde un lézard qui est sorti des taillis d'en face et qui traverse le lit doré du torrent. Il s'arrête sur une petite plage, aux pieds de la reine, nous considère puis oblique vers la droite en laissant des traces légères sur le sable. Il est vert et or, agile, souple, frais. Elle se tourne vers moi :

— Il est beau.

Je réponds « oui » de la tête. La reine sait bien que je ne suis là qu'en spectatrice, que, pratiquement, je n'existe pas. Mais sa peur est si grande qu'elle éprouve le besoin de parler et en me parlant elle se parle. Elle s'est tournée vers moi mais elle n'attend pas de réponse.

— Existe-t-il un véritable tribunal ? Un tribunal comme tu crois, toi, qu'il peut en exister un ? Crois-tu qu'il peut exister des juges et des jurés qui n'écouteraient pas la reine expliquant pourquoi et comment elle a tué le roi, mais qui écouteraient une femme expliquant pourquoi et comment elle a tué son mari ? Crois-tu que quiconque pourrait croire que j'ai tué par amour et par respect ? Crois-tu qu'un jour en parlant du bel amour qui unit un mari et sa femme tu pourras parler de l'amour-glu, de l'amour-toile d'araignée, de l'amour-piège ? Crois-tu que tu pourras parler comme ça, un jour, sans qu'on t'arrache la langue ?

A qui s'adresse-t-elle en me parlant ? Pas à moi en tout cas. A un peuple de femmes peut-être ? A ma mère ?

— Et d'abord, je n'ai même pas le droit de parler comme ça, de penser comme ça... Je suis une folle... une monstruosité... Une criminelle.

D'avoir ainsi prononcé sa propre condamnation paraît l'apaiser. Elle regarde vers le fond du vallon où se dresse un grand éperon rocheux.

— Tu vois, c'est derrière ces rochers, après le tournant, que se trouvent les églantines. Viens.

Nous nous remettons en marche dans le torrent asséché. L'odeur des lauriers-roses est forte. Je trouve qu'ils sentent l'amour, quelque chose de fade, de mielleux et de violent, un mélange affolant de petit et de grand, de faible et de fort. Nous contournons la haute roche et là, brutalement, surgit un trésor. Les églantines enracinées dans la terre abrupte, agrippées à la falaise, forment une épaisse colonne magnifique. Les fleurs sont d'un rose criard avec un cœur jaune vif, le feuillage sombre les met en valeur. Elles sont arrogantes, fières de vivre, simples ; mélanges de gourgandines et de filles de la campagne. Je les regarde avec attention, je les broderai telles qu'elles sont : leurs calices, leurs pistils, leurs épines qui ne piquent pas, un duvet plutôt. Elles présideront à la mort de Clytemnestre.

Nous les contemplons. Je me demande à quoi pense la reine et pourquoi à ce moment de sa vie elle s'arrête si longtemps devant ces fleurs sauvages. Enfin elle dit :

— Elles me survivront.

Encore une de ces phrases énigmatiques de Clytemnestre qui font que je me demande parfois si elle est très sage ou si elle ne fait que répéter des mots qu'elle ne comprend pas mais qui lui paraissent de circonstance. Elle ajoute, un peu haletante maintenant :

— Je vais au petit temple de Zeus, là-bas. Il est abandonné. J'y emmenais souvent les enfants quand ils étaient petits. C'est une belle promenade. Personne n'y va jamais, à part moi, c'est là que je préfère faire mes dévotions à mon père... Ils devineront que je suis là...

Elle reprend ses grandes enjambées, elle souffle, elle peste, elle parle toute seule, elle apostrophe ses enfants, elle les gronde, elle les traite de fous, de mal élevés, elle agrippe ses jupes à deux mains pour les soulever et marcher plus vite. Elle court.

Elle ne m'a pas invitée à la suivre, c'est normal, depuis des millénaires, les peuples de l'Occident sont conviés à considérer la mort exemplaire qu'elle va subir. Inutile de m'inviter, elle sait que je serai là.

La vallée s'élargit, devient une plaine sablonneuse bordée de dunes que lèche la mer. Sur notre droite, adossé à une colline, s'élève un tertre surmonté d'un bâtiment en ruine. Deux colonnes intactes tiennent encore debout, autour d'elles des pans de murs effondrés, des fûts de colonnades en morceaux, des chapiteaux de granit à peine dégrossi. Une construction très ancienne dédiée au roi des dieux, à celui qui sous l'apparence d'un cygne avait séduit Léda, la mère de Clytemnestre.

Malgré son abandon l'endroit est beau. Les ruines sont si vieilles qu'elles sont devenues minérales, végétales. Elles ont trouvé un accommodement avec la nature, elles sont inséparables, indispensables l'une à l'autre. La nature est devenue temple, le temple est devenu nature.

Je me sens voyeuse. Je suis une voyeuse. Je suis là mais je n'existe pas. Je regarde mais mes yeux n'en sont pas. Mes yeux sont des planètes lointaines, ou bien des fleurs d'immortelles à l'odeur épicée, dont les touffes percent le sable aux abords du tertre, ou bien deux bousiers noirs et ronds charriant devant eux leur boule de crotte, ou bien deux nuages dans le ciel, ou deux mouettes planeuses. Mes yeux sont des mémoires. Le savait-elle lorsque, devant les églantines, elle a dit « elles me survivront » ? Sait-elle que sa vie va s'infiltrer dans l'inconscient des gens à naître ? Je ne le crois pas. Clytemnestre est une simple femme et c'est la légende qui la fait agir, pas elle.

Elle me regarde, c'est la dernière fois que nous nous regardons. L'instant est pesant : après je serai seule, absolument seule, plus seule que je l'ai jamais été, dans une solitude inimaginable, je n'aurai plus de modèle, plus d'exemple. Pourvu que je tienne le coup, que je ne sois pas tentée par le refuge que m'offre son histoire, que je n'aie pas le désir de m'y conformer encore pour avoir la paix.

Elle porte une belle robe tragique : blanche, brodée de feuilles d'acanthe dorées. Dans ses cheveux, en haute masse roussâtre, s'incruste un diadème de métal précieux et de pierreries, une plaque d'or rutilant. Deux serpents d'or s'enroulent autour de ses avant-bras, leurs têtes aux yeux d'onyx reposent sur ses poignets. Elle est là dans les ruines, elle n'attend pas. Le temps n'a aucune importance, elle est le temps. Elle ne bouge pas et pourtant elle est la vie même.

Moi je sais qu'il est midi : il n'y a plus d'ombre.

C'est l'heure.

Pas le moindre souffle de vent, même pas la légère brise de la mi-journée qui, habituellement, chiffonne la mer : l'eau est absolument calme. J'entends un bruit qui vient de derrière les collines. Clytemnestre saisit le masque de l'effroi, celui qui a les yeux et la bouche grands ouverts, avec les coins des paupières et des lèvres qui tombent. Elle le tient à la main. C'est pour bientôt ! Elle porte des cothurnes aux semelles très épaisses, elle est immense. Elle tend sa main libre vers le soleil, se place face à lui, lève le menton, son visage agressé par la brûlure prend une expression poignante, puis elle descend son bras et pose brutalement son poing fermé sur son cœur qu'elle martèle trois fois, ensuite elle reste comme ça, sans bouger, sans rien faire : la grande peur l'habite.

Quelle tragédienne ! Je l'admire ; par son simple travail d'actrice elle a réveillé chez la spectatrice que je suis le souvenir du danger, de la traque, de la culpabilité... Et elle sait prendre son temps, la garce : dans les secondes qui s'écoulent mes peurs s'engouffrent dans la sienne avec des images qui me sont propres, multiples peurs nichées au creux de mon cœur. C'est la peur du gendarme qui se met à grouiller la première dans ma gorge, la peur d'être hors la loi, peur d'enfreindre les règles, peur de ne pas être conforme, peur de désobéir à Mimi. Je m'installe confortablement, je ferme les yeux, je laisse venir.

Le bruit se précise, il est en train de grimper la côte. Je ne vois pas encore ce qui le porte mais je sais pourtant ce qui l'émet. J'imagine déjà, jaillissante, la première voiture bleue avec des flashes rouges tournoyant sur son toit et le mot POLICE écrit sur ses portes et sur son capot, suivie d'une deuxième voiture identique. Puis un petit fourgon plus haut, plus trapu que les voitures de tête, avec la même inscription POLICE. Derrière, deux autres autos, exactement semblables à celles de devant. Cinq bolides couronnés d'éclats de flammes. Et surtout l'escorte effrayante de leur bruit, le bruit épouvantable de leurs sirènes qui font virevolter des hurlements entrecoupés d'aboiements mécaniques.

En bas de la pente, juste avant d'aborder le croisement de deux avenues, la voiture de tête accélère, atteignant alors une vitesse incroyable, dangereuse, elle se projette littéralement en faisant crisser ses pneus et elle se met en travers du carrefour, interdisant ainsi à tout véhicule étranger de ralentir la ruée du convoi. Simultanément la dernière voiture se détache, double les autres et va prendre la tête de la caravane hystérique qui se dirige vers moi…

Ils sont là, dans ma maison, le bruit et les lumières tournoyantes envahissent les pièces. Ils se ruent vers moi, me mettent les menottes et me traînent dans le fourgon sur lequel, avant de repartir, ils accrochent une pancarte : « Renégate, Relapse. Coupable de broderie. Mauvaise femme. Mauvaise mère. » Je me laisse embarquer sans broncher.

Je sors de ma rêverie en pensant : « Oui, il y a seulement deux ans, avant que j'en arrive à la nuit de noces de Jean-Maurice mais surtout à son mensonge, je me serais laissé embarquer sans broncher. » Pourquoi ? Pour rien, parce que les chaussettes de mes enfants n'étaient pas raccommodées, parce que j'avais sommeil, parce qu'il y avait de la poussière sous le lit, parce que je n'avais pas envie, parce que j'avais la taille épaisse, parce que mes seins tombaient, parce que je vieillissais, parce que je dépensais mal, parce que je gagnais trop. Pour rien, pour tout...

Ma belle reine en est toujours au même point. Elle s'est absolument intégrée au décor. Peut-être que du lierre s'agrippe déjà à ses jambes : *Araliacea epiphyta*, un lierre ravissant, minuscule, gris et blanc. Je me trompe, ou plutôt je me moque, je vois déjà Clytemnestre statufiée alors qu'elle n'est pas encore morte. Peut-être que sa mort me gêne, réveille en moi trop de mauvais souvenirs, que je désire la gommer... Il n'en est pas question : j'ai un devoir envers la reine, et si je n'ai pas été capable d'aller au bout de la vie de Jean-Maurice, je dois laisser la reine aller au bout de sa vie ; il en va de la mienne, je dois l'extirper totalement de ma tête, qu'elle meure, qu'elle crève.

Le bruit est là, un peu plus fort que tout à l'heure. Clytemnestre ne met toujours pas son masque mais elle cesse d'affronter le soleil. Elle baisse la tête, laisse pendre ses bras et, après avoir cherché un solide aplomb sur le sol, d'elle s'échappe un appel, une mélopée, une sorte d'hymne rauque et doux, un mélange de iouiou et otototoï, feutré, une musique à vous tordre les tripes qui dit ensemble la haine, l'amour et la peur. En même temps qu'elle libère son chant, le pire sort de moi, le plus culpabilisant. L'épouvante s'en va de mon corps, peu à peu, comme ces interminables rubans multicolores que les prestidigitateurs extraient de leur bouche, de leurs oreilles ou de leur nez... Le sable est frais quand j'y enfonce mes doigts... Je ferme les yeux... Ce bruit, un bruit de catastrophe... l'ambulance sur le boulevard Montparnasse... La moto !... je n'aurais pas dû l'acheter... je n'aurais pas dû broder... Les voilà qui arrivent, mes enfants, sur la moto noire et argent. Ils surgissent dans le ciel qui surplombe la pierraille du sommet, comme deux diables. Lequel conduit, mon fils, ma fille ? Je ne sais pas. Ils sont casqués et habillés de vêtements identiques. La moto retombe sur sa roue arrière, cabrée comme un cheval. De toute beauté ! Ils viennent chercher mes broderies, ils ne veulent plus que je brode, c'est une maladie, ils vont me faire mettre dans un hôpital, ils vont prendre mes broderies et ils les brûleront... On dirait qu'une toute petite brise s'est levée, la température est idéale, juste ce qu'il faut pour assister à un spectacle en plein air... Comme ils sont pressés ! Ils vont trop vite, ils vont se tuer ! « Vous allez vous tuer, n'allez pas si vite ! » Derrière mes paupières baissées, je vois leur mère, je me vois ; je cours vers eux, je hurle : « Ralentissez ! Vous allez vous tuer ! » Mais ils ne m'entendent pas, ils ne me voient pas, le bruit de leur engin est trop fort. Je sais que sous la caillasse la terre est meuble, sablonneuse, les mulets s'y tordaient les pattes quand j'étais petite. « Attention, hé ! Attention ! » Le sol gicle sous eux, ils sont dangereux et ils sont en danger. « Attention ! »... Les pneus tout terrain ont de longues dents plantées en quinconce et puis les pieds bottés de mes enfants font contrepoids quand ça penche trop. Ils sont experts, ils savent des choses que je ne sais pas, ils sont des enfants de l'atome et du cosmos visité, alors que moi je suis toujours une mère des quatre saisons, de la peste et des télescospes portatifs... J'ai de vieilles peurs... Et voilà que, justement à l'instant où je me renie, où je me déprécie, voilà que la moto fait une embardée. Le passager est éjecté, exécute une sorte de looping, un triple ou quadruple saut périlleux puis s'écrase lourdement sur la pente et s'arrête, inerte, vingt mètres plus bas. Le conducteur est resté prisonnier de la moto qui, en se renversant, est tombée sur ses jambes. Il est inerte lui aussi. Voilà, je le savais ! Eux, ils connaissent peut-être la mécanique, mais moi je connais le sable. Oui, je connais le sable et le sable est plus fort que la mécanique ! C'est épouvantable, voir mes enfants se tuer sous mes yeux à cause d'une moto que je leur ai achetée, moi ! Il aurait mieux valu que je leur donne mes broderies avant, que je ne gagne pas d'argent, que je n'aie pas de quoi acheter cette moto de merde ! Il aurait mieux valu que je meure plutôt que d'assister à un tel spectacle.

Celui de mes enfants qui avait déboulé le long de la côte se met à bouger, se redresse, enlève son casque. C'est ma fille. Il lui faut quelques secondes pour revenir de son éblouissement, alors elle aperçoit son frère plus haut, sous la moto. Elle va jusqu'à lui, redresse la machine. Je vois qu'elle lui parle, elle l'aide, dégage la mentonnière de son casque, ouvre son blouson. Appuyé sur elle il se met debout, il boite bas, claudique, sautille sur un pied. Ils parlent, parlent, puis se mettent à rire. Il boite moins bas. Ça a l'air d'aller. Ensemble ils s'occupent de leur engin.

Clytemnestre est toujours sur son tertre, dans les ruines du temple de son père, immobile. Le bruit n'a pas cessé, il monte ; cette fois il est plus précis, c'est un bruit de foule et il vient du vallon.

Mes enfants ont terminé leur réparation, ils essaient de faire démarrer la moto. Elle démarre. Ma fille a pris le guidon, son frère s'est installé derrière elle avec sa mauvaise jambe. Elle actionne la poignée de l'accélérateur. Vrooooom... vrooom... vroum... oum... Ils repartent doucement, arrivent au bas de la colline, passent devant le temple, sans voir Clytemnestre dressée qui ne les voit pas non plus ; son regard, attiré par le bruit grandissant qui se fait dans le vallon, se tourne par là.

Mes enfants filent vers la plage, vers le sable humide et ferme du bord de l'eau. Peut-être se baigneront-ils.

Une foule est apparue dans les derniers rochers du torrent asséché, du côté des églantines... On dirait qu'elle est arrivée à destination et qu'elle attend. Elle s'est tue... Ma fille nage la brasse, petite fusée efficace aux trois quarts immergée. Mon fils nage le crawl, ses bras hachent l'eau, ses pieds la barattent... Clytemnestre dévisage ceux qui sont au premier rang de la foule. Je vois qu'elle les reconnaît, ce sont des courtisans, je suppose. Ils attendent, elle aussi. Il est évident qu'elle ne les craint pas ; elle ne distingue pas parmi ces personnages ceux qu'elle redoute, ceux pour qui son cœur cogne à tout rompre.

Cet instant est long, lourd, nécessaire à la montée de l'intensité tragique. Il faut que le drame s'installe. Je m'allonge dans l'ombre d'un lentisque. Je suis une spectatrice attentive, presque subjuguée... Mais je connais la fin de l'histoire et le texte par cœur. Ça me permet de prendre du recul... Et même d'éprouver du plaisir à l'idée de ce qui se passera tout à l'heure... Comment vais-je broder ça ? La beauté de Clytemnestre, la grandeur du lieu. Il y aura le temple en ruine, bien sûr, mais dans un coin je broderai la moto... Tant pis si on me traite de surréaliste au petit point... tant pis... oui, il y aura la moto.

Maintenant le peuple massé au pied des collines scande un discours : l'histoire d'Electre et d'Oreste. Il proclame, en phrases rythmées, comment ces jeunes gens sont orphelins par la faute de leur mère. Il psalmodie la vaillance de leur père, Agamemnon, sa sagesse. Puis le chœur s'ouvre par le milieu, ménage un passage, forme une haie et un silence complet se fait. Ils ont créé le « climax ». Une femme vêtue d'une robe noire se détache des autres, c'est le coryphée. Elle fait un pas en avant et annonce l'entrée en scène d'Oreste et d'Electre.

Il fait chaud. Il fait très chaud. Des mouettes attirées par un festin invisible couraillent et criaillent au pied du tertre, elles se disputent. Soudain il y a un frémissement : le chœur, bouche close, émet une plainte, une seule note profonde qui se prolonge. Un figurant arrive en courant, il porte une pique au bout de laquelle est plantée la belle tête stupide d'Egisthe, bourrée de paille. L'homme s'arrête derrière le coryphée.

Clytemnestre ajuste son masque. L'arrivée de son amant-trophée est, probablement, un signal pour elle : le drame se noue. Elle prend son temps, elle se comporte en professionnelle, elle connaît l'importance de son costume mais elle ne veut pas être gênée par lui. Elle est prête, elle se tourne complètement vers le vallon. Elle ploie légèrement les genoux, se penche en avant, tient son ventre à deux mains. Ses yeux et sa bouche sont grands ouverts, figés par l'effroi. Elle fait trois pas et s'arrête brusquement quand, de la foule, monte une ovation : on acclame Electre et Oreste.

En effet, les enfants de Clytemnestre sont apparus. Ils

sont beaux, jeunes, fringants, sérieux. Ce sont de jeunes acteurs sur lesquels, apparemment, on fonde beaucoup d'espoirs : ils sont escortés par plusieurs personnes qui tournent autour d'eux, une costumière, une maquilleuse, un maître d'armes, un professeur de diction, et un grand homme dans la cinquantaine à l'estomac haut, au système pileux abondant — barbe et tignasse grises — le metteur en scène probablement. Il est le seul à ne pas s'affairer, les autres s'agitent autour des acteurs : un coup de houppette par-ci, un coup de peigne par-là, des retouches à la va-vite, de brèves recommandations, des conseils chuchotés à la dernière minute. Le metteur en scène regarde tout ça calmement, il n'intervient pas, puis soudain il fait un geste, les autres alors se taisent et se retirent dans la foule. Le maître parle à voix basse. Electre et Oreste boivent ses paroles, ils sont tendus, impatients et dociles. Le maître enfin les serre contre lui tout en tapotant leur dos pour les encourager. A la fin il s'éloigne et lui aussi va rejoindre le chœur.

Electre et Oreste mettent leurs masques : celui de la jeune fille et celui du jeune homme, les masques du fils et de la fille.

Les mouettes se sont éloignées. Moi, confortablement installée dans mon ombre, je me demande si Iphigénie en partant pour son sacrifice portait le masque de la mariée ou bien celui de la fille. Est-ce que le même masque sert pour les deux personnages ?

Clytemnestre a gardé son attitude crapaudine, arcboutée sur ses jambes, la face écarquillée. Ses enfants viennent vers elle en se tenant par la main ; toutefois Electre marche en tête, elle entraîne son frère. Ils sont tous les trois bouleversés.

Entre eux s'étend un espace de plage puis la pente herbeuse et caillouteuse du tertre. Il me semble que ce chemin est à la fois très long et très court. Aurai-je le temps de maîtriser l'émotion qui grandit en moi et, après, saurai-je la contrôler longtemps, jusqu'au bout, pour toujours ? Dans cet instant mon sort me touche plus que tout, je sais qu'il y va de mon avenir, que je ne dois pas m'identifier à Clytemnestre ni identifier mes enfants aux siens. Je dois, à tout jamais, refuser de me laisser prendre par la sorcellerie des modèles. Ils doivent rester dans ma mémoire mais ils ne doivent pas figurer mon avenir. Je ne dois rien craindre d'eux et ne rien en attendre.

Electre est exaltée, elle avance avec une grande détermination. Oreste, lui, est grave, je sens qu'il voudrait prendre son temps, que sa sœur le mène trop vite ; aussi, à un moment, lâche-t-il sa main. Elle se retourne vers lui agacée :

— Qu'est-ce que tu as, Oreste ! Tu as peur ?

— Non, je n'ai pas peur, mais c'est grave ce que nous allons faire. Elle est notre mère après tout, nous n'allons pas la zigouiller comme un poulet.

— Tu crois qu'elle s'est gênée, elle ! Allons, je te dis, débarrassons-nous de cette corvée.

Clytemnestre n'entend pas ce que disent ses enfants. Elle voit seulement qu'ils sont arrêtés et parlementent. Elle piétine sur place, juchée en haut de ses cothurnes dorés, elle marmonne sans arrêt : « Mes bien-aimés, mes bien-aimés... » Le peuple pendant ce temps scande une sorte de mélopée qui fait penser à la guerre ou au bruit d'un cœur : « Otoï... toï... otototoï ! Otoï... toï... otototoï... »

Les mouettes se sont envolées et planent au-dessus des vagues où nagent mes enfants. L'une d'elles s'est posée sur la moto qui est restée seule, debout sur sa béquille, au bord de l'eau. Le soleil joue avec ses chromes, elle est éblouissante, dressée dans l'horizon comme un totem. Là, telle qu'elle est, magnifique et dangereuse, elle prend un sens que je n'avais pas saisi ; la moto est un signe. Je ne l'avais pas compris. Si j'ai quelque chose à me reprocher c'est ça, c'est de n'avoir pas compris l'importance de la modernité, c'est d'être restée une mère de l'Antiquité, c'est de leur avoir offert la moto comme si je leur offrais une poupée ou une auto à pédales. Je leur ai offert les clés d'un monde que je ne connais pas... tout est à inventer, je ne suis coupable de rien !...

« Otoï... toï... otototoï, otoï... toï... otototoï... » Je ne sais plus si c'est mon cœur ou celui du chœur qui bat comme ça. Je revois les étoiles filantes du cœur de mes enfants sur les écrans de contrôle des salles de réanimation. Les cœurs d'aujourd'hui sont des traces dorées et vivaces et non plus des tambours, même si la forme du cœur des gens est depuis toujours la même.

Les enfants de Clytemnestre sont encore arrêtés. De là où elle est, Electre invective sa mère :

— Eh, la reine, tu sais ce que nous venons faire?

Clytemnestre met ses mains en porte-voix autour de sa bouche béante, on dirait qu'elle se prépare à répondre, mais non, elle change d'avis, dresse ses bras vers le ciel et continue à marmonner : « Mes bien-aimés, mes bien-aimés... » Certainement elle attend qu'ils soient plus proches, elle n'a pas envie de hurler.

Une altercation assez violente se produit entre la sœur et le frère. Je n'ai pas compris ce qu'ils se disaient, Electre parlait entre ses dents. Finalement Oreste la repousse brutalement. Elle manque perdre l'équilibre. Alors elle s'éloigne de lui en le traitant de froussard. Il hausse les épaules et s'assoit dans le sable.

La chaleur est devenue intense, au bord de l'insoutenable. Comment peuvent-ils garder leurs masques ! Je voudrais qu'ils en finissent. Les cigales font tant de bruit qu'elles couvrent presque les voix du chœur qui continue avec ses « Ototototoï, ototototoï... ». Les lauriers-roses sentent fort, leur parfum est écœurant. Tout cela pourtant ne dérange pas Electre qui se comporte comme une petite vipère : dressée, aiguë, fraîche. Elle fait un pas, regarde son frère avec mépris — il ne se décide pas à la rejoindre —, harangue sa mère, fait un autre pas. Elle progresse ainsi peu à peu vers le temple. Ce qu'elle hurle à sa mère, en vociférant, en sanglotant, c'est l'amour qu'elle a pour son père et comme il lui manque maintenant qu'il est mort. Elle s'arrête en brandissant son poing : « Tu m'as amputée, tu m'as amputée ! »

Clytemnestre m'exaspère : elle se tord les mains, elle larmoie : « Ma bien-aimée, ma bien-aimée... » elle ne fait rien d'autre, elle ne répond rien aux accusations de sa fille. J'ai envie de lui passer mes mots mais je sais — pour avoir vécu longtemps avec elle — qu'elle les condamne et même qu'elle est incapable de les entendre. Je ferais mieux de la laisser là et d'aller me baigner moi aussi.

Vraiment, il me tarde que tout soit terminé. Je ne suis qu'une spectatrice, je ne peux pas parler à Electre, secouer Clytemnestre, demander à Oreste de s'exprimer, lui qui ne dit rien, qui est toujours assis dans le sable. Si je faisais ça, on m'expulserait. La légende est écrite comme ça et il n'est pas question d'y toucher. Si jamais j'intervenais, je suis certaine que Clytemnestre me dirait : « Laisse faire, la brodeuse, ne touche pas à l'Histoire, elle est sacrée. » Pardi, elle aime encore mieux être la salope de l'Histoire que de n'être rien du tout.

Pour l'instant la reine a bien autre chose à faire qu'à

me donner son avis. Elle joue la meilleure partie de son rôle, la plus terrible mais la plus touchante, celle qui, aux yeux de l'assistance, rachètera son crime, sa faute, son péché. Elle va payer de sa vie, sans broncher, son goût de liberté. C'est le prix, ça doit être énorme.

Il faut voir dans quel état elle s'est mise ! Elle transpire tellement que sa crinière a l'air d'une serpillière effilochée qui tombe par-devant sur son masque et qui au-dessus et derrière sa tête pendouille en masses informes. Elle a perdu son beau diadème. Sa robe est mouillée sous les bras et dans le dos. Pour être plus à son aise — ou peut-être parce qu'elle a trop chaud — elle a, comme à l'époque où elle travaillait dans les jardins, soulevé sa jupe dans sa ceinture. On voit ses fortes jambes fléchies, les muscles de ses cuisses qui saillent sous sa peau vieillie, et, par instants, quand elle se dandine d'un pied sur l'autre en haut de ses cothurnes, je vois la touffe pelée et grisonnante de son sexe. Elle est obscène.

Pourquoi se rend-elle obscène ? La reine n'est pas obscène, elle est sensuelle, elle est lascive, elle est tout ce qu'on veut mais pas obscène. Mais j'oublie qu'elle joue un rôle et que pour en arriver à subir le sort que ses enfants lui réservent il faut qu'elle soit ignoble. J'oublie qu'elle n'est une victime que dans ma tête, que pour tous les autres elle est une meurtrière, une régicide. Elle est donc ignoble. Elle tire sa langue et la passe sur les lèvres écarquillées de son masque : une vieille pute de la Méditerranée.

Devant le comportement de sa mère, Oreste, qui jusque-là était resté silencieux et grave, en retrait, se dresse, rejoint sa sœur et même la dépasse. Electre l'attrape par la manche. Elle se moque :

— Tu as vu la Mama, comme elle est belle !

Oreste se dégage, avance jusqu'au pied du tertre et parle à sa mère en se contenant :

— Tenez-vous correctement, on vous regarde !

Clytemnestre se dandine de plus en plus et ne sait que bafouiller : « Mon bien-aimé, mon bien-aimé... »

— Je ne suis pas votre bien-aimé. Si vous m'aimiez bien, vous n'auriez pas tué le roi, mon père.

Clytemnestre en entendant son fils l'accuser lâche un grand cri et croise ses deux bras devant son visage, pour indiquer la honte. Puis elle part à reculons en gueulant : « Je suis coupable, je suis coupable. » Alors le chœur, très fort, au pied des collines, reprend le mot, le répète : « Coupable, coupable, coupable... » jusqu'à ce que, maladroitement, la reine parvienne au centre du temple, non loin de l'autel de son père envahi par le lichen.

Electre, agile comme un cabri, grimpe vivement la pente parmi les éboulis des ruines :

— Ne crois pas t'en sortir à si bon compte !

Clytemnestre laisse tomber ses bras, baisse la tête. Je ne vois plus d'elle que la broussaille de ses cheveux trempés. Elle avoue, comme une enfant :

— Je suis coupable.

— Et moi je te répète que tu ne vas pas t'en sortir à si bon compte. Faute avouée est à moitié pardonnée, c'est ce que tu crois. Tu te trompes.

Clytemnestre garde sa posture lamentable. Elle m'émeut. Je connais mon impuissance face à mes enfants à cause de l'amour que je leur porte. J'ai si souvent renoncé à être une humaine devant eux, j'avais tellement peur de leur montrer l'autre, celle qui n'est pas leur mère... Toutes les images, tous les archétypes pesaient si lourd sur moi ! En regardant la reine jouer son rôle, il me semble me voir sortir d'elle, émaner d'elle, me délivrer d'elle. Pour me mettre au monde il fallait que j'aille au bout de son histoire. Maintenant arrive le moment où elle va mourir et où je vais exister. J'éprouve de la reconnaissance et de la compassion pour Clytemnestre. J'aimerais pouvoir — comme à l'époque où elle habitait chez moi — prendre sa main, la serrer, la caresser, mais ce n'est plus possible, la distance est déjà trop grande, je ne la rejoindrai plus jamais.

Oreste, à son tour, a atteint le sommet du tertre. Au contraire de sa sœur, il a gravi lentement la pente avec des enjambées puissantes, précises, comme si le terrain était plat, comme s'il n'y avait pas de cailloux pour tordre ses chevilles. Ses muscles sont si forts et si jeunes qu'ils ne font pas la différence. Clytemnestre ose le regarder. Elle ose regarder cet homme qui est sorti de son ventre et, avec une profonde tendresse, elle reprend sa litanie : « Mon bien-aimé, mon bien-aimé... » Lui, on dirait qu'il est touché, il s'arrête, prend une grande respiration comme s'il étouffait un sanglot.

Electre bondit près de lui :

— Ne te laisse pas avoir. N'oublie pas ce qu'elle a fait.

Il se tourne vers sa sœur, la prend par la taille, l'embrasse. Ils sont serrés l'un contre l'autre, fragiles, poignants. Je ne sais pas pourquoi je pense à Marilyn et à James Dean, tels qu'ils sont dans la chambre de mon fils, immobilisés par leur image. Quelle beauté, quel gâchis !

Ils restent un grand moment comme ça sous les yeux de leur mère qui, en les voyant si unis, se redresse, remet de l'ordre dans sa chevelure, époussette sa robe. Pendant ce temps il me semble qu'Electre soutient son frère, qu'il puise en elle la force qui lui manque peut-être pour accomplir son acte. Peut-être... il se peut que je me trompe.

Mes enfants nagent, ils s'éloignent de cette côte. Dès que le spectacle sera terminé, je vais aller nager avec eux. Je sais, à seulement la regarder, que la mer doit être bonne, fraîche, pas froide. Il fait trop chaud ici.

Oreste s'est séparé de sa sœur. Il tire le poignard qui pendait à sa ceinture. Une belle lame semblable à celle que sa mère a utilisée pour tuer Agamemnon. Il avance. Clytemnestre est redevenue splendide. Elle ne se dandine plus, elle ne larmoie plus. Sans que je m'en aperçoive elle a changé de masque. Maintenant elle porte le masque de la reine dont le diadème de cuir bouilli cache en partie sa chevelure trempée et en désordre, il ne s'en échappe, sur les côtés, que quelques mèches rousses que le soleil a séchées et qui lui font une auréole cuivrée. La belle reine !

Oreste est ému, il respire fort, il se tient droit devant sa mère. Finalement il clame avec une voix qui s'éraille :

— Je viens faire justice !

Elle dit :

— Fais ce que tu as à faire, mon fils, car, en vérité, je suis coupable, j'ai tué mon mari.

Puis elle ajoute en gémissant — et ce gémissement est une coquetterie à l'égard de son fils, son ultime chance de séduire, mais comme elle sait que la partie est perdue d'avance elle n'est pas très convaincante — elle ajoute donc :

— ... Mais je n'ai pas tué ton père.

Electre piaille :

— Ça ne veut rien dire : ton mari était notre père, en tuant l'un tu tuais l'autre. Il n'avait qu'une seule vie !

Oreste parle calmement :

— Quoi qu'il en soit, de quelque manière que vous interprétiez votre geste, dites-vous qu'il nous a rendus orphelins. Aujourd'hui nous pleurons notre père et notre roi. Son absence — que la nature n'a pas voulue — nous est intolérable. Elle crie vengeance, il n'y aura que cette vengeance pour nous apaiser.

Clytemnestre, humblement :

— Je ne le savais pas, je n'avais pas compris, je ne voulais pas faire ça.

Electre gueule, elle est hystérique :

— Tête de linotte ! Nous sommes les enfants d'une linotte !

En disant ça elle pousse son frère plus près de Clytemnestre et fait mine de prendre son poignard :

— Je ne supporte pas de l'entendre radoter. Si tu ne la châties pas, je la châtierai.

— Laisse-la parler, elle a le droit de parler. Elle a le droit de se justifier.

— Parle donc puisque ton fils est si respectueux des règles. Dis-le, dis que tu as tué notre père.

Clytemnestre doucement, tendrement, dit :

— Oui, je l'ai tué. Oui, j'ai tué le père de mes enfants. Oui, j'ai tué Agamemnon. Oui, j'ai tué le roi.

En entendant sa mère parler comme ça, Oreste est comme choqué, comme atteint de plein fouet, sa poitrine se creuse tandis qu'il pousse un grand « ah ! » tragique — je me demande ce qui lui prend ; avait-il encore un espoir ? Electre ne se laisse pas avoir par la tendresse de Clytemnestre, elle couine :

— Pourquoi as-tu fait ça ?

— ... Parce que je l'aimais.

Oreste ne supporte pas cette réponse et flanque à la reine une claque formidable, à toute volée, qui arrache son masque. Exaspéré, il trépigne :

— Comment pouvez-vous dire que vous l'aimiez, menteuse ! Vous aviez un amant !

Clytemnestre, puisqu'elle n'avait plus de masque,

aurait pu répondre — elle aurait pu en profiter pour toucher ses enfants, les convaincre, se défendre —, au lieu de ça elle n'a qu'une idée en tête : retrouver son masque qui est allé rouler dans un tas de bois flottés que les tempêtes ont amoncelés là et que les pluies et le soleil ont blanchis. Elle farfouille dedans, elle marmonne, elle n'est pas contente, elle n'avait pas prévu qu'Oreste allait frapper aussi maladroitement. Enfin elle le récupère et le rajuste promptement. Mais ce coup-là a faussé la mise en scène. Il se produit un flottement qui ne dure pas longtemps car la reine est une magnifique comédienne et elle rattrape ce contretemps en faisant d'étranges mouvements des bras ; elle ressemble à un haut oiseau blanc qui essaie de prendre son envol. Pense-t-elle à son père en faisant ça ? Ou bien agit-elle par instinct ? En tout cas l'effet est impressionnant.

Oreste reprend son texte :

— Menteuse ! Vous aviez un amant !

Maintenant qu'elle a remis son masque, elle n'osera pas parler d'Egisthe à ses enfants, elle n'osera pas leur dire qu'elle ne faisait que se distraire avec cet homme, qu'il n'avait aucune importance... Quoi qu'il en soit — je l'ai vue tout à l'heure — elle n'est pas capable d'exister sans son masque, elle est son masque ; mieux vaut donc leur laisser croire qu'elle avait du sentiment pour Egisthe... Ainsi, elle ne peut s'engager sur ce terrain et, vaincue par l'absurdité de sa situation, elle s'enferre en répétant :

— J'aime celui que j'ai épousé. J'ai toujours aimé cet homme-là...

Oreste et Electre l'arrêtent par des gestes violents qui lui font peur. Ils se mettent à vociférer ensemble, avec le chœur qui se fait impatient :

— Menteuse ! Menteuse ! Menteuse !

Le masque de la reine est bien à sa place, impassible, résigné, beau. Elle sait qu'elle ne peut être prise que pour une menteuse, elle assume ça. Oreste lève le poignard mais encore une fois il ne termine pas son geste. Electre glapit :

— Si tu ne peux pas le faire, je vais le faire.

— Tu n'aurais pas assez de force. Il faut l'achever d'un seul coup, pour qu'elle ne souffre pas.

— J'ai plus de force que tu ne crois. Et puis elle, combien de coups a-t-elle donnés à mon père ?

... La main de Mimi sur mon épaule le jour de l'enterrement de Jean-Maurice. Je l'aurais bien tranchée cette main-là, j'avais horreur de ce qu'elle me transmettait... J'en ai assez de cette vieille guerre... J'en ai assez de ce spectacle.

Oreste se tourne vers sa sœur. Il a subitement une assurance qu'il n'avait pas. Il commande :

— Tais-toi !

Electre est surprise : jamais elle n'avait entendu son frère parler sur ce ton, avec cette autorité, ce calme, cette force. Elle se fait petite tout à coup, sage. Elle est calme. Lui, il demande au chœur de s'arrêter. Je n'entends plus que les mouettes qui crient, les cigales qui crécellent. Il fait meilleur, la brise de l'après-midi s'est levée, la Méditerranée moutonne. A l'instant où elle va mourir Clytemnestre se rappelle-t-elle que c'est pour du vent qu'Agamemnon a tué Iphigénie ? Sûrement pas. Et même s'en souviendrait-elle qu'elle trouverait ça convenable, dans l'ordre des choses, dans l'ordre des genres.

Je pense à Jean-Maurice que je n'ai pas su déchiffrer. Je pense à Mimi, à l' « exemplarité » de sa vie. Je pense à Odette, à sa lourde mort de « petit ange »...

Je pense à toutes ces légendes et je n'ai même pas vu partir le coup.

Oreste a frappé brutalement, d'un geste vif et précis en poussant un énorme « han » qui m'a sortie de ma rêverie. Il a tranché le cou de sa mère à la base et le sang, immédiatement, a giclé par flux sporadiques. Clytemnestre a reculé d'un pas, de deux pas, raide, les bras en croix, offrant le spectacle de sa « juste » punition : cette horrible blessure palpitante. Elle est désormais incapable de dire un mot mais elle gargouille des « glouglou », des « flocfloc », des « tchafftchaff »... qui disent peut-être sa révolte. Trop tard ! Son image restera comme ça.

Puis ses bras retombent, ses jambes fléchissent. Je comprends qu'elle doit mourir sur l'autel délabré de son père, au centre du tertre. Mais encore faut-il qu'elle y arrive (dans l'état où elle est !), qu'elle y tombe bien et que ce soit beau à voir. Le théâtre avant tout ! Aussi, quand ses talons touchent le granit, son fils lui assène-t-il un deuxième coup de poignard, en plein cœur, ce qui aide sa mère à tomber à la renverse, juste au bon endroit. L'effet est splendide : dans sa chute elle a fait mouliner ses bras dans le vide, en un effort désespérant, inutile, grandiose.

Du sang, du sang, du sang ! Il y en a plein partout, plein les pierres, plein les vêtements de Clytemnestre, d'Oreste et même d'Electre qui est accourue. Comment ont-ils pu faire ça ? D'où sortent ces litres et ces litres d'hémoglobine, de mercurochrome, de ketchup, de je ne sais pas quoi ? Quel spectacle épouvantable !

La mort de la reine efface tout, le sang de sa gorge tranchée la purifie. Pardonné, le « crime de Clytemnestre » !

Oreste, d'un beau geste triste, jette son arme au pied de l'autel, en offrande. Quant à Electre, incroyablement, elle éclate en sanglots, de grands pleurs sonores et harmonieux qui doivent monter jusqu'aux oreilles des dieux et les charmer. Elle se penche, ramasse le poignard, le serre contre son cœur et s'agenouille devant sa mère morte qui baigne dans son sang.

Le chœur entonne l'hymne de la réconciliation et de la paix. C'est la fin.

Moi je pense que ça a assez duré cette affaire-là. Ça suffit. Je suppose que, pour commémorer l'événement, ils érigeront bientôt, à cet endroit, une statue de Clytemnestre. Elle servira de perchoir aux mouettes qui y lâcheront leur guano. Une belle effigie pudiquement voilée, dans le genre de la statue dont Jean-Maurice adolescent rêvait de soulever la robe de marbre.

Je m'en vais. Je vais rejoindre mes enfants, je vais nager.

Je me dirige vers la moto.

Il est cinq heures du matin. Il me suffit d'entendre les bruits du dehors pour le savoir. C'est l'heure de la broderie, ma fille !

J'ouvre les yeux. Le plafond est blanc, bordé d'angelots qui se courent après en enjambant des guirlandes fleuries. Un angelot une guirlande, un angelot une guirlande... tout autour du plafond. Aux angles, les guirlandes s'entrecroisent pour former une gracieuse gerbe. Ils sont jolis, ces vieux plafonds de chambre à coucher...

Mes rêves me reviennent comme reviennent les rêves : vite, précis, avec de grands lambeaux qui manquent... C'est beau le théâtre, mais c'est du théâtre et j'ai autre chose à faire.

D'abord et pour commencer je vais chercher un atelier, un vrai. Plus question de réserver un petit coin de la maison pour mon travail, comme si je me cachais, comme si je m'excusais. Désormais, ma maison ce sera mon atelier. Une fois là je sortirai toutes mes couleurs, toutes mes matières, tout mon attirail. Ce sera tellement étonnant que personne n'y résistera... Enfin, je l'espère.

On verra bien.

Achevé d'imprimer en juin 1983
sur presse CAMERON,
dans les ateliers de la S.E.P.C.
à Saint-Amand-Montrond (Cher)
pour le compte des éditions Grasset
61, rue des Saints-Pères, 75006 Paris

N° d'Édition : 6151. N° d'Impression : 1050.
Première édition : dépôt légal : mars 1983.
Nouvelle édition : dépôt légal : juin 1983.
Imprimé en France

ISBN 2-246-28681-6